D0112024

BESTSELLER

Federico Moccia (1963) nació en Roma. Trabaja como diseñador de escenografías para cine y teatro. *Tres metros sobre el cielo*, un libro de culto entre la juventud italiana, es su primera novela.

FEDERICO MOCCIA

Tres metros sobre el cielo

Traducción de

Patricia Orts García

DEBOLS!LLO

Título original: *Tre metri sopra il cielo*

Primera edición con esta portada: enero, 2009

© Giangiacomo Feltrinelli Editore, Milán
© 2006 de la presente edición para todo el mundo:
Random House Mondadori, S. A.
Travessera de Gràcia, 47-49. 08021 Barcelona
© 2006, Patricia Orts, por la traducción

Quedan prohibidos, dentro de los límites establecidos en la ley y bajo los apercibimientos legalmente previstos, la reproducción total o parcial de esta obra por cualquier medio o procedimiento, ya sea electrónico o mecánico, el tratamiento informático, el alquiler o cualquier otra forma de cesión de la obra sin la autorización previa y por escrito de los titulares del *copyright*. Diríjase a CEDRO (Centro Español de Derechos Reprográficos, http://www.cedro.org) si necesita fotocopiar o escanear algún fragmento de esta obra.

Printed in Spain – Impreso en España

ISBN: 978-84-9793-916-4
Depósito legal: B. 5221 - 2009

Fotocomposición: Comptex & Ass., S. L.

Impreso en Liberdúplex, S. L. U.
Sant Llorenç d'Hortons (Barcelona)

P 8 3 9 1 6 A

A mi padre, un gran amigo, que me enseñó mucho.
A mi madre, una hermosa mujer, que me enseñó a reír

1

«Cathia tiene el culo más bonito de Europa.» El rojo grafito resalta con toda su desfachatez sobre una columna del puente de la avenida de Francia.

No muy lejos, un águila real, esculpida hace ya mucho tiempo, ha visto sin duda al culpable pero no hablará nunca. Un poco más abajo, como un pequeño aguilucho protegido por aquellas rapaces zarpas de mármol, está sentado él.

El pelo corto, casi al rape, a ras del peine y alto en el cuello como un marine, una cazadora Levi's oscura.

El cuello levantado, un Marlboro en la boca, las Ray-Ban en los ojos. Tiene aire de duro, aunque no lo necesite. Una sonrisa preciosa, a pesar de que no sean muchos los que han tenido la suerte de poder apreciarla.

Algunos coches al fondo del paso elevado se han detenido amenazadores en el semáforo. Alineados como en una carrera, si no fuera por su variedad. Un Cinquecento, un New Beetle, un Micra, un coche americano no mucho más identificable, un viejo Punto.

En el interior de un Mercedes 200, un dedo fino de uñas diminutas y mordidas da un ligero empujón a un CD. Desde los altavoces laterales Pioneer la voz de un grupo de rock cobra vida de repente.

El coche se pone de nuevo en marcha, arrastrado por la corriente. Ella querría saber «¿Dónde está el amor?». Pero ¿existe realmente? Al menos tiene clara una cosa: le gustaría poder deshacerse de su hermana que, desde el asiento trasero, repite una y otra vez: «Pon el de Eros, venga, quiero oír a Eros».

El Mercedes pasa justo en el momento en el que ese cigarrillo, ya consumido, cae al suelo, empujado por un movimiento preciso de los dedos y ayudado por un poco de viento. Él baja los escalones de mármol, se arregla sus 501 y luego sube a la Honda azul VF 750 Custom. Como por arte de magia, se encuentra entre los coches. Su Adidas derecha cambia las marchas, retiene o deja ir el motor que, potente, lo impulsa como una ola en el tráfico.

El sol está ascendiendo en el cielo, es una bonita mañana. Ella se dirige al colegio, él todavía no ha ido a dormir desde la noche anterior. Un día cualquiera. Solo que ambos se encuentran en el semáforo. Y por eso ese día no será como los demás.

Rojo.

Él la mira. La ventanilla está abierta. Un mechón de pelo rubio ceniza descubre a trozos su cuello suave. Un perfil delicado pero decidido, los ojos azules, dulces y serenos, escuchan embelesados y entornados una canción. Tanta calma lo impresiona.

—¡Eh!

Ella se vuelve hacia él, sorprendida. Él le sonríe, parado junto a ella, sobre aquella moto, los hombros anchos, las manos demasiado morenas para aquella mitad de abril.

—¿Te apetece dar una vuelta conmigo?

—No, voy al colegio.

—Pues no vayas, disimula, ¿no? Te recojo ahí delante.

—Perdona. —La sonrisa de ella es forzada y falsa—. Me he equivocado de respuesta. No me apetece dar una vuelta contigo.

—Mira que conmigo te divertirías...

—Lo dudo.

—Resolvería tus problemas.

—Yo no tengo problemas.

—Esta vez soy yo el que duda.

Verde.

El Mercedes 200 acelera hacia delante dejando que se desvanezca la sonrisa descarada de él. El padre se vuelve hacia ella.

—Pero ¿quién era ese? ¿Un amigo tuyo?

—No, papá, solo un imbécil...

Algunos segundos después, la Honda se acerca de nuevo. Él se agarra con la mano izquierda a la ventanilla y con la derecha da un poco de gas, procurando no hacer demasiado esfuerzo, a pesar de que con aquel cuarenta de brazo no debería suponerle un gran problema.

El único que parece tener alguno es el padre.

—Pero ¿quién es ese inconsciente? ¿Por qué se acerca tanto?

—Tranquilo, papá, yo me encargo...

Se vuelve decidida hacia él.

—Oye, ¿no tienes nada mejor que hacer?

—No.

—En ese caso, búscatelo.

—He encontrado ya algo que me gusta.

—¿Se puede saber qué es?

—Ir a dar una vuelta contigo. Venga, te llevo a la Olimpica, iremos a todo gas con la moto, luego te invito a comer y te devuelvo justo a la salida del colegio. Te lo juro.

—Me parece que tus juramentos deben de valer bien poco.

—Eso es verdad —sonríe—, ves, ya sabes muchas cosas sobre mí, di la verdad, te gusto, ¿eh?

Ella se ríe y sacude la cabeza.

—Bueno, ahora basta —y abre un libro que saca de su bolsa Nike de piel—, tengo que pensar en mi verdadero y único problema.

—¿Cuál es?

—La interrogación de latín.

—Creía que era el sexo.

Ella se da la vuelta, enojada. Esta vez ya no sonríe, ni siquiera para bromear.

—Quita la mano de la ventanilla.

—¿Y dónde quieres que la ponga?

Ella aprieta un botón.

—No puedo decírtelo, mi padre está aquí.

La ventanilla eléctrica empieza a subir. Él espera hasta el final, antes de retirar la mano.

—Nos vemos.

No le da tiempo a oír su seco «No». Se ladea ligeramente hacia la derecha. Emboca la curva, reduce la marcha y adquiere potencia desapareciendo veloz entre los coches. El Mercedes continúa su recorrido, ahora más tranquilo, hacia el colegio.

—¿Sabes quién es ese? —La cabeza de la hermana se asoma de repente entre los dos asientos—. Lo llaman 10 y matrícula de honor.

—A mí me parece solo un idiota.

A continuación abre el libro de latín y empieza a repasar el ablativo absoluto. Repentinamente, deja de leer y mira hacia fuera. ¿Es realmente ese su único problema? Por descontado, no es el que dice ese tipo. Y, de todos modos, qué más da, lo más probable es que no lo vuelva a ver. Se concentra de nuevo en su libro. El coche gira a la izquierda, hacia el Falconieri.

—Sí, yo no tengo problemas y no lo volveré a ver.

No sabe, realmente, hasta qué punto se equivoca. Sobre ambas cosas.

2

La luna se asoma, alta y pálida, por entre las ramas de un árbol frondoso. Los ruidos se oyen extrañamente lejanos. Desde una ventana llegan algunas notas de una música lenta y agradable. Un poco más abajo, las líneas blancas del campo de tenis resplandecen rectas bajo la palidez lunar y el fondo de la piscina vacía espera melancólico el verano. En el primer piso del edificio una muchacha rubia, no muy alta, de ojos azules y piel aterciopelada, se mira indecisa al espejo.

—¿Necesitas la camiseta negra elástica de Onyx?

—No lo sé.

—¿Y los pantalones azules? —grita Daniela desde su habitación.

—No lo sé.

—Y las mallas, ¿te las vas a poner?

Daniela está ahora en la puerta, mira a Babi. Los cajones de la cama abiertos y la ropa esparcida por doquier.

—Entonces cojo esto...

Daniela se adelanta entre algunas Superga tiradas por el suelo, todas del treinta y siete.

—¡No! Eso no te lo pones porque me gusta mucho.

—Yo lo cojo de todos modos.

Babi se levanta de un salto con las manos apoyadas en las caderas.

—Lo siento, pero no me lo he puesto nunca...

—¡Podías haberlo hecho antes!
—Sí, ¿y si luego me lo desbocas todo?
Daniela mira irónica a su hermana.
—¿Qué? ¿Estás bromeando? Mira que fuiste tú la que el otro día se puso mi falda azul elástica y ahora para ver mis bonitas curvas hay que ser adivino.
—¿Y qué tiene que ver? Esa la ensanchó Chicco Brandelli.
—¿Qué? ¿Chicco lo ha intentado y tú no me has dicho nada?
—Apenas hay algo que contar.
—No me lo creo, a juzgar por mi falda.
—Pura apariencia. ¿Qué te parece la camisa rosa melocotón debajo de esta chaqueta azul?
—No cambies de tema. Cuéntame lo que pasó.
—Bueno, ya sabes lo que pasa en estos casos.
—No.
Babi mira a su hermana pequeña. Es verdad, no lo sabe. Todavía no puede saberlo. Está demasiado rellenita y no hay nada lo bastante bonito en ella como para convencer a alguien de ensancharle una falda.
—Nada. ¿Te acuerdas que el otro día le dije a mamá que iba a estudiar con Pallina?
—Sí, ¿y qué?
—Bueno, pues que me fui al cine con Chicco Brandelli.
—¿Y?
—La película no era nada de especial y, pensándolo bien, tampoco él.
—Sí, pero vayamos al grano. ¿Cómo se ensanchó la falda?
—Bueno, la película llevaba diez minutos empezada y él se revolvía sin parar en su asiento. Pensé: «Es cierto que este cine es incómodo pero me parece que lo que Chicco quiere es meterme mano». Y de hecho, poco después, se corrió un poco hacia un lado y pasó el brazo por mi respaldo. Oye, ¿qué te parece si me pongo el traje, ese verde con los botoncitos delante?
—¡Sigue!
—En fin, que del respaldo fue bajando, poco a poco, hasta llegar al hombro.

—¿Y tú?

—Yo... nada. Fingía no darme cuenta. Miraba la película como si estuviera con los cinco sentidos puestos en ella. Luego me atrajo hacia él y me besó en la boca.

—¿Chicco Brandelli te besó? ¡Guau!

—¿Por qué te agitas tanto?

—Caramba, Chicco está muy bueno.

—Sí, pero se lo cree demasiado... Siempre está pendiente de él, no deja de mirarse al espejo... Bueno, en resumen, durante el segundo tiempo recuperó casi de inmediato la posición de antes. Me compró un helado Algida. La película había mejorado mucho, quizá fuera en parte gracias a la parte de arriba del helado, la de las avellanas. Era fantástica. Así que me distraje y me lo volví a encontrar con las manos un poco demasiado bajas para mi gusto. Intenté alejarlo pero no sirvió de nada, se agarró a tu falda azul. Y por eso se ha ensanchado.

—¡Menudo cerdo!

—Sí, imagínate que no tenía ninguna intención de parar. Y luego, ¿sabes lo que hizo?

—No, ¿qué hizo?

—Se desabrochó los pantalones, me cogió la mano y tiró de ella hacia abajo. En fin, hacia su cosa...

—¡No! ¡Entonces sí que es realmente un cerdo! ¿Y después?

—Entonces yo, para calmarlo, tuve que sacrificar mi helado. Se lo metí por los pantalones abiertos. ¡Si vieras el bote que pegó!

—¡Muy bien, hermanita! Eso sí que es tener agallas...

Se echan a reír. Luego, Daniela, aprovechando aquel momento de alegría, se aleja con el traje verde de la hermana.

Un poco más allá, en el estudio, Claudio se prepara la pipa sentado en un mullido sofá con dibujos de cachemira. Le divierte trajinar con el tabaco, aunque en realidad se trate solo de un compromiso. En casa ya no le permiten fumar sus Marlboro. La mujer, fanática jugadora de tenis, y las hijas, demasiado preocupadas por la salud, lo regañan cada vez que se enciende un cigarrillo, por eso se ha pasado a la pipa. «¡Te da más clase, te hace parecer más reflexivo!», le había dicho Raffaella. Y, de hecho, él se lo ha pensado muy bien. Mejor tener aquel trozo de madera entre los labios y un paquete de Marlboro escondido en el bolsillo de la chaqueta que discutir con ella.

Da una bocanada a la pipa mientras hace un recorrido por los canales de televisión.

Sabe de antemano dónde detenerse. Unas muchachas descienden por una escalera lateral canturreando una estúpida canción y mostrando sus senos turgentes.

—Claudio, ¿estás listo?

Cambia de canal de inmediato.

—Por supuesto, querida.

Raffaella lo mira. Claudio permanece sentado en el sofá, perdiendo algo de seguridad.

—Ten, cámbiate la corbata, ponte esta burdeos.

Raffaella abandona la habitación, dando por zanjada cualquier posible discusión al respecto. Claudio deshace el nudo de su corbata preferida. Luego aprieta el botón número cinco del mando del televisor. Pero, en lugar de las bellezas de antes, se tiene que conformar con un ama de casa que, enmarcada por un alfabeto, trata de hacerse rica. Claudio se pone la corbata burdeos alrededor del cuello y se concentra en el nuevo nudo.

En el pequeño baño que hay entre las habitaciones de las dos hermanas, Daniela está exagerando con el contorno de ojos.

Babi aparece a su lado.

—¿Qué te parece?

Lleva puesto un vestido de flores, rosado y vaporoso. Se estrecha delicadamente en la cintura, para después caer suelto sobre sus caderas redondeadas.

—Bueno, ¿cómo estoy?

—Bien.

—Pero no demasiado.

—Muy bien.

—Sí, pero ¿por qué no dices que estoy estupenda?

Daniela sigue intentando que la línea que debería alargarle un poco los ojos le salga recta.

—Bueno, no me gusta el color.

—Sí, pero dejando aparte el color...

—No me gustan mucho las hombreras tan grandes.

—Sí, pero dejando aparte las hombreras...

—Bueno, ya sabes que no me gustan las flores.

—Ya lo sé pero trata de no tenerlas en cuenta.

—En ese caso, estás estupenda.

Babi, completamente insatisfecha y sin saber ni siquiera ella lo que le habría gustado oír, coge el frasquito de Caronne que compró con sus padres en un *duty-free* al volver de las Maldivas. Al salir tropieza con Daniela.

—¡Eh, ten cuidado!

—¡Ten cuidado tú! A mí me costaría mucho menos ponerte el ojo negro. ¡Mira cómo te estás pintando!

—Lo hago por Andrea.

—¿Qué Andrea?

—Palombi. Lo conocí fuera del Falconieri. Estaba hablando con Mara y Francesca, las de cuarto. Cuando se marcharon, le dije que yo también iba a clase con ellas. Pintada así, ¿cuántos años me echarías?

—Bueno, sí, la verdad es que pareces más mayor. Quince por lo menos.

—Pero ¡si yo tengo quince años!

—Difumina un poco aquí... —Babi se mete el índice en la boca, se lo moja, y después lo apoya sobre los párpados de la hermana dándole un leve masaje.

—¡Ya está!

—¿Y ahora?

Babi mira a la hermana enarcando las cejas.

—Estás a punto de cumplir dieciséis.

—Todavía son muy pocos.

—Chicas, ¿estáis listas?

En la puerta de casa, Raffaella conecta la alarma. Claudio

y Daniela pasan veloces por delante de ella, Babi es la última en llegar. Todos entran en el ascensor. La velada está a punto de iniciarse. Claudio se arregla mejor el nudo de la corbata. Raffaella se pasa repetidas veces la mano derecha por el pelo. Babi se coloca bien la chaqueta oscura de las anchas hombreras. Daniela se mira simplemente al espejo, sabiendo ya que se topará con la mirada de la madre.

—¿No te has pintado demasiado?

Daniela prueba a contestar.

—Déjalo estar, llegamos tarde, como siempre.

Esta vez, la mirada de Raffaella se cruza en el espejo con la de su marido.

—Pero ¡si soy yo el que os ha estado esperando, a las ocho estaba ya preparado!

Dejan atrás en silencio los últimos pisos. En el ascensor entra el olor del estofado de la mujer del portero. Aquel gusto a Sicilia se mezcla por un momento con la extraña compañía francesa de Caronne, Drakkar y Opium. Claudio sonríe.

—Es la señora Terranova. Hace un guiso de carne fabuloso.

—Le echa demasiada cebolla —asevera Raffaella quien, hace ya algo de tiempo, optó por la cocina francesa ante la sincera preocupación de todos y la desesperación de la criada sarda.

El Mercedes se para delante del portal.

Raffaella, con un ruido dorado de joyas, recuerdo de fiestas y Navidades más o menos felices, casi siempre muy caras, sube delante, las dos hijas detrás.

—¿Se puede saber por qué no pegáis más la Vespa a la pared?

—¿Todavía más? Papá, mira que eres torpe...

—Daniela, no te consiento que le hables así a tu padre.

—Oye, mamá, ¿mañana podemos ir en Vespa al colegio?

—No, Babi. Todavía hace demasiado frío.

—Pero tenemos el parabrisas.

—Daniela...

—Pero mamá, todas nuestras amigas...

—Aún no he visto a todas estas amigas vuestras con la Vespa.

—Si es por eso, a Daniela le han regalado la nueva Peugeot que, por cierto, y ya que te preocupas tanto, corre incluso más deprisa.

Fiore, el portero, levanta la barra. El Mercedes espera, como cada noche, que aquel largo trozo de hierro a bandas rojas suba lentamente. Claudio hace un gesto para saludarlo. A Raffaella solo le preocupa dar por concluida la discusión.

—Si la semana que viene hace más calor, veremos.

El Mercedes parte con una pizca de esperanza más en el asiento posterior y con un rascón en el espejito lateral derecho. El portero se vuelve a concentrar en su pequeño aparato de televisión.

—Todavía no me has dicho cómo estoy con esta ropa.

Daniela mira a la hermana. Las hombreras son un tanto anchas y a ella le resulta demasiado seria.

—Estupenda. —Sabe perfectamente cómo manejarla.

—No es verdad, las hombreras son demasiado anchas y soy demasiado perfecta, como dices tú. Eres una mentirosa y, ¿sabes lo que te digo? Que recibirás un castigo por esto. Andrea ni siquiera te mirará a la cara. Es más, lo hará, pero con todo ese negro en los ojos no te reconocerá y se irá con Giulia.

Daniela trata de contestarle, sobre todo en lo relativo a Giulia, la peor de sus amigas. Pero Raffaella pone punto final a la discusión.

—Niñas, dejadlo ya, si no os llevo de vuelta a casa.

—¿Doy la vuelta? —Claudio sonríe a la mujer, fingiendo mover el volante. Pero le basta una mirada para comprender que el ambiente no está para bromas.

3

Ágil y veloz, oscuro como la noche. Luz y reflejos van y vienen en los pequeños espejitos de su moto. Llega a la plaza, aminora la marcha lo justo para comprobar que no viene nadie por su derecha, luego emboca la calle Vigna Stelluti a toda velocidad.

—Tengo ganas de verlo, hace dos días que no hablamos.

Una agraciada muchacha morena, de ojos verdes y bonitas posaderas aprisionadas en un par de crueles Miss Sixty, sonríe a su amiga, una rubia tan alta como ella pero algo más regordeta.

—Ay, Madda, ya sabes cómo es, que haya estado contigo no quiere decir que ahora salgáis juntos.

Sentadas en sus motos, fuman cigarrillos demasiado fuertes, tratando de darse aires y también de aparentar algún que otro año de más.

—Y eso qué tiene que ver, sus amigos me han dicho que él no llama nunca.

—¿Por qué, a ti te ha llamado?

—¡Sí!

—Bueno, tal vez se haya equivocado de número.

—¿Dos veces?

Sonríe, feliz de haber hecho callar a la amiga siempre con la broma a punto, que, sin embargo, no se da por vencida.

—De los amigos no te puedes fiar nunca. ¿Has visto qué caras?

Cerca de ellas, con unas motos de potencia igual a la de sus músculos, Pollo, Lucone, Hook, el Siciliano, Bunny, Schello y muchos más. Nombres improbables de historias difíciles. No tienen un trabajo fijo. Algunos ni siquiera demasiado dinero en el bolsillo, pero se divierten y son amigos. Es suficiente. Además, les gustan las peleas, y de eso nunca falta. Están en la plaza Jacini, sentados sobre sus Harley, sobre viejas 350 Four con los cuatro silenciadores originales, o con la clásica cuatro en uno, cuyo ruido es más potente. Soñadas, suspiradas y finalmente concedidas por sus padres gracias a extenuantes súplicas. O al sacrificio del desafortunado alelado que olvidó la cartera en el cajetín de alguna Scarabeo, o en el bolsillo interior de una Henry Lloyd demasiado fácil de limpiar durante el recreo.

Esculturales y sonrientes, siempre con ganas de bromear, las manos robustas con alguna que otra marca, recuerdo de alguna pelea. John Milius[1] habría perdido la cabeza por ellos. Las muchachas, más silenciosas, sonríen; casi todas se han escapado de casa, inventando una noche tranquila en casa de una amiga que, en cambio, está sentada a su lado, hija de la misma mentira.

Gloria, una muchacha con las mallas azules y la camiseta del mismo color con pequeños corazones celestes, hace gala de una espléndida sonrisa.

—Ayer me divertí un montón con Dario. Celebramos que hace seis meses que estamos juntos.

Seis meses, piensa Maddalena. A mí me bastaría uno...

Maddalena suspira, luego vuelve a encandilarse con las palabras de la amiga.

1. Guionista, director y productor de cine. Autor entre otros de guiones como *Apocalypse Now*, *Harry el Sucio* o *Conan el Bárbaro*. La línea argumental de su filmografía se basa, desde un principio, en el desarrollo, por parte de un hombre, de un código moral propio, al margen y opuesto al general, lo que le lleva al enfrentamiento con el resto de la comunidad y a su marginación dentro de ella. *(N. de la T.)*

—Fuimos a comer una pizza a Baffetto.

—Vaya, yo también fui.

—¿A qué hora?

—Mmm... a eso de las once.

Odia a la amiga que interrumpe el relato. Siempre hay alguien o algo que interfiere en los sueños de uno.

—Ah, no, a esa hora nos habíamos marchado ya.

—Pero bueno, ¿queréis escucharme?

Un único «sí» sale de aquellas bocas de gustos particulares a brillo de labios a la fruta o a pintalabios robados a dependientes distraídos o en los baños maternos, mejor surtidos, si cabe, que tantas pequeñas perfumerías.

—Llegado un momento, se acerca el camarero y me trae un ramo de rosas rojas enorme. Dario sonríe, mientras todas las chicas que están en la pizzería me miran conmovidas y también con algo de envidia.

Casi se arrepiente de la frase, al notar a su alrededor las mismas miradas.

—No por Dario... ¡Por las rosas!

Una risita tonta vuelve a unirlas.

—Luego me besó en la boca, me cogió la mano y metió en ella esto.

Enseña a las amigas un fino anillo con una pequeña piedra celeste, con reflejos casi tan alegres como los de sus ojos enamorados. Palabras de estupor y un «¡Precioso!» acogen aquel sencillo anillo.

—Después nos fuimos a mi casa y estuvimos juntos. Mis padres no estaban, fue estupendo. Puso el CD de Cremonini, me vuelve loca. Luego nos tumbamos en la terraza bajo un edredón para contemplar las estrellas.

—¿Había muchas? —Maddalena es, sin lugar a dudas, la más romántica del grupo.

—¡Muchísimas!

Un poco más allá, una versión diferente.

—Eh, ayer por la noche no contestabas...

Hook. Una banda sobre el ojo, fija. El pelo ondulado y

largo, ligeramente más rubio en las puntas, le da un aire de angelito que contradice su fama, algo infernal.

—Entonces, ¿se puede saber lo que hiciste ayer por la noche?

—Nada. Fui a comer a Baffetto con Gloria y luego, visto que no estaban sus padres, fuimos a su casa y lo hicimos. Lo de siempre, nada especial... ¿Habéis visto cómo han reestructurado el Panda?

Dario trata de cambiar de tema. Pero Hook no abandona su presa.

—Cada tres o cuatro años reestructuran todos los locales... ¿Por qué no nos llamasteis?

—No pensábamos salir, lo hicimos así, de repente.

—Qué raro, tú nunca haces nada de repente.

El tono no promete nada bueno. Los demás se dan cuenta. Pollo y Lucone dejan de jugar al fútbol con una lata abollada. Se acercan sonrientes. Schello da una calada más larga a su cigarrillo y hace la acostumbrada mueca.

—Tenéis que saber, muchachos, que ayer hizo seis meses que Gloria y Dario están juntos y que él quiso salir a celebrarlo solo.

—No es verdad.

—¿Cómo que no? Te vieron comiendo una pizza. ¿Es verdad que quieres trabajar por tu cuenta?

—Sí, dicen que quieres abrir una floristería.

—¡Guau! —Todos empiezan a darle palmaditas y golpes en la espalda mientras Hook lo coge con el brazo alrededor del cuello y con el puño cerrado le frota con fuerza la cabeza.

—Qué tierno...

—¡Ay! Dejadme...

El resto se le tira encima, riendo como locos, hasta casi ahogarlo con sus músculos anabolizados. Bunny, a continuación, mostrando los dos gruesos dientes delanteros que le han regalado aquel apodo, grita sin desmentirse:

—Cojamos a Gloria.

Las All Star celestes, con la pequeña estrella roja que centra el círculo de goma sobre el tobillo, bajan de la Vespa y tocan ágilmente el suelo. Gloria apenas tiene tiempo de dar dos pasos apresurados antes de que el Siciliano la levante. Su pelo rubio hace un extraño contraste con el ojo oscuro del Siciliano, con su ceja malamente cosida, con aquella nariz aplastada y blanda, privada del frágil hueso por un buen directo, unos meses antes, en el bar de Fiermonti.

—Déjame, venga, para ya.

Schello, Pollo y Bunny los rodean de inmediato y fingen ayudarlo a tirar al aire aquellos cincuenta y cinco kilos bien distribuidos, procurando meter las manos en el sitio justo.

—Parad ya, venga.

El resto de las muchachas se acercan también a ellos.

—Dejadla en paz.

—Se han portado como unos infames, en lugar de celebrarlo con todo el grupo. Bueno, pues ahora lo celebraremos nosotros a nuestro modo.

Vuelven a lanzar a Gloria por los aires, riendo y bromeando. Dario, a pesar de ser algo más menudo que los demás y regalar rosas, se abre paso a empujones. Agarra a Gloria por la mano, justo en el momento en el que esta vuelve a bajar, y la pone a sus espaldas.

—Ahora basta, dejadlo ya.

—¿Por qué motivo?

El Siciliano sonríe y se planta delante de él con las piernas abiertas. Los vaqueros, ligeramente más claros, se tensan sobre sus cuádriceps abultados. Gloria, apoyada sobre el hombro de Dario, asoma solo la mitad. Si hasta entonces ha contenido las lágrimas, ahora contiene también el aliento.

—¿Si no qué haces?

Dario mira al Siciliano a los ojos.

—Vete, qué cojones quieres, siempre tienes que hacer el gilipollas.

La sonrisa se desvanece de los labios del Siciliano.

—¿Qué has dicho?

La rabia le hace mover los pectorales. Dario aprieta los

puños. Un dedo, escondido entre el resto, cruje con un ruido sordo. Gloria entorna los ojos. Schello permanece con el cigarrillo colgando en la boca abierta. Silencio. Repentinamente, un rugido rompe el aire. La moto de Step llega en medio de un gran estruendo. Se ladea al fondo de la curva y hace veloz el caballito, frenando poco después en medio del grupo.

—¿Qué hacéis?

Gloria finalmente suspira. El Siciliano mira a Dario.

Una leve sonrisa deja para otro momento la cuestión.

—Nada, Step, se habla demasiado y no se hace nunca un poco de movimiento.

—¿Tienes ganas de desentumecerte un poco?

El soporte de la moto salta como una navaja y se planta en el suelo. Step baja y se quita la cazadora.

—Se aceptan competidores.

Pasa junto a Schello y, abrazándolo, le quita de la mano la Heineken que acaba de abrir.

—Hola, Sche'.

—Hola.

Schello sonríe, feliz de ser su amigo, un poco menos por haber perdido la cerveza.

Cuando la cara de Step vuelve a bajar después de haber dado un largo trago, sus ojos se encuentran con los de Maddalena.

—Hola.

Los labios carnosos de ella, ligeramente rosados y pálidos, se mueven imperceptiblemente al pronunciar aquel saludo en voz baja. Los diminutos dientes blancos, regulares, se iluminan al mismo tiempo que sus preciosos ojos verdes tratan de transmitir todo su amor, inútilmente. Es demasiado. Step se acerca a ella, mirándola a los ojos. Maddalena mantiene la mirada, incapaz de bajarla, de moverse, de hacer algo, de detener aquel pequeño corazón que, como loco, toca un «solo» al estilo Clapton.

—Sostén esto.

Se quita el Daytona con la correa de acero y lo deja en sus

manos. Maddalena lo mira alejarse, luego aprieta el reloj, acercándoselo al oído. Siente aquel ligero zumbido, el mismo que escuchó hace algunos días bajo su almohada, mientras él dormía y ella pasó algunos minutos contemplándolo en silencio. En aquel momento, en cambio, el tiempo parecía haberse detenido.

Step trepa ágilmente hasta llegar a la marquesina que hay sobre Lazzareschi, saltando la verja del cine Odeon.

—Entonces, ¿quién viene? ¿Qué pasa, hay que invitaros por escrito?

El Siciliano, Lucone y Pollo no se hacen de rogar. Uno tras otro, como monos con cazadoras en lugar de pelo, trepan con facilidad por la verja. Llegan a la marquesina; el último es Schello, doblado ya en dos para recuperar el aliento.

—Yo ya estoy muerto, hago de árbitro —y da un sorbo a la Heineken que, milagrosamente, ha conseguido no volcar durante la agotadora ascensión: para los demás un juego de niños, para él una hazaña a lo Messner.[1]

Las siluetas se recortan en la penumbra de la noche.

—¿Listos? —Schello grita alzando rápidamente la mano. Una salpicadura de cerveza alcanza algo más abajo a Valentina, una guapa morena con cola de caballo que sale desde hace poco con Gianlu, un tipo bajo hijo de un rico corbatero.

—¡Coño! —se le escapa, en gracioso contraste con su refinada cara—. Ten cuidado, ¿no?

Los demás se ríen, secándose las gotas que les han alcanzado.

Una vez reunidos casi todos, una decena de cuerpos musculosos y entrenados se preparan sobre la marquesina. Las manos delante en paralelo, las caras tensas, los pechos hinchados.

—¡Venga! ¡Uno! —grita Schello y todos los brazos se

1. Reinhold Messner: Alpinista italiano nacido en 1944 en Tirol. Ha sido el primer hombre en lograr los 14 «ochomiles» principales del globo, hazaña culminada en 1986.

doblan sin esfuerzo. Silenciosos y todavía frescos, alcanzan el mármol frío, y se alzan de nuevo sin perder tiempo—. ¡Dos! —De nuevo abajo, más rápidos y decididos—. ¡Tres! —Siguen, igual que antes, con más fuerza que antes—. ¡Cuatro! —Sus caras, muecas casi surreales, sus narices, con pequeñas arrugas, bajan a la vez. Rápidas, con facilidad, rozan el suelo y luego vuelven a subir—. ¡Cinco! —grita Schello dando un último sorbo a la lata y lanzándola al aire—. ¡Seis! —La golpea con una patada precisa—. ¡Siete! —La lata vuela por los aires. Luego, como una lenta paloma torcaz, golpea de lleno la Vespa de Valentina.

—Coño, eres realmente un gilipollas, yo me voy. —Las amigas se echan a reír.

Gianluca, su novio, deja de hacer flexiones y baja de un salto de la marquesina.

—No, Vale, venga, no te pongas así.

La rodea con sus brazos y trata de detenerla, consiguiéndolo con un tórrido beso que interrumpe sus palabras.

—Está bien, pero dile algo a ese.

—¡Ocho! —Schello baila sobre la marquesina moviendo alegremente las manos.

—Chicos, ya hay uno que con la excusa de que su mujer se ha cabreado ha abandonado. Pero la competición continúa.

—¡Nueve! —Todos se ríen y, ligeramente más acalorados, bajan.

Gianluca mira a Valentina.

—¿Qué puedes decirle a uno así? —Le toma la cara entre las manos—. Perdónalo, cariño, no sabe lo que hace —dice, haciendo gala de unos discretos conocimientos en materia de religión pero de una pésima práctica ya que, a continuación, empieza a morrearse con ella delante de las otras chicas.

La voz gruesa del Siciliano con aquel acento particular de su pueblo que, junto a la piel olivácea, le ha valido también el apodo, retumba en la plaza.

—Vamos, Sche, aumenta algo el ritmo que si no me duermo.

—¡Diez!

Step desciende con facilidad. La corta camiseta azul claro deja al descubierto sus brazos. Los músculos están hinchados. En las venas el corazón late potente, aunque todavía lento y tranquilo. No como entonces. Aquel día su joven corazón había empezado a latir velozmente, como enloquecido.

4

Dos años antes, zona Fleming.

Una tarde cualquiera, si no fuera por su Vespa recién estrenada, en rodaje, todavía sin trucar. Step la está probando. Al pasar por delante del café Fleming oye que le llaman.

—¡Hola, Stefano!

Annalisa, una guapa rubia que ha conocido en el Piper, le sale al encuentro. Stefano se para.

—¿Qué haces por aquí?

—Nada, he ido a estudiar con un amigo y ahora voy hacia casa.

Apenas un segundo. Alguien a sus espaldas le quita el gorro.

—Te doy diez segundos para que te vayas de aquí.

Un cierto Poppy, un tipo grueso más grande que él, se planta delante. Lleva su gorro entre las manos. Aquel gorro está de moda. En Villa Flamina lo tienen todos. De colores, hecho a mano por las agujas de alguna chica. Aquel se lo había regalado su madre, en lugar de la amiga que todavía no tiene.

—¿Me has oído? Vete.

Annalisa mira a su alrededor y, al comprender, se aleja. Stefano baja de la Vespa. El grupo de amigos lo rodea. Se pasan el gorro unos a otros, riéndose, hasta que acaba en manos de Poppy.

—¡Devuélvemelo!

—¿Habéis oído? Es un duro. ¡Devuélvemelo! —lo imita provocando las carcajadas del grupo—. Y si no qué haces, ¿eh? ¿Me das una leche? Venga, ¿me la das? Venga.

Poppy se acerca con los brazos colgando, echando la cabeza hacia atrás. Con la mano que no tiene el gorro le indica la barbilla.

—Venga, dame aquí.

Stefano lo mira. La rabia lo ciega. Hace ademán de golpearlo pero apenas mueve el brazo lo sujetan por detrás. Poppy pasa el gorro al vuelo a uno que está allí cerca y le da un puñetazo sobre el ojo derecho partiéndole la ceja. A continuación, el bastardo que lo tiene sujeto por detrás lo empuja hacia delante, hacia el cierre metálico del café Fleming que, vista la situación, ha cerrado antes de lo previsto. El pecho de Stefano cae contra el cierre con un fuerte golpe. Casi de inmediato descargan sobre su espalda un sinfín de puñetazos; luego alguien le da la vuelta. Se encuentra, aturdido, de espaldas contra el cierre. Prueba a cubrirse sin conseguirlo. Poppy le mete las manos detrás del cuello y, aferrándose a las barras del cierre metálico, lo inmoviliza. Empieza a darle cabezazos. Stefano intenta protegerse como puede pero aquellas manos lo tienen inmovilizado, no consigue quitárselo de encima. Siente cómo empieza a salirle sangre de la nariz y oye una voz de mujer que grita: «¡Basta, basta, dejadlo estar ya o lo mataréis!».

Debe de ser Annalisa, piensa. Stefano prueba a dar una patada pero no logra mover las piernas. Oye solo el ruido de los golpes. Casi han dejado de hacerle daño. Luego llegan unos adultos, algunos transeúntes, la propietaria del bar. «Marchaos, fuera de aquí.» Alejan a aquellos matones a empujones, tirando de sus camisetas, de sus cazadoras, quitándoselos de encima. Stefano se agacha lentamente, apoya la espalda contra el cierre metálico, acaba sentado sobre un escalón. Su Vespa está ahí delante, en el suelo, como él. Tal vez el cofre lateral se haya abollado. ¡Qué lástima! Siempre procuraba tener cuidado cuando salía por la puerta.

—¿Estás mal, muchacho? —Una atractiva señora se acerca a su cara. Stefano niega con la cabeza. El gorro de su madre está tirado en el suelo. Annalisa se ha marchado con los otros. Pero yo sigo teniendo tu gorro, mamá.

—Ten, bebe. —Alguien llega con un vaso de agua—. Traga lentamente. Qué desgraciados, qué gentuza, pero yo sé quién ha sido, son siempre los mismos. Esos vagos que se pasan el día aquí, en el bar.

Stefano bebe el último sorbo, da las gracias con una sonrisa a un señor que está junto a él y que vuelve a coger el vaso vacío. Desconocidos. Intenta levantarse pero las piernas parecen cederle por un momento. Alguien se da cuenta y se adelanta de inmediato para sostenerlo.

—¿Estás seguro que te encuentras bien, muchacho?

—Estoy bien, gracias. De verdad.

Stefano se sacude las perneras. De ellas sale volando un poco de polvo. Se seca la nariz con el suéter hecho jirones y exhala un profundo suspiro. Se coloca de nuevo el gorro y sube a la Vespa.

Un humo blanco y denso sale con un enorme ruido del silenciador. Se ha calado. La portezuela lateral derecha vibra más de lo habitual. Está abollada. Mete la primera y, mientras los últimos señores se alejan, suelta lentamente el freno. Sin volverse, parte con la moto.

Recuerdos.

Algo después, en casa. Stefano abre silenciosamente la puerta e intenta llegar hasta su habitación sin que lo oigan, pasando por el salón. Pero el parquet le traiciona: cruje.

—¿Eres tú, Stefano?

La silueta de su madre se dibuja en la puerta del estudio.

—Sí, mamá, me voy a la cama.

La madre se adelanta un poco.

—¿Seguro que te encuentras bien?

—Que sí, mamá, estoy perfectamente.

Stefano trata de alcanzar el pasillo, pero la madre es más rápida que él. El interruptor del salón salta, iluminándolo. Stefano se detiene, como inmortalizado en una fotografía.

—¡Dios mío! ¡Giorgio, ven enseguida!

El padre acude de inmediato en tanto que la mano de la madre se acerca temerosa al ojo de Stefano.

—¿Qué te ha pasado?

—Nada, me he caído de la Vespa.

Stefano retrocede.

—¡Ay, mamá, me haces daño!

El padre mira las otras heridas sobre los brazos, la ropa desgarrada, el gorro sucio.

—Di la verdad, ¿te han pegado?

Su padre siempre ha sido un tipo atento a los detalles. Stefano cuenta poco más o menos lo que ha pasado y, naturalmente, la madre, sin entender que a los dieciséis años existen ya ciertas reglas.

—Pero ¿por qué no les diste el gorro? Te habría hecho otro...

Su padre va al grano, saltando directamente a cuestiones de mayor importancia.

—Stefano, sé sincero, la política no tiene nada que ver, ¿verdad?

Llaman al médico de la familia, quien le da la clásica aspirina y lo manda a la cama. Antes de dormirse, Stefano decide: nadie le volverá a poner jamás las manos encima. Jamás, sin salir por ello malparado.

En el mostrador de la secretaría hay una mujer con el pelo de un color rojo intenso, la nariz un poco larga y los ojos saltones. No es, desde luego, lo que se dice una belleza.

—Hola, ¿te quieres inscribir?

—Sí.

—Bueno, sí, la verdad es que te puede venir bien —dice, indicando su ojo aún magullado y sacando un formulario de debajo de la mesa. Ni siquiera es simpática.

—¿Nombre?

—Stefano Mancini.

—¿Edad?

—Diecisiete, en julio, el 21.

—¿Calle?

—Francesco Benziacci, 39 —luego añade—: 3.2.9.27.14. —adelantándose de este modo a la pregunta siguiente. La mujer levanta la cara.

—El teléfono, ¿no? Solo para la ficha...

—Para ir a jugar a videopóquer no, desde luego.

Los ojos saltones se posan en él por un instante, luego acaban de completar la ficha.

—Son 145 euros, 100 por la inscripción y 45 por la mensualidad.

Stefano pone el dinero sobre el mostrador.

La mujer los introduce en una bolsa con cierre de cremallera, los mete en el primer cajón y después, tras haber apoyado un sello en un mojador embebido de tinta, da un golpe decidido sobre el carnet. Budokan.

—Se paga al principio de cada mes. Los vestuarios están en el piso de abajo. Por la noche cerramos a las nueve.

Stefano se vuelve a meter la cartera en el bolsillo, con el nuevo carnet en el compartimiento lateral y 145 euros menos.

—Toca, toca aquí, puro hierro. Pero qué hierro, ¡acero! —Lucone, un tipo macizo y bajo con la cara simpática, le enseña un bíceps grueso aunque poco definido.

—¿Todavía con esas historias? Pero si basta pincharte con una aguja para hacerte desaparecer.

Pollo se da una sonora palmada en el hombro.

—Esto sí que es real: sudor, dificultades, filetes, lo tuyo no es más que agua.

—Pero si eres un niño, un liliputiense.

—Para empezar me hago ya ciento veinte en el banco. ¿Cuándo cojones los harás tú?

—Ahora mismo. ¿Estás bromeando? Hago dos de esas como si nada, mira, ¿eh?

Lucone se coloca bajo la barra. Extiende los brazos, aferra el largo palo y lo alza decidido. Desciende lentamente y, mirando la barra que le queda a pocos centímetros del mentón, le da un fuerte empujón, haciendo fuerza con los pectorales.

—¡Uno!

Luego, sin perder el control, baja la barra, la apoya sobre el pecho y, a renglón seguido, la empuja de nuevo hacia arriba.

—¡Dos! Y si quiero puedo hacerlo aún con más peso.

Pollo no se lo hace repetir dos veces.

—¿De verdad? Entonces prueba con esta.

Antes de que Lucone pueda apoyar la barra sobre el soporte, Pollo introduce un pequeño disco lateral de dos kilos y medio. La barra empieza a doblarse hacia la derecha.

—Eh, ¿qué cojones haces? ¿Eres idiota...?

Lucone trata de sostenerlo pero, poco a poco, la barra comienza a descender. Los músculos lo abandonan. La barra le cae de golpe sobre el pecho, pesadamente.

—Coño, quítamela de encima, me estoy ahogando.

Pollo se ríe como un loco.

—Yo puedo hacerlo hasta con dos discos más. ¿Qué dices ahora? ¿Te pongo uno solo y ya estás así? Hecho polvo, ¿eh? Empuja, venga, empuja... —le grita casi rozándole la cara—. ¡Empuja! —Más risas.

—¡Me lo quieres quitar de encima! —Lucone está completamente morado, un poco a causa de la rabia, pero también porque se está ahogando de verdad.

Dos muchachos más jóvenes, ocupados con un aparato cercano, se miran, sin saber muy bien qué hacer. Viendo que Lucone empieza a toser y que incluso haciendo unos esfuerzos bestiales no consigue quitarse la barra de encima, se deciden a ayudarlo.

Pollo está tumbado en el suelo, boca abajo. Ríe como un loco mientras aporrea el suelo de madera. Cuando se vuelve de nuevo hacia Lucone, con los ojos llenos de lágrimas, lo ve de pie delante de él. Los dos muchachos lo han liberado.

—¡Vaya! ¿Cómo cojones lo has hecho?

Pollo se apresura a poner pies en polvorosa, sin dejar de

reírse y tropezando con una barra. Lucone lo sigue tosiendo.

—Para, que te mato. Te doy con un disco en la cabeza y te dejo aún más enano de lo que ya eres.

Se persiguen furiosamente por todo el gimnasio. Dan vueltas alrededor de los aparatos, se paran detrás de las columnas, echan a correr de nuevo. Pollo, tratando de detener al amigo, le tira encima algunas barras. Algunos discos de goma rebotan pesadamente en el suelo. Lucone los esquiva, no se detiene ante nada. Pollo emboca la escalera que conduce a los vestuarios femeninos. Al pasar corriendo tropieza con una muchacha que acaba cayendo contra la puerta con un fuerte golpe. El resto de ellas se están cambiando para la lección de aeróbic; desnudas, chillan como enloquecidas. Lucone se para en los últimos escalones, extasiado ante aquel panorama de mórbidas colinas, humanas y rosadas. Pollo se apresura a volver sobre sus pasos.

—Coño, apenas me lo puedo creer, esto es el paraíso.

—¡Idos al infierno!

Una muchacha con algo más de ropa encima que sus compañeras corre hacia la puerta cerrándola en sus propias narices. Los dos amigos permanecen en silencio por un instante.

—¿Has visto las tetas de la que estaba al fondo a la derecha?

—Porque la primera a la izquierda... ¿Harías ascos a un culo como ese?

Pollo coge del brazo al amigo, sacudiendo la cabeza.

—Increíble, ¿eh? Qué voy a hacerle ascos... ¡No soy un mariquita como tú!

De este modo, después de aquella breve pausa erótica, vuelven a perseguirse.

Stefano abre el folio de su ficha, se la ha dado Francesco, el entrenador del gimnasio.

—Empieza con cuatro series de aberturas, sobre aquel banco. Coge pesas de cinco kilos, te tienes que ensanchar un poco, muchacho. Cuanto más gruesa sea la base, más podrás construir encima. —Stefano no se lo hace repetir dos veces. Se extiende sobre el banco arqueado y empieza. Los hombros le hacen daño, esos pesos parecen enormes; hace algunos ejercicios laterales, desciende hasta tocar el suelo, luego vuelve a subir. Después, detrás de la cabeza. De nuevo. Cuatro series de diez, todos los días, todas las semanas. Pasadas las primeras, se siente ya mejor, los hombros dejan de hacerle daño, los brazos han aumentado ligeramente de volumen. Cambia la alimentación. Por la mañana un batido con proteínas en polvo, un huevo, leche, hígado de merluza. Para comer poca pasta, un filete casi crudo, levadura de cerveza y germen de trigo. Por la tarde al gimnasio. Siempre. Alternando los ejercicios, trabajando un día la parte de arriba y el otro la de abajo. Los músculos parecen enloquecidos. Descansan solo el domingo, como buenos cristianos. El lunes se empieza de nuevo. Engorda algún kilo, semana a semana, paso a paso, por eso lo han llamado Step. Se ha hecho amigo de Pollo y de Lucone, y de todos los demás que acuden al gimnasio.

Un día, dos meses después, entra el Siciliano.

—¿Quién hace algunas flexiones conmigo?

El Siciliano es uno de los primeros socios de Budokan. De complexión fuerte, nadie quiere competir con él.

—Coño, que no os he dicho que robéis un banco, solo quiero hacer unas cuantas flexiones.

Pollo y Lucone siguen con el entrenamiento en silencio. Con el Siciliano se acaba siempre por pelear. Si pierdes no se cansa de tomarte el pelo, si ganas, bueno, cualquiera sabe lo que te puede suceder. Nadie ha ganado nunca al Siciliano.

—Pero bueno, ¿es que no hay nadie en este gimnasio de mierda que quiera hacer flexiones conmigo?

El Siciliano mira en derredor.

—Yo.

Se da la vuelta. Step está frente a él, el Siciliano lo mira de arriba abajo.

—OK, vamos allí.

Entran en una pequeña habitación. El Siciliano se quita la sudadera desenfundando unos pectorales enormes y unos brazos bien proporcionados.

—¿Estás listo?

—Cuando quieras.

El Siciliano se extiende en el suelo. Step delante de él. Empiezan a hacer flexiones. Step resiste todo lo que puede. Al final, destrozado, se derrumba en el suelo. El Siciliano hace otras cinco a gran velocidad, luego se levanta y da una palmadita a Step.

—Estupendo, muchacho, no vas mal. Las últimas las has hecho todas con esta —y le da amistoso una ligera palmada en la frente. Step sonríe, no se ha burlado de él. Todos vuelven a sus ejercicios. Step se masajea los músculos doloridos de los brazos. No ha ocurrido nada de especial: el Siciliano es mucho más fuerte que él, todavía es demasiado pronto.

5

Aquel día. Apenas ocho meses después.

Poppy y sus amigos están delante del café Fleming, ríen y bromean mientras beben cerveza. Alguno come pizza, todavía humeante, lamiendo los bordes laterales para evitar que chorree el tomate. Algún otro fuma un cigarrillo. Unas muchachas escuchan divertidas la historia de un tipo que gesticula demasiado, contando la pelea que ha tenido con su jefe: lo han despedido pero, finalmente, se ha dado el gusto. Le ha roto todas las botellas del local, la primera, además, en un modo particular.

—¿Sabéis lo que hice? Me había tocado los huevos hasta tal punto que en lugar del preaviso lo que hice fue darle un botellazo en la cabeza.

Annalisa también está allí. La noche de la paliza no llamó a Stefano, no hizo nada por verlo. Pero no importa. Step no es el tipo que sufre de soledad. Desde entonces no ha vuelto a tener noticias de ninguno de ellos. Así que, un tanto preocupado, es él el que va a buscarlos.

—Poppy, amigo mío, ¿cómo estás?

Poppy mira al tipo desconocido que le sale al encuentro. Le resulta familiar, esos ojos, el color del pelo, las facciones de la cara, pero no consigue acordarse. Es de complexión fuerte, tiene los brazos gruesos y un bonito tórax. Step, viendo su mirada interrogativa, le sonríe, tratando de hacerle sentir a sus anchas.

—Hace mucho que no nos vemos, ¿eh? ¿Cómo te va?

Step rodea los hombros de Poppy con el brazo, amistosamente.

El Siciliano, Pollo y Lucone, encantados de acompañarlo, se meten en medio del grupo. Annalisa, aún sonriente, se topa con la mirada de Step. Es la única que lo reconoce. La sonrisa, poco a poco, se borra de sus labios. Step deja de mirarla y se concentra totalmente en su amigo Poppy, quien sigue con los ojos clavados en él, perplejo.

—Perdona, pero en este momento no me acuerdo.

—Pero ¡cómo es posible! —Step le sonríe manteniendo el abrazo, como si se tratara de dos viejos amigos que hace mucho tiempo que no se ven—. Me haces sentir mal. Espera. Puede que te acuerdes de esto. —Saca el gorro del bolsillo de sus vaqueros. Poppy mira aquel viejo gorro de lana, luego la cara sonriente de aquel tipo robusto que lo abraza. Sus ojos, ese pelo. Claro. Es el memo al que dio una buena tunda hace ya mucho tiempo.

—¡Coño! —Poppy prueba a deshacerse del brazo de Step, pero la mano de él lo aferra como un rayo por el pelo, bloqueándolo.

—Nos falla la memoria, ¿eh? Hola, Poppy. —Atrayéndolo hacia él, le da un cabezazo bestial que le rompe la nariz. Poppy se inclina hacia delante, metiendo la cabeza entre las manos. Step le da una patada en la cara, con todas sus fuerzas. Poppy retrocede casi con un salto y va a dar contra el cierre, produciendo un ruido metálico.

Step le salta encima en un abrir y cerrar de ojos, antes de que caiga al suelo lo sujeta con una mano por la garganta. Con la derecha le asesta una serie de puñetazos, golpeándolo de arriba abajo, sobre la frente, abriéndole la ceja, partiéndole el labio.

Da un paso hacia atrás y le asesta una patada en plena tripa que lo deja sin respiración.

Algunos de los amigos de Poppy tratan de intervenir, pero el Siciliano se apresura a impedirlo.

—Eh, calma, quédate donde estás y pórtate como se debe.

Poppy está en el suelo, Step descarga sobre él un sinfín de patadas sobre el pecho, en la tripa. Poppy prueba a acurrucarse, cubriéndose la cara, pero Step es inexorable. Lo golpea allí donde encuentra un espacio, luego empieza a pisotearlo desde arriba. Levanta la pierna y descarga una patada con el tacón. Seca, con fuerza, sobre la oreja, que se corta enseguida, sobre los músculos de las piernas, sobre las caderas, casi saltándole encima, con todo su peso. Poppy, arrastrándose a cada golpe, avanzando a saltos, pronuncia un patético: «¡Basta, basta, te lo suplico!», atragantándose con la sangre que, desde la nariz, le fluye directamente a la garganta, y escupiendo aquel poco de saliva que le chorrea del labio ya completamente abierto y sangrante. Step se detiene. Recupera el aliento, dando pequeños saltos, mirando a su enemigo tendido en el suelo, inmóvil, derrotado. Luego se da la vuelta de golpe y se lanza sobre el rubito que tiene a sus espaldas. El mismo que, hace ocho meses, lo sujetaba por detrás. Lo golpea con el codo en plena boca, arrojándose sobre él con todo el peso de su cuerpo. Al tipo le saltan tres dientes. Los dos acaban en el suelo. Step le mete la rodilla entre los hombros. Una vez inmóvil, empieza a darle puñetazos en la cara. Luego lo coge por el pelo y golpea con violencia la cabeza contra el suelo. Dos fuertes brazos lo detienen de repente. Es Pollo. Lo alza, sosteniéndolo por las axilas.

—Vamos, Step, basta ya, vamos, vas a acabar con él.

También el Siciliano y Lucano se acercan. El Siciliano ha tenido ya algún que otro problema más que los demás.

—Sí, vamos, es mejor. Puede que algún gilipollas haya llamado ya a la pasma.

Step recupera el aliento, da media vuelta delante de los amigos de Poppy que lo miran en silencio.

—¡Pedazos de mierda! —Y escupe a uno de ellos que está a su lado con un vaso de Coca-Cola en la mano, acertando de lleno en la cara. Pasa por delante de Annalisa y le sonríe. Ella trata de corresponderle con algo de miedo, sin saber muy bien qué hacer. Mueve imperceptiblemente el labio superior, lo que da lugar a un extraño mohín. Step y sus amigos montan sobre sus Vespas y se alejan. Lucone conduce como un loco, llevando de paquete al Siciliano, gritan y se ladean arriba y abajo, dueños de la carretera. Luego se acercan a Pollo, que lleva a Step detrás.

—Coño, te podías haber tirado a la rubia... Esa no te decía que no.

—Qué exagerado eres, Lucone. Siempre tienes que hacerlo todo a la vez. Con calma, ¿no? Hay que saber esperar. Cada cosa tiene su momento.

Aquella noche, Step va a casa de Annalisa y sigue el consejo de Lucone. Repetidas veces. Ella se excusa por no haberlo llamado antes, jura que lo siente, que debería haberlo hecho pero que ha tenido muchas cosas que hacer. Annalisa lo llama a menudo durante los días siguientes. Pero Step está tan ocupado que ni siquiera tiene tiempo de responder al teléfono.

6

Una muchacha que vive por allí cerca enciende una radio portátil.

—¡Ciento nueve!

Schello, borracho ya, salta sobre la marquesina y, bailando en sus Clark de piel, sudadas y sin lazos, hace un intento de break. No funciona.

—¡Yuhuu! —palmotea con fuerza—. Ciento diez.

—Atención, a continuación daremos la lista de los más sudados. En primer lugar está el Siciliano. Vistosas manchas bajo los sobacos y sobre la espalda, parece una fuente. Ciento once.

Step, Hook y el Siciliano hacen un esfuerzo increíble. Los tres se alzan de nuevo, extenuados, congestionados y jadeantes.

—En nuestro Hit de sudados, Hook ocupa el segundo lugar. Como podéis apreciar, la espléndida camiseta Ralph Lauren ha cambiado de color. Yo diría que ahora es de un verde más bien descolorido, o quizá sea mejor describirlo como verde sudor.

Schello, agitando los puños junto al pecho, sigue con la cabeza el ritmo de la nueva canción que el disc-jockey ha presentado en la radio como el éxito del año: *Sere nere*. Hace una pirueta y continúa.

—¡Ciento doce! Y, naturalmente, el último es Step... Casi perfecto, el pelo ligeramente despeinado aunque, al llevarlo tan corto apenas si se le nota... —Schello se inclina para mirarlo mejor, luego se incorpora de golpe, llevándose las manos a la cara.

—¡Increíble, he visto una gota pero os puedo asegurar que era solo una! ¡Ciento trece!

Step desciende, siente que le escuecen los ojos. Algunas gotas de sudor le resbalan por las sienes y se rompen entre las pestañas, derramándose como un molesto colirio. Cierra los ojos, siente los hombros doloridos, los brazos hinchados, las venas latiendo, empuja hacia delante y, lentamente, asciende de nuevo. «¡Sííí!» Step mira en derredor. El Siciliano también lo está consiguiendo. Extiende completamente los brazos, alcanzándolo. Solo falta Hook.

Step y el Siciliano miran a su amigo-enemigo subir temblando y resoplando, centímetro a centímetro, un instante tras otro, mientras los gritos arrecian abajo.

—¡Hook, Hook, Hook...!

Hook, como paralizado, se detiene repentinamente; tembloroso, sacude la cabeza.

—Ya no puedo más.

Permanece inmóvil por un momento, y ese es su último pensamiento. Se desploma de golpe, con el tiempo justo de doblar la cabeza. Cae con todo su peso sobre el suelo de mármol.

—¡Ciento catorce!

Step y el Siciliano bajan veloces, frenando solo al final de la flexión, luego vuelven a subir deprisa, como si hubieran encontrado nuevas fuerzas, nuevas energías. Ser el único en llegar a la meta. O el primero o nada.

—¡Ciento quince! —Vuelven a bajar.

El ritmo aumenta. Como si fuera consciente de ello, Schello se calla.

—¡Ciento dieciséis! —Uno tras otro, se limita a pronunciar solo los números. Rápido. Esperando a que estén arriba para dar el sucesivo.

—¡Ciento diecisiete! —Y de nuevo abajo.

—¡Ciento dieciocho! —Step aumenta todavía, resoplando.

—¡Ciento diecinueve! —Baja y, de nuevo, sube, sin detenerse. El Siciliano lo sigue, esforzándose, gimiendo, enrojeciendo más y más.

—Ciento veinte, ciento veintiuno. ¡Increíble, tíos! —Todos han dejado de hablar. Abajo reina el silencio de los grandes momentos.

—Ciento veintidós. —Solo la música como fondo—. Ciento veintitrés...

Luego el Siciliano se para a mitad, empieza a chillar, como si algo dentro de él lo estuviera desgarrando.

Step, desde lo alto de su flexión, lo mira. El Siciliano se ha quedado como bloqueado. Tiembla y jadea gritando, pero sus brazos hacen caso omiso, han dejado de escucharlo. Entonces grita por última vez, como una bestia herida a la que arrancan un trozo de carne. Su récord. E, inexorablemente, poco a poco, empieza a bajar. Ha perdido. De abajo se eleva un grito. Alguien destapa una cerveza.

—¡Sííííí, aquí tenemos al nuevo ganador, Step!

Schello se acerca alegre pero Step sacude la cabeza.

Como obedeciendo a aquel gesto, en la plaza se hace de nuevo el silencio. Desde abajo, en la radio, casi una señal del destino: una canción de Springsteen, *I'm going down.* Step sonríe para sus adentros, se lleva la mano izquierda a la espalda y acto seguido baja con una mano sola, gritando.

Roza el mármol, lo mira con los ojos abiertos de par en par y luego vuelve a subir, temblando y empujando solo con la derecha, con toda su fuerza, con toda su rabia. Un rugido de liberación sale de su garganta.

—¡Sííííí!

Ahí donde no ha llegado su fuerza, llega su voluntad. Se detiene, tendido hacia delante, con la frente alzada hacia el cielo, como una estatua bramando contra la oscuridad de la noche, la belleza de las estrellas.

—¡Yuhuu!

Schello grita enloquecido. En la plaza se produce un estallido en respuesta a aquel grito: ponen en marcha las motos y las Vespas, tocan las bocinas, chillan. Pollo empieza a dar patadas al cierre metálico del quiosco.

Lucone tira una botella de cerveza contra un escaparate. Las ventanas de los edificios cercanos se abren. Una alarma lejana empieza a sonar. Viejas en camisón salen a los balcones, gritando preocupadas: «¿Qué pasa?». Alguien les grita que se callen. Una señora amenaza con llamar a la policía. Como por encanto, todas las motos se mueven. Pollo, Lucone y los otros suben a ellas deprisa, saltando sobre los sillines, mientras los silenciadores sueltan un humo blanco. Alguna lata sigue haciendo ruido al rodar, las muchachas se van todas a casa. Maddalena está aún más enamorada.

Hook se acerca a Step.

—Coño, bonito desafío, ¿eh?

—Nada mal.

También el resto de las motos se ponen a su lado, ocupando toda la calle, indiferentes a los coches que pitan mientras pasan junto a ellos veloces. Schello se pone de pie sobre su destartalada Vespa.

—Me han dicho que hay una fiesta en la Cassia. En el 1130. Es uno de esos edificios rodeados de jardín.

—Pero ¿nos dejarán entrar?

—Conozco a una que está invitada —le asegura Schello.

—¿Y quién es?

—Francesca.

—Venga, ¿has salido con ella?

—Sí.

—Entonces no nos dejarán entrar.

Riéndose, reducen casi todos al mismo tiempo. Frenando y haciendo chirriar las ruedas, giran a la izquierda. Alguno hace el caballito, a todos resulta indiferente el rojo. De este modo, embocan la Cassia a toda velocidad.

7

Un apartamento acogedor, grandes ventanales desde los cuales se ve la Olimpica. Bonitos cuadros en las paredes, sin dudarlo un Fantuzzi. Cuatro altavoces en las esquinas del salón difunden un CD bien mezclado. La música envuelve a los muchachos que, mientras hablan, no dejan de seguir el ritmo.

—Dani, eh, casi no te he reconocido.

—No empieces tú también, ¿eh?

—Hablaba del vestido, estás estupenda, en serio.

Daniela se mira la falda, Giulia la conoce, ha picado por un momento.

—¡Ah, Giuli!

—Vaya, no te enfadarás, ¿eh? Pareces la Bonopane, esa hortera de tercero B que por las mañanas viene más pintada que una mona.

—Dime una cosa, ¿cómo haces para resultar tan simpática?

—Por eso somos amigas.

—¡Yo no he dicho nunca que sea tu amiga!

Giulia se inclina hacia delante.

—Dame un beso, ¿hacemos las paces?

Daniela sonríe. Hace ademán de acercarse a ella cuando ve a sus espaldas a Palombi.

—¡Andrea!

Deja estar la mejilla de Giulia esperando poder centrar la boca de él, antes o después.

—¿Cómo estás?
Andrea duda por un momento.
—Bien, ¿y tú?
—Muy bien.
Se intercambian un beso apresurado. Luego él avanza para saludar a algunos amigos. Giulia se acerca a ella y sonríe.
—No te preocupes, va de relaciones públicas.
Lo miran por un momento. Andrea habla con algunos chicos, luego se vuelve hacia ella, la mira una vez más y al final sonríe. Finalmente se ha dado cuenta.
—¡Caramba! Has exagerado un poco, ¿no...? No te había reconocido.
Babi atraviesa el salón. En un rincón del mismo, algo parecido a un disc-jockey, seudo emulador del disc-jockey Francesco, prueba con un rap de escaso éxito. Una muchacha baila enloquecida con los brazos en alto.
Babi sacude la cabeza sonriendo.
—¡Pallina!
Una cara ligeramente redondeada, enmarcada por una larga melena castaña con un extraño mechón a un lado, se da la vuelta.
—¡Babi, guauuu! —Corre hacia ella y la abraza besándola, alzándola casi por los aires—. ¿Cómo estás?
—De maravilla. ¡Me dijiste que no ibas a venir!
—Sí, lo sé, fuimos a una fiesta en la Olgiata, ¡no sabes qué muermo! Fui con Dema pero nos marchamos de allí casi enseguida. Y aquí estamos: ¿por qué, no estás contenta?
—¿Bromeas?, contentísima. ¿Has preparado la lección de latín? Mira que mañana esa te pregunta. Solo quedas tú para acabar de dar la vuelta.
—Sí, lo sé, he estudiado toda la tarde, luego he tenido que salir con mi madre, he ido al centro. Mira, he comprado esto, ¿te gusta? —Y haciendo una extraña pirueta, más propia de bailarina que de modelo, hace que se hinche un gracioso vestido de raso azul.
—Mucho...
—Dema me ha dicho que me sienta muy bien...

—Figúrate. Ya sabes cuál es mi teoría, ¿no?

—¿Todavía con esas? ¡Pero si hace una vida que somos amigos!

—Tú déjame con mi teoría.

—Hola, Babi. —Un chico de aspecto simpático, con el pelo castaño rizado y la piel clara, se acerca.

—Hola, Dema, ¿cómo estás?

—Muy bien. ¿Has visto qué bonito es el mono de Pallina?

—Sí. Si no tenemos en cuenta mi teoría, le favorece mucho. —Babi le sonríe—. Voy a saludar a Roberta, aún no la he felicitado. —Se aleja. Dema se la queda mirando.

—¿Qué quería decir con esa historia de la teoría?

—Oh, nada, ya sabes cómo es... Es una mujer toda teoría y nada de práctica, más o menos.

Pallina se echa a reír, luego se detiene a observar a Dema. Sus miradas se cruzan por un momento. Esperemos que esta vez no tenga realmente razón.

—Venga, ven a bailar... —Pallina le coge la mano y lo arrastra hasta donde se encuentra el grupo.

—¡Hola, Roby, felicidades!

—¡Oh, Babi, hola! —Se intercambian dos besos sinceros.

—¿Te ha gustado el regalo?

—Precioso, de verdad. Justo lo que necesitaba.

—Lo sabíamos... Ha sido idea mía. Después de todo seguías saltándote siempre las primeras horas y, además, no es que vivas muy lejos, tú.

Chicco Brandelli se les acerca por la espalda.

—¿De qué se trata?

Babi se da la vuelta sonriente pero, al verlo, cambia de expresión.

—Hola, Chicco.

—Me han regalado una radio despertador preciosa.

—Ah, qué detalle, de verdad.

—¿Sabes? Él también me ha regalado una cosa preciosa.

—¿Ah, sí? ¿Qué?

—Un almohadón de encaje. Ya lo he puesto sobre la cama.

—Ten cuidado, lo más probable es que lo quiera probar contigo —y dedicando una sonrisa forzada a Brandelli se aleja hacia la terraza. Roberta la mira.

—A mí el almohadón me ha gustado muchísimo. De verdad...

En realidad, a ella también le gustaría probarlo con él.

Chicco le sonríe.

—Te creo, perdona.

—Pero... dentro de nada sirven la pasta... —le grita a sus espaldas Roberta tratando de retenerlo como sea.

En la terraza, unos cuantos sillones mullidos cubiertos de almohadones claros con bordados de flores, un cenador con luces difusas bien escondidas entre las plantas. Un jazmín trepa por una empalizada. Babi se pasea sobre el suelo de terracota. El aire fresco de la noche le agita el pelo, le acaricia la piel arrancándole un poco de perfume, dejando solo en ella algún leve temblor.

—¿Qué puedo hacer para que me perdones?

Babi sonríe para sus adentros y se cierra la chaqueta, cubriéndose.

—Pregunta mejor qué es lo que no deberías haber hecho para no hacerme enfadar.

Chicco se acerca a ella.

—Es una noche tan bonita... sería estúpido malgastarla riñendo.

—A mí me gusta mucho reñir.

—Ya me he dado cuenta.

—Pero luego me gusta también hacer las paces... Sobre todo eso. En cambio contigo, no sé, no consigo perdonarte.

—Eso es porque no te decides. Por un lado te apetecía estar conmigo, por el otro no. ¡Clásico! Es típico de las mujeres.

—Ves, ese «típico» es justo lo que lo estropea todo.

—Me rindo...

—¿Te gustó la película de la otra noche?

—¡Si solo me la hubieran dejado ver!

—He dicho que me rindo. Bueno, supongo que te tendré

que mandar el vídeo a casa. Así lo ves tranquila, sola, sin nadie que te moleste. Por cierto, ¿sabes lo que me han dicho?

—¿Qué?

—Que sabe mucho mejor con un poco de nata.

Babi hace ademán de ir a pegarle, risueña.

—¡Cerdo!

Chicco le detiene el brazo en lo alto.

—¡Alto! Bromeaba. ¿Paz?

Sus caras están muy cerca. Babi mira sus ojos: son muy bonitos, casi tanto como su sonrisa.

—Paz. —Se rinde.

Chicco se aproxima a ella y la besa delicadamente en los labios. Cuando está a punto de convertirse en algo más profundo, Babi se separa y vuelve a mirar hacia afuera.

—Qué noche tan espléndida, ¡mira qué luna!

Chicco, suspirando, alza los ojos al cielo.

Algunas nubes ligeras navegan lentamente en el azul oscuro del cielo. Acarician la luna, llenándose de luz, aclarándose aquí y allá.

—Es bonita, ¿verdad?

Chicco se limita a responder «Sí», sin apreciar verdaderamente toda la belleza de aquella noche. Babi mira a lo lejos. Las casas, los tejados, los prados que rodean la ciudad, las hileras de pinos altos, una larga carretera, las luces de un coche, los ruidos remotos. Si su vista fuera mejor, percibiría a aquellos muchachos que avanzan adelantándose unos a otros, riéndose y tocando el claxon. Puede que hasta reconociera también a aquel tipo sobre la moto. Es el mismo que se puso a su lado aquella mañana mientras iba al colegio. Y que ahora va camino de aquella casa.

Chicco la abraza y le acaricia el pelo.

—Esta noche estás guapísima.

—¿Esta noche?

—Siempre.

—Así está mejor.

Babi deja que la bese.

8

Mucho más lejos, en la misma ciudad.

Vestido con una impecable librea blanca, con cuatro pelos en la cabeza y sudoroso, un camarero algo grueso se abre paso entre los invitados con una bandeja de plata. De vez en cuando, una mano sobresale de un grupito de personas y se adueña de un cóctel ligero en cuyo interior flota algún pedazo de fruta. Otra, más rápida, posa un vaso vacío sobre ella. En el borde, marcas de pintalabios. Se puede ver perfectamente dónde ha bebido la mujer y qué tipo de labios tiene. El camarero piensa que sería divertido tratar de reconocer a las mujeres por los vasos. Eróticas huellas digitales. Con este pensamiento excitante vuelve a entrar en la cocina, donde olvida casi de inmediato aquellas fantasías a lo Holmes. La cocinera, de hecho, le riñe recordándole que tiene que sacar la bandeja con los fritos.

—Estás estupenda, querida.

En el salón, una mujer con el pelo demasiado teñido se da la vuelta en dirección a la amiga y le sonríe, siguiéndole el juego.

—Pero bueno, ¿te has hecho algo?

—Sí, me he buscado un amante.

—¿Ah, sí? ¿Y a qué se dedica?

—Es cirujano plástico.

Ambas se echan a reír. Tras coger una alcachofa frita que

pasa en ese momento por allí, la amiga le confiesa su secreto.

—Me he inscrito en el gimnasio de Barbara Bouchet.

—¿Ah, sí? ¿Y cómo es?

—¡Fabuloso! Tendrías que venir.

—Lo haré sin duda.

Y, a pesar de que le gustaría preguntarle cuánto cuesta al mes, piensa que ya lo descubrirá por su propia cuenta. A continuación se apodera de una mozzarella frita y se la traga despreocupada, dado que no tardará en eliminarla.

Claudio saca la cajetilla de Marlboro y enciende un cigarrillo. Se traga el humo, saboreándolo hasta el final.

—Oye, llevas una corbata preciosa.

—Gracias.

—Te sienta verdaderamente bien, de verdad. —Claudio muestra orgulloso su corbata burdeos. Luego, instintivamente, esconde por lo bajo su cigarrillo y busca a Raffaella. Mira a su alrededor, se cruza con algunas caras que acaban de llegar, las saluda sonriendo y después, al no encontrarla, da una calada ya más tranquilo.

—Muy bonita, ¿verdad? Es un regalo de Raffaella.

Una mesa baja de marfil, por encima de ella aceitunas y pistachos agrupados en pequeños cuencos de plata. Una mano huesuda de uñas bien cuidadas deja caer las cáscaras simétricas de un pistacho.

—Estoy preocupada por mi hija.

—¿Por qué?

Raffaella logra mostrarse bastante interesada, lo suficiente para que la confidencia de Marina pueda seguir adelante.

—Sale con uno que de bueno tiene bien poco, uno que no hace nada, uno que está siempre en la calle.

—¿Y desde cuándo se ven?

—Ayer hicieron seis meses. Me lo ha dicho mi hijo. ¿Sabes lo que hizo él? ¿Sabes lo que hizo?

Raffaella deja estar un pistacho demasiado cerrado. Ahora está sinceramente interesada.

—No, cuéntame.

—La llevó a una pizzería. ¿Te das cuenta? A una pizzería de la avenida Vittorio.

—Bueno pero esos muchachos todavía no ganan nada, tal vez los padres...

—Sí, pero a saber de dónde sale... Le regaló doce rosas miserables, de esas que apenas llegan a casa pierden todos los pétalos. Seguro que las compraría en el semáforo. Esta mañana le pregunté en la cocina: «¿Qué es este horror, Gloria?». «No te atrevas a tirarlas, ¿eh, mamá?» ¡Imagínate! Pero cuando volvió del colegio las rosas habían desaparecido, ah, sí. Le dije que había sido Ziua, la filipina, entonces ella se puso a gritar y se marchó dando un portazo.

—No deberías entrometerte en esas historias, si no es peor, luego Gloria se obstina. Déjala a su aire, verás que acabará por sí sola. Si hay tanta diferencia... Y luego, ¿qué hizo?, ¿volvió?

—No, me llamó y me dijo que se iba a dormir a casa de Piristi, esa chica tan guapa un poco rechoncha, la hija de Giovanna. Él es el administrador de la Serfim, ella está toda operada. Y no la critico, se lo puede permitir.

—¿De verdad? Pues no se le nota nada...

—Usan esa nueva técnica, te estiran desde detrás de las orejas. Es perfectamente invisible. Entonces, ¿puede salir con Babi? Me gustaría mucho.

—Claro que sí, le diré que la llame.

Finalmente, Raffaella se concede un pistacho. Está algo más abierto que los demás. Deja la cáscara en la boca, y para él no es un cambio conveniente.

—¿Filippo? Raffaella ha dicho que convencerá a Babi para que se lleve a Gloria con su grupo.

—¡Ah, estupendo! Te lo agradezco.

Filippo, un hombre joven, de semblante relajado, da la impresión de estar él también más interesado en los pistachos que en los asuntos de su hija. Se inclina hacia delante, apoderándose de aquel que Raffaella había elegido ya como su futura víctima. Ella le mira con curiosidad detrás de las orejas, buscando también en él la marca de aquella repentina juventud.

—Hola, Claudio.

—Estás guapísima.

Una sonrisa perfecta dice «Gracias» y, rozándolo, se aleja con un tinte de al menos ciento cincuenta euros. ¿Lo habrá hecho adrede? En su mente, aquel vestido largo se va deslizando lentamente; se imagina el conjunto que debe de llevar debajo pero, a renglón seguido, le asalta una duda: ¿habrá realmente algo que imaginar? Justo en ese preciso momento ve llegar a Raffaella. Claudio da una última calada al cigarrillo y se apresura a apagarlo en el cenicero.

—Dentro de nada empezamos a jugar. Te lo ruego, no hagas como siempre. Cuando no te llega la carta, después de un poco que no haces gin,[1] haces *knock*.

—¿Y si me hace *underknock*?

—Haces *knock* cuando aún estás bajo.

Claudio sonríe compuesto.

—Sí, querida, como quieras. —No ha notado el cigarrillo.

—Por cierto, te había dicho que no fumaras.

Error.

—Pero uno solo no hace daño...

—Uno o diez... Lo que me molesta es el olor.

Raffaella se encamina ahora hacia la mesa verde. El resto de los invitados toma también asiento. Es increíble, no se le escapa nada. Al sentarse, Raffaella examina a la mujer del tinte de ciento cincuenta euros. Por un momento, Claudio teme que sea también capaz de leer el pensamiento.

1. Se refiere al juego del Gin Rummy. *(N. de la T.)*

9

Roberta, eufórica por sus dieciocho años, por la fiesta que está saliendo redonda, corre al telefonillo.

—Contesto yo —adelantándose a un tipo que pasa por allí con un platito lleno de pequeñas pizzas.

—Hola. Está Francesca, ¿verdad?

—¿Qué Francesca?

—Giacomini, la rubia.

—Ah, sí, ¿qué le digo?

—Nada, ábreme. Soy su hermano, le tengo que dejar las llaves.

Roberta aprieta una vez el botón del telefonillo luego, para estar más segura de haber abierto, aprieta de nuevo. Va a la cocina, coge dos Coca-Colas grandes y se dirige hacia el salón. Se topa con una chica rubia que está hablando con un chico con el pelo engominado hacia detrás.

—Francesca, tu hermano está subiendo...

—Ah... —Es la única cosa que Francesca logra decir—. Gracias. —Después de haberlo pronunciado, se queda con la boca abierta. El chico engominado pierde algo de su estatismo y se concede un ligero estupor.

—France, ¿pasa algo?

—No, no pasa nada, solo que yo soy hija única.

—Aquí es. —El Siciliano y Hook son los primeros en leer la etiqueta sobre el timbre del cuarto piso—. Micchi, ¿no?

Schello llama.

La puerta se abre casi de inmediato.

Roberta permanece en el umbral, mira a aquel grupo de muchachos musculosos y despeinados. «Visten un poco deportivos», piensa ingenuamente.

—¿Puedo hacer algo por vosotros?

Schello se adelanta.

—Buscaba a Francesca, soy su hermano.

Como por encanto, Francesca se asoma a la puerta, acompañada del engominado.

—Ah, aquí está tu hermano.

—¿Y quién se supone que es?

—¡Yo! —Lucone alza la mano.

También Pollo la levanta.

—Yo también, somos gemelos, como en la película de Schwarzenegger. Él es el tonto. —Todos se ríen.

—Nosotros también somos hermanos. —Uno tras otro levantan la mano—. Sí, querámonos mucho.

El tipo engominado no entiende demasiado de qué va la cosa. Opta por una expresión que le va bien a su pelo.

Francesca hace un aparte con Schello.

—Pero ¿cómo se te ocurre venir con esta gente, eh?

Pollo sonríe, ajustándose la cazadora: el resultado es siempre pésimo.

—Esta fiesta parece un funeral, al menos la alegramos un poco, venga France', no te cabrees.

—¿Y quién se cabrea? Basta con que os vayáis.

—Bueno, Sche, yo ya estoy harto, permiso. —El Siciliano, sin esperar a que Francesca se aparte de la puerta, entra.

El engominado, de repente, cae en la cuenta: están tratando de colarse. Movido por un fugaz destello de inteligencia, se esfuma de allí acercándose a los verdaderos invitados que se encuentran en el salón. Francesca intenta por todos los medios detenerlos.

—No, Schello, venga, no podéis entrar.

—Perdón, permiso, perdón.

Inexorablemente, uno tras otro, pasan todos: Hook, Lucone, Pollo, Bunny, Step y los demás.

—Venga, France, no hagas eso, verás como no pasa nada. Schello la coge por el brazo.

—Al fin y al cabo, tú no tienes nada que ver, ¿no? Es culpa de tu hermano que se ha traído a toda esta gente... —Luego, como si le preocupara que se cuele alguno más, cierra la puerta.

El Siciliano y Hook se abalanzan literalmente sobre el bufet, devoran los bocadillos de salchichón, blandos, untados de mantequilla sobre la parte superior, la redonda, sin saborearlos, tragándoselos directamente sin masticarlos. Aquello se convierte en una competición. Engullen pizzas y sándwiches mezclándolos con pastelitos y chocolatinas. Al final el Siciliano se atraganta. Hook le da palmadas cada vez más fuertes sobre la espalda, la última es tan violenta que el Siciliano empieza a toser, escupiendo trozos de comida sobre el resto del bufet. La mayor parte de los invitados que se encuentra por allí decide ponerse de inmediato a dieta. Schello se echa a reír como un loco, Francesca empieza a preocuparse seriamente.

Bunny da vueltas por el salón. Como un atento anticuario: coge los pequeños objetos, se los acerca a los ojos, controla el número impreso y si son de plata se los mete en el bolsillo. Muy pronto los invitados se ven obligados a tirar la ceniza en las plantas.

Pollo, como un buen profesional, busca sin perder tiempo la habitación de la madre. La encuentra. Ha sido sabiamente cerrada con llave, con dos vueltas, solo que han dejado la llave en el ojo de la cerradura. Ingenuos. Pollo abre la puerta. Las bolsas de las invitadas están sobre la cama, en perfecto orden. Empieza a abrirlas, una tras otra, sin apresurarse.

Las carteras están casi todas llenas, aquella sí que es una fiesta como se debe: gente de clase, nada que objetar. En el pasillo, Hook molesta a una amiga de Pallina con apreciaciones algo subidas de tono. Un chico, algo menos engominado que el resto, trata de hacerle recordar un concepto relativamente vago, sin embargo, de educación. Se enzarza en una discusión. Esquiva al vuelo una bofetada tal vez algo más directa que las apreciaciones que le han tocado a su chica. Hook no soporta los sermones. Su padre es abogado, le gustan las palabras casi tanto como su hijo odia la idea de estudiar derecho.

Pallina, puede que a causa de la emoción, nota que también ella tiene un problema y miente, disculpándose con los demás.

—Se me ha corrido el rímel, voy al cuarto de baño a retocarlo. —Cosa que serviría mucho más al tipo que se aleja ahora en silencio llevando de la mano a su chica, con los cinco dedos de Hook impresos en la cara.

Pollo tira el último bolso sobre la cama.

—Caramba, qué tacaña... Tienes un bolso así, acudes a una fiesta como esta y te traes solo diez euros. ¡Se necesita ser miserable!

Cuando está a punto de salir advierte que sobre la silla que hay a su lado, colgado del brazo y oculto bajo una chaqueta colonial, hay un bolso. Lo coge. Es un bolso muy bonito y pesado, con el asa trabajada y dos hilos de cuero para cerrarlo. Debe de estar bien provisto, si la propietaria se ha preocupado tanto por esconderlo. Pollo empieza a deshacer el nudo que une las dos tiras de cuero, maldiciendo su vicio de comerse siempre las uñas. Uno puede sufrir de falta de afecto, de acuerdo, o de falta de dinero. Pero no de las dos cosas a la vez. Finalmente, el nudo se deshace. Justo en ese momento se abre la puerta. Pollo esconde el bolso detrás de la espalda. Una muchacha morena, sonriente, entra tranquila. Se detiene al verlo.

—Cierra la puerta.

Pallina obedece. Pollo saca de nuevo el bolso y empieza a hurgar en su interior. Pallina parece molesta. Pollo nota que lo está mirando.

—Caramba, ¿se puede saber qué quieres?

—Mi bolso.

—Bueno, ¿y a qué esperas? Cógelo, ¿no?

Pollo le indica la cama llena de bolsos ya vacíos.
—No puedo.
—¿Por qué?
—Un idiota lo tiene en la mano.
—Ah. —Pollo sonríe. Mira mejor a la chica. Es muy guapa, tiene el pelo negro con un mechón a un lado y un ligero mohín de fastidio en la boca. Naturalmente, lleva puesta una falda colonial. Pollo encuentra la cartera, la coge.
—Ten... —Le lanza el bolso—. Basta pedirlo...
Pallina coge el bolso al vuelo. Y se pone también ella a buscar algo dentro.
—¿Lo sabes, que no se hurga en los bolsos de las señoritas, no te lo ha dicho tu madre?
—Nunca he hablado con ella. Eh, eres tú la que debería tener una pequeña conversación con ella.
—¿Por qué?
—Bueno, no se puede ir por ahí con solo cincuenta euros en el bolso.
—Es mi paga de la semana.
Pollo se los mete en el bolsillo.
—Era.
—Eso quiere decir que me tendré que poner a dieta.
—Entonces te he hecho un favor.
—¡Imbécil!
Pallina encuentra lo que buscaba, deja de nuevo el bolso.
—Cuando hayas acabado, méteme de nuevo la cartera en su sitio. Gracias.
—Oye, visto que te pones a dieta, tal vez podría invitarte a comer una pizza mañana.
—No, gracias, cuando la que paga soy yo me gusta decidir al menos con quién voy. —Hace ademán de marcharse.
—Eh, espera un momento.
Pollo la alcanza.
—¿Qué has cogido?
Pallina se lleva la mano a la espalda.
—Nada que te interese.

Pollo le inmoviliza los brazos.

—Eh, juzgo yo, enséñamelo.

—No, deja que me vaya. Has cogido el dinero, ¿no? ¿Qué más quieres?

—Lo que llevas en la mano.

Pollo intenta asírsela. Pallina apoya el pecho contra él, alejando lo más posible su pequeña mano cerrada.

—Déjame estar, mira que si no me pongo a chillar.

—Y yo entonces te doy al culo.

Pollo alcanza finalmente la muñeca y la atrae hacia él. Tira del brazo, con el pequeño puño cerrado, decidido, hacia delante.

—Mira, si me lo abres, te juro que no volveré a hablarte...

—Pues si que... no nos hemos hablado hasta hoy, no creo que me muera...

Pollo aferra la mano pequeña y suave de la muchacha y empieza a empujar con la palma los dedos hacia detrás. Pallina trata de resistir. Inútilmente. Con lágrimas en los ojos, llevando el peso hacia detrás para dar más fuerza a sus pequeños dedos.

—Te lo ruego, déjame. —Pollo sigue sin hacerle caso. Al final, uno tras otro, los dedos se doblan, rendidos, dejando al descubierto su secreto.

En la mano de Pallina aparece la explicación de aquellos granos sobre la cara y el pecho hinchado. El motivo de aquel nerviosismo que, una vez al mes, sufre antes o después cualquier muchacha y que, cuando no llega, las pone aún más nerviosas o las convierte en mamás. Pallina permanece allí, delante de él, en silencio, avergonzada. Ha sido humillada. Pollo se deja caer sobre la cama y suelta una carcajada.

—Entonces mañana sí que no te invito a cenar. Si no, después, ¿qué hacemos? ¿Contarnos chistes?

—¡Ah, no, eso sí que no, los que conozco no son tan vulgares como para hacerte reír! Y los otros dudo que los entendieras.

—¡Eh, muerde, la niña! —Pollo está impresionado.

—En cualquier caso, estoy segura de que conmigo te has divertido ya bastante.

—¿Por qué?

Pallina se acaricia los dedos. Pollo lo advierte.

—Me has hecho daño. ¿No era eso lo que querías?

—Venga, solo están un poco rojos, no exageres, dentro de nada se te pasa.

—No hablaba de mi mano. —Y sale antes de echarse a llorar.

Pollo se queda allí, sin saber muy bien qué hacer. Lo único que se le ocurre es meter en su sitio la cartera y echar un vistazo en su agenda. Devolverle los cincuenta euros no, por descontado.

El disc-jockey, un tipo musical, con el pelo ligeramente más largo que los demás para poner en evidencia su condición de artista, se agita al ritmo de la música. Sus manos mueven hacia delante y hacia detrás los discos sobre los platos, mientras unos auriculares esponjosos sobre los oídos le dan la posibilidad de escucharlos de antemano y de evitar el ridículo de hacer una entrada equivocada.

Step da vueltas por la fiesta, mira a su alrededor, escucha distraído estúpidas conversaciones de chicas de dieciocho años: los vestidos tan caros que han visto en los escaparates, las motos que los padres se han negado a comprarles, noviazgos imposibles, cuernos asegurados, aspiraciones frustradas.

A través de la ventana que hay al fondo del salón, la que da a la terraza, entra un poco de aire. Las cortinas se hinchan ligeramente; mientras descienden, dos figuras adquieren forma bajo las mismas. Unas manos tratan de apartarlas para abrirlas. Un muchacho atractivo y elegante no tarda en conseguirlo, encontrando la abertura justa. A su lado aparece poco después una muchacha. Ríe divertida ante aquel pequeño contratiempo. La luz de la luna, por detrás, ilumina ligeramente su vestido haciéndolo por un momento transparente.

Step no le quita ojo. La chica mueve el pelo, sonríe al tipo. Deja al descubierto unos dientes blancos y preciosos. Incluso de lejos se puede sentir la intensidad de su mirada. Los ojos azules, profundos y limpios. Step la recuerda, su encuentro, se han visto ya. O tal vez sea mejor hablar de encontronazo. Los dos se dicen algo. La chica asiente y sigue al muchacho hacia la mesa de las bebidas. Repentinamente, a Step le entran también ganas de beber algo.

Chicco Brandelli guía a Babi a través de los invitados. Le roza apenas la espalda con la palma de la mano, disfrutando a cada paso de su leve perfume. Babi saluda a algunos amigos que han llegado mientras ella estaba en la terraza. Llegan a la mesa de las bebidas. Inesperadamente, un tipo se coloca frente a Babi. Es Step.

—Bueno, veo que me has hecho caso, estás intentando resolver tus problemas —dice, indicando con la cabeza a Brandelli—. Entiendo que se trata solo de un primer intento pero puede funcionar. Por otra parte, si no has podido encontrar nada mejor...

Babi lo mira vacilante. Lo conoce, pero no le resulta simpático. ¿O sí? ¿Dónde ha visto a ese tipo?

Step le refresca la memoria.

—Te acompañé al colegio una mañana, hace unos días.

—Imposible, yo al colegio voy siempre con mi padre.

—Tienes razón, digamos mejor que te escolté. Iba pegado a tu coche.

Babi lo mira con fastidio al caer en la cuenta.

—Veo que finalmente te acuerdas.

—Claro, eres el que decía un montón de estupideces. No has cambiado, ¿eh?

—¿Por qué debería? Soy perfecto. —Step extiende los brazos mostrando su físico.

Babi piensa que, al menos desde ese punto de vista, no puede por menos que darle la razón. Es el resto lo que no funciona. Empezando por la ropa y acabando con su modo de comportarse.

—Ves, no has dicho que no.

—Ni siquiera te contesto.

—Babi, ¿te está molestando? —Brandelli tiene la desafortunada idea de entrometerse. Step ni siquiera lo mira.

—No, Chicco, gracias.

—Entonces, si no te estoy molestando, te gusta...

—Me resultas completamente indiferente, es más, diría que me aburres un poco, para ser más exacta.

Chicco trata de poner fin a aquella discusión dirigiéndose a Babi.

—¿Quieres algo de beber?

Step contesta por ella.

—Sí, gracias, ponme una Coca-Cola.

Chicco hace caso omiso.

—Babi, ¿quieres algo?

Step lo mira por primera vez.

—Sí, una Coca-Cola, te lo acabo de decir, muévete.

Chicco se lo queda mirando con el vaso en la mano.

—Date prisa. ¿No me oyes, gusano?

—Déjalo estar. —Babi interviene, quitando el vaso de la mano de Chicco—. Me ocupo yo.

—¿Lo ves?, resultas más guapa cuando te comportas amablemente.

Babi coge la botella.

—Ten, procura no volcarla. —Luego arroja el vaso lleno de Coca-Cola a la cara de Step, mojándolo de pies a cabeza.

»Te he dicho que tuvieras cuidado, eres como un niño, ¿eh? Ni siquiera sabes beber.

Chicco se echa a reír. Step le da un empujón tan fuerte que lo hace volar hasta una mesita baja, haciendo caer todo lo que hay sobre ella. Luego coge por el borde el mantel sobre el que se encuentran las bebidas. Tira fuerte de él, tratando de hacer como algunos prestidigitadores, pero el número no le sale. Una decena de botellas salen despedidas yendo a parar sobre los sofás cercanos y sobre los invitados. Algunos vasos se rompen. Step se seca la cara.

Babi lo mira asqueada.

—Eres realmente una bestia.

—Tienes razón, necesito una buena ducha, estoy todo pegajoso. Como es culpa tuya, la ducha la haremos juntos.

En un abrir y cerrar de ojos, Step se inclina y, cogiéndola por las piernas, se la echa al hombro. Babi se agita furiosa.

—¡Déjame estar, bájame! ¡Ayudadme!

Ninguno de los invitados interviene. Brandelli se levanta y prueba a detenerlo. Step le da una patada en la tripa que hace que vaya a dar contra un grupo de invitados. Schello ríe como un loco, baila con Lucone dando golpes en la cabeza a los que pasan por su lado. Alguno reacciona. Junto al disc-jockey estalla una pelea. Roberta, preocupada, se detiene en la puerta, mirando horrorizada su salón arrasado.

—Perdona, ¿dónde está el baño?

Roberta, sin dejarse sorprender por aquel tipo con una chica a hombros, se lo indica.

—Por allí.

Step le da las gracias y sigue las indicaciones. Llegan el Siciliano y Hook, cargados con huevos y tomates. Empiezan a apuntar a cuadros, paredes e invitados, sin hacer distinciones, tirando con violencia, con intención de hacer daño. Brandelli se acerca a Roberta.

—¿Dónde está el teléfono?

—Allí.

Roberta le indica una dirección opuesta a la del baño. Se siente como un guardia intentando dirigir aquel tráfico o, mejor, aquel caos terrible que ha estallado justo en su salón. Desgraciadamente, carece de autoridad para poner una multa a todos y sacarlos de allí. Alguno, más sabio o más canalla que el resto, se acerca a ella y la besa.

—Hola, Roberta, felicidades. Lo sentimos pero nosotros nos marchamos, ¿eh?

—Por allí. —Distraída, indica la puerta de casa de la cual, si no fuera porque es suya, querría también salir huyendo.

—Déjame, te he dicho que me bajes. Me las pagarás...

—¿Y quién se encargará de castigarme? ¿Esa especie de perchero que aspira a convertirse en camarero?

Step entra en el baño y abre la puerta corrediza, en relieve, de la ducha. Babi se aferra al marco, intentando detenerlo.

—¡No! ¡Socorro! ¡Ayudadme!

Step retrocede, le coge las manos, abriéndoselas sin gran dificultad.

Babi decide cambiar de táctica. Trata de hacerse la simpática.

—Venga, va, perdona. Ahora bájame, por favor.

—¿Qué quiere decir por favor? ¿Me tiras la Coca-Cola a la cara y ahora me dices por favor?

—Vale, cometí un error al tirártela.

—Ya sé que cometiste un error.

Step entra en la ducha, se agacha y se coloca bajo la alcachofa.

—Pero el daño ya está hecho. Llegados a este punto no me queda otro remedio que darme una ducha, si no luego dices que estoy pringoso.

—Claro que no, qué tiene que ver. —Un chorro de agua le da de lleno en la cara, ahogándole las palabras en la boca—. ¡Imbécil! —Babi se agita tratando de evitar el agua, pero Step la sujeta dándole la vuelta para que se moje por completo—. Déjame, estúpido, déjame bajar.

—Justo lo que hacía falta, una buena ducha helada para calmarte un poco. ¿Sabes que es muy bueno alternar el agua fría con la caliente? —Coloca el termómetro en el rojo. Del agua empieza a salir humo. Babi chilla aún más fuerte.

—¡Ay, quema! ¡Ciérrala, ciérrala!

—Mira que sienta verdaderamente bien, ensancha los poros, facilita la circulación, llega más sangre al cerebro, así se razona mejor y uno entiende que hay que comportarse bien con la gente... Ser amables y puede que hasta servir una Coca-Cola en lugar de tirarla a la cara.

Schello entra en ese momento.

—Rápido, Step, vámonos. Alguien ha llamado a la policía.

—¿Cómo lo sabes?

—Lo he oído. Lucone me había dado con un huevo en la frente, fui a limpiarme y lo pillé al teléfono. Yo mismo lo pude oír.

Step cierra la ducha, luego apoya a Babi en el suelo. Schello mientras tanto abre los cajones que hay alrededor del espejo. Encuentra algunas sortijas y cadenitas, cosas de poco valor, pero se las mete en el bolsillo igualmente. Babi, con el pelo sobre la cara, completamente mojado, está apoyada en la pared de la ducha tratando de recuperarse. Step se quita la camiseta. Coge una toalla y empieza a secarse. Unos abdominales perfectos aparecen entre los pliegues del tejido de rizo. Su piel, lisa y tirante, se desliza tensa por los escalones de su musculatura.

Step la mira sonriente.

—Será mejor que te seques, si no te constiparás.

Babi aparta con la mano los mechones mojados que le cubren la cara. Descubre sus ojos. Enojados y resueltos. Step finge tener miedo.

—Bueno, bueno, olvida lo que te he dicho. —Sigue restregándose el pelo. Babi permanece sentada en el suelo. El vestido mojado se ha vuelto transparente. Bajo la tela a flores malvas se aprecia el encaje de un sostén claro, tal vez a juego con las bragas. Step se da cuenta.

—Entonces, ¿quieres una toalla o no?

—Vete a tomar por culo.

—¡Menuda palabrota! Pero bueno, ¿una chica tan buena como tú dice esas cosas? Recuérdame que la próxima vez que nos duchemos juntos te lave la boca con jabón. ¿Está claro? Recuérdamelo, ¿eh?

Retuerce la camiseta y, atándosela a la cintura, sale del baño. Babi lo mira alejarse. Sobre la espalda todavía empapada algunas gotitas de agua se deslizan entre nervios y haces de músculos ágiles y bien delineados. Babi coge un champú que encuentra allí mismo, en el suelo, y se lo arroja. Al oír el ruido, Step se agacha instintivamente.

—Eh, ahora entiendo por qué estás enfadada, me olvidé de lavarte el pelo. Está bien, ahora vuelvo, ¿vale?

—¡Vete! Ni lo intentes...

Babi cierra rápidamente la puerta transparente de la ducha. Step mira sus pequeñas manos que empujan el cristal.

—¡Ten! —Le lanza el champú por arriba, a través del espacio abierto en lo alto de la ducha—. Me parece que prefieres hacerlo sola... ¡Como tantas otras cosas... por cierto! —Luego sale del baño con una carcajada grosera.

La palabra policía causa en el salón una desbandada generalizada. Las risas se acaban de golpe. Lucone, el Siciliano y Hook, con un pasado más borrascoso, son los primeros en llegar a la puerta. Algunos invitados se quedan sangrando en el suelo. Roberta llora en un rincón. Otros invitados ven a aquellos energúmenos salir con sus anoraks de plumas puestos, las Henry Lloyd, alguna Fay y chaquetas costosas. Bunny, con un extraño tintineo de plata, se aleja algo más cargado de lo habitual. Bajan corriendo las escaleras, rápidos, haciendo temblar la barandilla de la que se aferran para ayudarse en las curvas. Arrojan al suelo los jarrones de valor que hay en los rellanos elegantes. Revientan los buzones con patadas precisas, directas, gritando y, tras haber robado algún que otro sillín de motocicleta, se esfuman en la noche.

10

—Big. —Raffaella coloca decidida las cartas sobre el paño verde, mirando satisfecha a su adversaria. Una mujer con unas gafas al menos tan densas como su lentitud.

—Tíralas, querida...

Casi se le caen de las manos. Raffaella se apodera de ellas sin perder tiempo.

—Esta la añades aquí, esta así y esta última aquí. Estas las pagas todas.

Hace un rápido cálculo mental, luego escribe el resultado parcial sobre una hoja. Se levanta y se pone a espaldas de Claudio, adueñándose también de su juego y, tras algún descarte seguro, lo convence para que haga *knock*. Su compañero también hace *gin*. Raffaella anota contenta los puntos. Coge las cartas y empieza a barajarlas, rápidamente. La mujer de las gafas densas da la vuelta a la carta *knock*. Tampoco en aquello se queda a la zaga. Es lentísima. Raffaella no soportaría perder, no tanto por los puntos, va bastante adelantada, sino porque las cartas le tocarían entonces a ella. En las mesas cercanas, una línea perdedora desde hace ya demasiado tiempo decide cambiarse atribuyendo la culpa de todos aquellos puntos negativos a la mala suerte. Alguien vuelve a colocar el cenicero apenas vaciado por la dueña de la casa donde estaba antes, a su derecha. Un abogado se sirve un whisky, exactamente hasta alcanzar el final de los dibujos que hay sobre el cristal. La medida justa para ganar permaneciendo más o menos sobrios. Algunas parejas aparentemente más enamoradas que otras se intercambian un saludo afectuoso antes de volver a coger las cartas. En realidad, se trata más bien de una especie de ritual mágico que de un amor desinteresado. Algunas parejas se marchan, con la excusa de que mañana se tienen que levantar muy temprano o que los hijos no han vuelto todavía a casa. En realidad, o él no ha estado muy bien últimamente, o ella se ha aburrido aquella noche. Entre estos se encuentran también Marina y Filippo. Saludan a todos, dando las gracias a la anfitriona, mintiendo sobre la magnífica velada. Marina besa a Raffaella y luego, con una sonrisa algo más prolongada de lo habitual, le recuerda su promesa secreta concerniente a las hijas.

Del portal 1130 de la Cassia sale un grupo de invitados. Comentan lo sucedido. Un muchacho parece tener más cosas que contar que los demás. Probablemente tiene razón, a juzgar por su labio hinchado. Tras unas cuantas preguntas, estúpidas e inútiles, la policía ha abandonado la casa de Roberta. La única que sabía algo, una tal Francesca, viendo que la fiesta estaba degenerando, se había marchado a toda prisa, llevándose consigo su bolso vacío y los nombres de los culpables.

En medio del caos general, Palombi y Daniela han huido junto con otros invitados. Babi, completamente empapada, ha perdido a su hermana. Roberta le ha encontrado un par de pantalones cortos que le quedan muy bien y la sudadera de su hermano mayor en la cual cabría dos veces.

—Deberías ir vestida así a las fiestas más a menudo, estás fascinante.

—¿Todavía te quedan ganas de bromear, Chicco? —Los dos salen del portal—. He perdido a mi hermana y he estropeado el vestido de Valentino.

Le enseña una elegante bolsa de plástico en la que hay escrito un nombre que, si bien no es el del vestido mojado, es igualmente famoso.

—Y, por si fuera poco, si mi madre me pilla volviendo a casa con el pelo mojado me mata. —Las mangas de la sudadera cubren sus pequeñas manos. Babi se las arremanga, subiéndoselas hasta el codo. Apenas da un paso, vuelven a su sitio, desdeñosas.

—Ahí está, es él. —Desde detrás de los contenedores de la basura, Schello indica decidido a Chicco Brandelli. Step lo mira.

—¿Estás seguro?

—Segurísimo. Yo mismo lo oí.

Step reconoce a la chica que va con aquel canalla, aunque su disfraz sea perfecto. No se olvida fácilmente a una mujer que insiste tanto para darse una ducha con uno.

—Vamos a avisar a los demás.

Babi y Chicco doblan la esquina y se adentran en un callejón.

—¿Por qué no interviniste cuando ese idiota me metió bajo la ducha?

—¿Y yo qué sabía? En ese momento había ido a llamar a la policía.

—Ah, ¿fuiste tú?

—Sí, la situación estaba degenerando, se estaban dando una tunda... ¿Has visto qué labio le han dejado a Andrea Martinelli?

—Sí, pobre.

—¿Pobre? Está encantado, imagínate. A saber lo que contará ahora. Solo contra todos, el héroe de la velada. Lo conozco como si lo hubiera parido. Aquí está, es este.

Se paran delante de un coche. Las luces de sus faros lanzan destellos mientras los seguros suben todos a la vez. Es un tipo de alarma bastante común, a diferencia del BMW: último modelo, completamente nuevo. Chicco le abre la puerta. Babi mira el interior perfecto, de madera oscura, los asientos de piel.

—¿Te gusta?

—Mucho.

—Lo he cogido por ti. Sabía que te acompañaría a casa esta noche.

—¿De verdad?

—¡Claro! En realidad estaba todo calculado. A ese grupo de imbéciles lo he llamado yo. Piensa, todo este lío se ha organizado solo para que yo pudiera quedarme a solas contigo.

—Bueno, entonces la historia de la ducha te la podías haber ahorrado, así la ropa también estaría a la altura de la situación.

Chicco se ríe y le cierra la puerta a Babi; luego da la vuelta, sube al coche y lo pone en marcha.

—En fin, que yo me he divertido esta noche. Si no hubiera sido por esos, habría sido el mismo funeral de siempre.

—No creo que Roberta esté de acuerdo con eso. —Babi pone educadamente a sus pies la bolsa de plástico—. ¡Le han destruido la casa!

—Venga, tampoco es para tanto, algún que otro daño insignificante. Tendrá que limpiar los sofás y mandar las cortinas a la tintorería.

Un ruido fuerte y sordo, profundo, de hierro, rompe la atmósfera de elegancia y armonía que hay en el interior del coche.

—¿Qué ha pasado? —Brandelli mira por el espejito lateral. Inesperadamente, aparece en él la cara de Lucone. Se desternilla de risa. Detrás de él, Hook se pone de pie sobre el sillín de la moto y da otra violenta patada al coche.

—¡Son esos locos! Rápido, acelera. —Chicco reduce y empieza a correr. Las motos adquieren rápidamente velocidad y le dan alcance. Babi preocupada se vuelve a mirar detrás. Están todos allí, Bunny, Pollo, el Siciliano, Hook, con sus potentes motos y, en medio, Step. Su cazadora de piel se abre al hincharse dejando a la vista su pecho desnudo. Step le sonríe. Babi mira de nuevo hacia delante.

—¡Corre lo más deprisa que puedas, Chicco, tengo miedo!

Chicco no contesta y sigue conduciendo apretando el acelerador, bajando por la Cassia, en el frío de la noche. Pero las motos siguen ahí, a ambos lados del coche, no se despegan. Bunny acelera. Pollo extiende la pierna y con una patada rompe el faro posterior. El Siciliano da una patada a la puerta lateral izquierda, abollándola por completo. Las motos se inclinan a toda velocidad, alejándose y acercándose al coche, golpeándolo con fuerza. Ruidos sordos y despiadados llegan hasta los oídos de Chicco.

—¡Coño, me lo están destrozando!

—Ni se te ocurra pararte, Chicco, esos son capaces de hacerte polvo a ti también.

—Pararme no, pero les puedo decir algo. —Aprieta el botón de la ventanilla eléctrica, abriéndola a mitad—. ¡Eh, chicos! —grita mientras trata de mantener la calma y sobre todo el control del vehículo—. Este coche es de mi padre y si... —Un escupitajo le da en plena cara.

—¡Yuhuu, tocado, cien puntos! —Pollo se pone de pie detrás de Bunny, alzando los brazos al cielo en señal de victoria.

Chicco, desesperado, se seca con un paño de ante más caro y auténtico que los guantes de Pollo. Babi mira con asco aquel escupitajo que se pega obstinado a su cara, luego aprieta el botón cerrando de nuevo la ventanilla antes que la puntería de Pollo centre algo más.

—Intenta ir al centro, puede que allí nos encontremos con la policía.

Chicco arroja el paño a los asientos traseros y sigue conduciendo. Llegan más ruidos de carrocería abollada y faros rotos. Cada uno de ellos, piensa, supone cientos de euros de daños y grandes broncas de mi padre. Entonces, invadido por una rabia inesperada, Chicco se empieza a reír, como un loco, como si fuera víctima de una crisis histérica.

—¿Quieren guerra? ¡Muy bien, pues la tendrán! ¡Los mataré a todos, los aplastaré como ratas!

Gira bruscamente el volante, el coche derrapa hacia la derecha, acto seguido a la izquierda. Babi se agarra a la manilla de la puerta, aterrorizada. Step y los otros, viendo que el coche va contra ellos, se alejan frenando y reduciendo al mismo tiempo.

Chicco mira por el espejo retrovisor. El grupo sigue detrás, sin dejar de pisarle los talones.

—Tenéis miedo, ¿eh? ¡Bien! Ahí va eso. —Aprieta de golpe el freno. Se abre el ABS. El coche frena en seco Los que se encuentran a ambos lados del mismo lo evitan haciéndose a un lado. Schello, que está justo en el medio, intenta frenar pero su Vespone con las ruedas lisas derrapa y patinando acaba contra el parachoques. Schello cae al suelo. Chicco se pone de nuevo en marcha a toda velocidad haciendo chirriar los neumáticos. Las motos, que han acabado delante del coche, se apartan por miedo a que el coche se les venga encima. El resto se detiene para ayudar al amigo.

—¡Que hijo de puta! —Schello se levanta, tiene los pantalones desgarrados a la altura de la rodilla derecha—. Mirad esto.

—Figúrate, con una caída así es lo menos que te podía pasar. Solo tienes la rodilla pelada.

—Qué coño me importa a mí la rodilla, ese cabrón me ha estropeado los Levi's, me los compré anteayer.

Todos se ríen, divertidos y aliviados por el amigo, que no ha perdido la vida, ni tampoco las ganas de bromear.

—¡Yuhuu, los he jodido, me he cargado a esos bastardos!

Chicco golpea el volante con las manos. Echa de nuevo un vistazo al retrovisor. Solo un coche a lo lejos. Se tranquiliza. Ya no hay nadie.

—¡Cabrones, cabrones! —Salta sobre el asiento—. ¡Lo conseguí!

De repente recuerda que Babi está a su lado.

—¿Cómo estás? —Vuelve a ponerse serio mirándola preocupado.

—Mejor, gracias. —Babi se separa de la puerta, sentándose de nuevo normalmente—. Ahora, sin embargo, me gustaría volver a casa.

—Te llevo enseguida.

Se para un momento en el stop, después continúa por el Ponte Milvio. Chicco la vuelve a mirar; el pelo mojado le cae sobre los hombros, los ojos azules siguen mirando hacia delante todavía un poco atemorizados.

—Siento lo que ha pasado. ¿Te has asustado?

—Bastante.

—¿Quieres beber algo?

—No, gracias.

—Yo, en cambio, me tengo que parar un momento.

—Como quieras.

Chicco invierte la marcha. Aparca junto a una fuente que hay justo delante de la iglesia, se echa un poco de agua en la cara, quitándose los últimos posibles restos de enzimas de la saliva de Pollo. A continuación deja que el viento fresco de la noche acaricie su cara todavía mojada, relajándose. Cuando vuelve a abrir los ojos, le toca enfrentarse a la realidad. Su coche, o mejor, el coche de su padre.

—¡Mierda! —susurra para sus adentros y, fingiendo indiferencia, le da la vuelta, controla los daños, quita trozos de faros rotos todavía colgando. Las puertas están llenas de abolladuras, los laterale, raspados. En algunos puntos ha saltado la pintura metalizada. Hace una especie de presupuesto mental. Unos mil euros. Si se hubiera presentado a esa transmisión en la que hay que averiguar el precio justo no lo habrían cogido ni siquiera como parte del público. Sonríe un tanto forzado a Babi.

—Bueno, habrá que repararlo un poco, tiene algún que otro rasguño.

No le da tiempo a acabar la frase. Una moto azul oscura que los ha seguido hasta allí con los faros apagados se para con gran estruendo a un paso de él. Cuando Chicco apenas ha empezado a darse la vuelta lo empujan con violencia sobre el capó, abollándolo. Al presupuesto se añaden al menos otros quinientos euros. Step se abalanza sobre él con todo su peso, aporreándole la cara, violentamente, tratando de darle en la boca, lográndolo.

Los labios empiezan a sangrarle casi de inmediato.

—¡Socorro! ¡Socorro!

—¡Así la próxima vez aprendes a tener la boca cerrada, gusano, canalla, pedazo de mierda! —Y más golpes, uno tras otro, sacudiendo la cabeza contra el capó, aumentando los daños. Ahora, además de al carrocero, su padre tendrá que pagar también al dentista.

Babi baja del coche y, llena de rabia, empieza a dar a Step puñetazos y patadas, golpeándole en la cabeza con la bolsa de plástico en la que lleva el vestido mojado.

—¡Déjalo estar, canalla! ¡Para ya!

Step se da la vuelta y la aparta con un violento empujón. Babi retrocede, tropieza contra la acera y pierde el equilibrio cayendo al suelo. Step la mira por un momento. Chicco se aprovecha y trata de entrar en el coche. Pero Step es más rápido.

Se arroja sobre la puerta sujetándole el pecho. Chicco chilla de dolor. Step lo abofetea. Babi se levanta del suelo dolorida. Se pone a chillar también ella pidiendo ayuda. Justo en ese momento pasa un coche. Son los Accado.

—¡Filippo, mira! ¿Qué pasa? Pero ¡si esa es Babi, la hija de Raffaella!

Filippo frena y baja del coche, dejando la puerta abierta. Babi corre hacia él gritando:

—¡Separadlos, deprisa, se están matando!

Filippo se lanza sobre Step, sujetándolo por detrás.

—¡Detente, déjalo estar! —Lo abraza, separándolo de la puerta; Chicco, finalmente libre de aquel cerco, se acaricia el pecho dolorido y después, aterrorizado, sube al coche y escapa de allí a toda velocidad.

Step, tratando de desasirse del señor Accado, se inclina hacia delante y lanza con fuerza la cabeza hacia detrás. Le da de lleno en la cara. Las gafas del señor Accado saltan por los aires y se rompen, al igual que sucede con su tabique nasal, que empieza a sangrar. Filippo se tambalea, con las manos en la nariz, perdiendo sangre, no sabiendo adónde ir. Inesperadamente miope de nuevo, se le saltan las lágrimas a causa del dolor. Marina corre en ayuda de su marido.

—¡Delincuente, desgraciado! ¡No te acerques, no te atrevas a tocarlo!

¿Y quién quiere tocarlo? ¿Quién se iba a imaginar que aquel loco que lo ha asaltado por la espalda fuera un viejo? Step mira en silencio a aquella mujer que no deja de gritar.

—¿Has entendido, sinvergüenza? ¡Esto no se va a quedar así! —Marina ayuda a su marido a subir al coche, luego lo pone en marcha y se aleja con alguna dificultad. La señora Accado no conduce casi nunca, solo en casos excepcionales. Y ese lo es. No sucede a menudo que al marido de una le den una buena tunda en la calle.

Babi se planta delante de Step.

—¡Eres una bestia, un animal, me das asco! No tienes respeto por nada y por nadie.

Él la mira sonriendo. Babi sacude la cabeza.

—No pongas esa cara de tonto.

—¿Se puede saber qué quieres de mí?

—Nada, no puedo querer nada, ¿qué se puede pedir a una bestia? Has golpeado a un señor, a uno más mayor que tú.

—Primero, fue él el que me puso las manos encima. Segundo, ¿quién coño sabía que era un señor? Tercero, peor para él por meterse donde no le llaman.

—¿Ah, sí? ¡De modo que a quien se mete donde no le llaman tú le das en la cara, le das cabezazos! ¡Mejor será que te calles! Llevaba incluso gafas, mira... —Recoge del suelo los restos—. Se las has roto, ¿estás satisfecho? ¿Sabes que es delito golpear a alguien que lleva gafas?

—¿Otra vez? Estoy harto de oír eso. ¿A quién se le habrá ocurrido esa historia de las gafas? —Step se dirige hacia la moto, sube a ella—. Sin duda la habrá hecho circular uno de esos gallinas que las usan, uno al que le asustan las peleas, o más bien, que justo por eso lleva gafas y cuenta gilipolleces. —Step enciende la moto—. Bueno, yo me despido. —Babi mira a su alrededor. No pasa nadie. La plaza está desierta.

—¿Cómo que te despides?

—Entonces como prefieras, no me despido.

Babi resopla enojada.

—Y yo, ¿cómo vuelvo a casa?

—¿Y yo qué coño sé? Podía haberte acompañado ese amigo tuyo, ¿no?

—Imposible, le has dado una tal paliza que lo has hecho escapar.

—Ah, ahora será culpa mía.

—¿Y de quién si no? Venga, déjame subir. —Babi se acerca a la moto, alza la pierna hacia un lado para sentarse detrás. Step suelta el embrague. La moto se desplaza un poco. Babi lo mira. Step se da la vuelta devolviéndole la mirada. Babi prueba a subir de nuevo pero Step es más rápido que ella y se adelanta otra vez—. Venga, estate quieto. ¿Qué pasa, eres idiota?

—Eh, no, querida. Soy una bestia, un animal, te doy asco, y ahora, en cambio, ¿quieres subir detrás? ¿Detrás de uno que no tiene respeto por nada y por nadie? Eh, no, ¡demasiado fácil! En este mundo hace falta coherencia, coherencia.

Step la mira seriamente, con toda su cara dura.

—No puedes consentir que te lleve uno así.

Babi entorna los ojos, esta vez a causa del odio que siente. Luego echa a andar resuelta por la calle de la Farnesina.

—¿Tengo razón o no?

Babi no contesta. Step se ríe entre dientes, luego acelera y le da alcance. Camina junto a ella, sentado en la moto.

—Perdona, lo hago por ti. Luego lamentarás haber llegado a un acuerdo. Es mejor que te mantengas firme en tu opinión. Yo soy una bestia y tú vas a pie hasta casa. ¿De acuerdo?

Babi no responde, cruza la calle, mirando fijamente hacia delante. Sube a la acera. Step hace lo mismo. Se alza sobre los pedales para atenuar el golpe.

—Claro... —Sigue acompañándola con la moto.

»Sin embargo, si te disculpas, si te tragas lo que has dicho y dices que te has equivocado... Entonces no hay problema...

Yo te puedo acompañar porque, en ese caso, hay coherencia.

Babi cruza de nuevo la calle. Step la sigue. Acelera un poco poniéndose a su lado, con una mano le tira de la sudadera.

—¿Entonces? Es fácil, mira, repite conmigo: pido perdón...

Babi le da un codazo, se libra de él y empieza a correr.

—¡Eh, menudos modales! —Step acelera y la alcanza poco después—. ¿Entonces quieres ir a pie hasta casa? Por cierto, ¿dónde vives? ¿Lejos? Ah, ahora lo entiendo, quieres adelgazar. Sí, tienes razón, desde luego, no ha sido fácil llevarte en brazos hasta la ducha.

La adelanta con una sonrisa.

—Y además, si tenemos que hacer ciertas cosas es mejor que pierdas algún kilito, que yo no puedo pegarme estas palizas todos los días, ¿eh? Que yo a ti te he entendido ya. Eres una de esas a las que les gusta estar encima, ¿verdad? Entonces tienes que adelgazar a la fuerza, si no, con todo ese peso me aplastarás.

Babi no lo soporta más. Coge una botella que sobresale de un cubo y se la tira probando a darle. Step frena de golpe y se agacha hacia un lado. La botella le pasa casi rozando por encima pero la moto se apaga y él cae de lado. Step alza el manillar con fuerza, consiguiendo pararla antes de que toque el suelo. Babi echa a correr. Step pierde un poco de tiempo tratando de volver a encender la moto.

De una travesía sale, justo en ese momento, un macarra con un Golf antiguo. Al ver a Babi corriendo sola se acerca a ella.

—Eh, rubia, ¿quieres que te lleve?

—Eh, gilipollas, ¿quieres un castañazo en la boca?

El tipo mira a Step que, inesperadamente, se ha metido entre ellos. Entiende de inmediato que, más que una tía buena, lo que puede conseguir son unos cuantos guantazos. Se marcha mirando hacia otro lado, irritado.

Levanta el brazo derecho en un intento de darse un estilo indefinido, ese fingir superioridad para no admitir que, en realidad, uno ha sido derrotado. Step lo contempla alejarse, luego adelanta a Babi y le cierra el paso.

—Venga, sube, basta con esta historia.

Ella prueba a pasar por delante de él. Step la empuja contra la pared. Babi prueba a pasar entonces por detrás. Step la agarra por la sudadera.

—¡He dicho que subas!

La atrae enfadado hacia él. Babi aparta la cara asustada. Step observa aquellos ojos límpidos y profundos que lo miran temerosos. La suelta lentamente, luego le sonríe.

—Venga, te acompaño a casa, si no esta noche acabaré por pelearme con medio mundo.

En silencio, limitándose a decirle dónde vive, sube detrás de él. La moto arranca veloz, con rabia, dando un salto hacia delante. Babi, instintivamente, lo abraza. Sus manos acaban sin querer bajo la cazadora. Su piel está fresca, su cuerpo caliente en el frío de la noche. Babi siente deslizarse bajo sus dedos unos músculos bien delineados. Se alternan perfectos a cada movimiento suyo. El viento le acaricia las mejillas, el pelo mojado ondea en el aire. La moto se ladea, ella lo abraza con más fuerza y cierra los ojos. El corazón empieza a latirle enloquecido. Se pregunta si será solo a causa del miedo. Siente el ruido de algunos coches. Ahora están en una calle más grande, hace menos frío, dobla la cara y apoya la mejilla sobre su espalda, siempre sin mirar, dejándose mecer por aquellas subidas y bajadas, por aquel ruido potente que siente bajo ella. Luego, nada más. Silencio.

—¡Bueno, yo me quedaría así toda la noche, es más, tal vez iría más allá, profundizaría, qué sé yo, probaría otras posiciones!

Babi abre los ojos y reconoce las tiendas cerradas que hay a su alrededor, las mismas que ve todos los días desde hace seis años, desde que se fueron a vivir allí. Baja de la moto. Step respira profundamente.

—¡Menos mal, me estabas machacando!

—¡Perdona, tenía miedo, nunca había ido detrás en una moto!

—Hay siempre una primera vez para todo.

En ese preciso momento, un Mercedes frena a su lado. Raffaella baja de él corriendo. No puede dar crédito a sus ojos.

—Babi, te he dicho mil veces que no quiero que vayas detrás en la moto. Y además, ¿qué haces con el pelo mojado?

—Pero... realmente...

—Señora, espere, yo se lo explico. Yo no quería acompañarla, ¿verdad? Dile a tu madre que yo no quería. Pero ella insistió tanto... Porque lo que ha pasado es que su caballero, uno con un BMW precioso, aunque bastante destartalado, salió corriendo.

—¿Cómo que salió corriendo?

—¡Sí, la dejó tirada en la calle! Imagínese qué tipo.

—Absurdo.

—¡De hecho! Pero yo ya lo he reñido por esto, eh, señora, no se preocupe. —Step mira a Babi—. ¿Verdad, Babi?

A continuación, haciendo que lo oiga solo ella:

—¿Sabes una cosa... Babi? Me gusta tu nombre.

—Oye, mamá, déjalo estar, ¿eh?, hablamos luego.

Claudio baja la ventanilla eléctrica..

—Hola, Babi.

—Hola, papá.

Step lo saluda también.

—¡Buenas noches! —Le divierte aquella extraña reunión familiar. Raffaella, en cambio, no se está divirtiendo en absoluto.

—Mira cómo te has puesto. ¿Dónde está mi vestido de Valentino?

Babi levanta el brazo mostrándole la bolsa.

—Aquí dentro.

—¿Y tu hermana? ¿Se puede saber dónde la has dejado?

Justo en ese momento, llega también Daniela. Baja del coche junto a Palombi, quien la ha acompañado.

—Hola, mami.

No le da tiempo a acabar la frase. Rafaella le da una bofetada en plena cara.

—Así aprenderás a no volver sin tu hermana.

—No sabes lo que ha pasado, mamá. Se colaron unos y...

—Cállate.

Daniela se acaricia en silencio la mejilla. Palombi, obedeciendo también a la orden de Raffaella, sube al coche y se marcha.

Step enciende la moto. Se acerca a Babi.

—Ahora entiendo por qué tienes tan mal carácter. No es culpa tuya, es una cosa hereditaria.

Luego mete la primera y con un «Adiós» insolente se pierde en la noche.

Babi y Daniela suben al coche. El Mercedes entra en la urbanización y pasa delante del portero. A Fiore le ha divertido más ver aquellos cinco minutos que todo «Torno sabato... E tre». Más tarde, mientras se desnudan, Daniela se disculpa con la hermana por haberle desgarrado la falda que le ha prestado.

—Ha sido Palombi, ¡me ha besado!

Su orgullo se ve frenado por una sonora bofetada. Cuando se hacen ciertas confidencias a una hermana hay que asegurarse primero que los padres se encuentren ya en la cama. Raffaella, a causa de los nervios, tarda algo en dormirse. Aquella noche muchas personas duermen mal, algunas pasan la noche en el hospital, otras tienen pesadillas. Entre estas últimas, Chicco Brandelli. Considera, una a una, todas las posibilidades, dejar el coche en la calle, llevarlo a escondidas al carrocero a la mañana siguiente, o arrojarlo por una pendiente y denunciar el robo. Al final, llega a la única conclusión posible: no hay solución. Tendrá que enfrentarse a su padre, al igual que ha hecho Roberta con los suyos esa misma noche. Babi está en la cama, alterada por la velada. Cree que la culpa de todo la tiene ese tarado, ese arrogante, ese animal, esa bestia, ese violento, ese maleducado, ese insolente, ese idiota. Luego, pensándolo bien, se da cuenta de que ni siquiera sabe cómo se llama.

11

Dos rayos de sol atraviesan la habitación. Suben por los bordes de la cama, por el edredón, por su pelo dorado, por sus brazos destapados. Al sentir el cálido toque del nuevo día, Babi abre los ojos. El despertador todavía no ha sonado. Tira del edredón y se tapa por debajo de la barbilla. Permanece con los ojos todavía entornados, con las manos sobre la tripa, con las piernas quietas, inmóvil. Repentinamente, suena el despertador. Molesto e insistente, precedido de un pequeño clic. Babi se mueve desganada en la cama, alarga el brazo, buscando a tientas el despertador sobre la mesita. Tropieza con *Siddharta* de Hesse, un libro de Yourcenar dejado a la mitad y *Ballo di famiglia.* Encuentra el despertador, lo apaga. Después enciende la radio. Ya está sintonizada sobre los 103.10 y, como todas las mañanas, Branko está dando el horóscopo.

—Géminis. También hoy una situación estacionaria. La luna pasa por vuestro signo. Sus influjos os harán sentir particularmente nerviosos.

¡Pues vaya, si a papá ya no lo soporto normalmente, imagínate ahora con el influjo de la luna!

—Cáncer. Para los nacidos bajo este signo... —Lo escucha distraída, sin prestar demasiada atención a lo que dice. ¿Quién es cáncer? ¿Pallina? No, nació en mayo. Mayo debe de ser Tauro o Piscis. No, Piscis es en marzo.

Lentamente cierra los ojos y se vuelve a dormir. Se abandona así, en aquella especie de duermevela ligero y agradable, todavía caliente y aturdida, recién llegada de quién sabe qué mundo. Tal vez sea a causa de un ruido lejano, de un perfume diverso, de una sensación de responsabilidad, el caso es que abre los ojos de repente y se vuelve rápida hacia el despertador. Todavía son las 7.20. Menos mal. Apenas han pasado unos segundos pero, quién sabe por qué, le han parecido eternos.

—Virgo. Para los nacidos en este período... —Babi se gira hacia la radio particularmente interesada. Es su signo. Seis de septiembre—, el paso de Venus procurará momentos particularmente felices a la vida de los enamorados. —¡Enamorados! Antes tengo que encontrar uno justo. No uno que escapa y me deja tirada en medio de la calle. Sale de la cama. Luego oye ruidos en la habitación vecina, corre hacia el baño pero Daniela es más rápida que ella y le cierra la puerta casi en las narices.

—Venga, Dani, déjame entrar, son ya las siete y media...

—Sí, y así ocupas el lavabo para ti sola como siempre. Ni lo sueñes.

—Venga, no seas tonta, te dejo sitio. —Daniela abre la puerta, Babi entra.

—Por lo visto no te han bastado los guantazos de ayer por la noche. —Daniela le responde con una mueca, luego se alternan lavándose a trozos, un poco cada una, sin vergüenza y, sobre todo, sin hablar. Por la mañana, Babi es intratable hasta que no se toma el café, como su madre. Daniela prueba de todos modos.

—¿Qué te parece ese que te acompañó anoche? ¿Te gusta? Babi dice algo extraño. No puede contestar, se está lavando los dientes. Mira a la hermana a través del espejo con los ojos en blanco, luego se enjuaga rápidamente la boca.

—¿Me gusta? ¿Bromeas? ¿Estás loca? ¿Cómo puede gustarme uno así? Es un bestia. ¿Sabes lo que hizo ayer por la noche? Él y sus amigos destrozaron el coche de Brandelli, después empezaron a golpear a Chicco; entonces se detuvo el señor

Accado que pasaba por allí y trató de separarlos y ese tipo, ese animal, le pegó también a él. ¿Cómo puede gustarme uno que usa la cabeza para golpear con ella la cara de los demás en lugar de para pensar?

—Puede, pero ¡a todas nosotras nos gusta!

—¿A vosotras? ¿A quién?

—A mí, a Giuli, a Giovanna, a Stefania...

—Sí, cuatro gallinas tontas que adoran a estos que... El mito de los gamberros, de los idiotas, me dirás. Me gustaría saber qué gusto le encuentran a ir por ahí destruyendo todo, a armar siempre gresca, a pegar a la gente...

—Él y sus amigos tienen un montón de chicas guapas, las cambian cómo y cuándo quieren.

—¡Me imagino qué tipo de chicas!

—No, las hay también muy finas. Piensa que incluso Gloria, la hija de los Accado, sale con Dario, uno de los amigos de Step.

—¿Step?

—Sí, Stefano Mancini, el que te acompañó. Giulia y yo lo llamamos 10 y matrícula de honor, pero todos lo llaman Step.

—¿Step? ¿Paso? En lo que a mí concierne, debería dar muchos, uno detrás de otro, y tirarse al río. Venga, date prisa, no quiero oír gritar a papá como de costumbre porque llegamos tarde.

Babi vuelve a la habitación y se apresura a vestirse. El uniforme está allí, sobre la silla. Aunque llegaron muy tarde, lo preparó la noche anterior. Se ha convertido ya en una costumbre. Se pone la camisa celeste, luego la falda.

Step. Qué nombre tan idiota. Aunque, bien pensado, le va como anillo al dedo. Babi se dirige a la cocina.

—Hola, mamá.

Babi besa a Raffaella en la mejilla. Como todas las mañanas, le impresiona el sabor a leche de su crema Revlon.

—Hola, Babi.

Raffaella bebe su café negro sin azúcar. Los ojos desmaquillados y todavía somnolientos no están acostumbrados a la luz. La cocina, de hecho, está en penumbra. Babi se sienta frente a ella. Llega Daniela y toma asiento a su lado. Babi se sirve café con leche y echa dentro un poco de Dietor.

También Daniela se sirve café con leche, pero se pone azúcar moreno. Cada uno con sus propias costumbres, el propio sitio, la propia taza.

—Mamá, podrías comprar esos flanes de arroz y leche de Danone con sabor a chocolate. ¡Están buenísimos!

Daniela mira a Babi buscando una aprobación que no encuentra.

—A mí en cambio, mamá, deberías comprarme más galletas integrales, se están acabando.

—Si no lo escribís no compro nada.

Daniela se levanta y añade a la lista de la compra que se encuentra sobre una repisa cercana sus flanes y las galletas dietéticas de su hermana.

—Te advierto, Daniela, que si esta vez los dejas caducar de nuevo los pagarás tú.

—Pero, mamá, ¿por qué me dices eso?

—Porque los últimos yogures de fruta que te gustaban tanto los tuve que tirar.

—¡Buenos días a todas! ¿Cómo están mis espléndidas mujercitas? —Claudio besa a sus dos hijas. Se sienta también en su sitio, a la cabecera de la mesa, junto a Raffaella.

—Muy mal, no entiendo por qué por la mañana se tiene que hablar siempre tanto de cosas inútiles. Establezcamos una regla: no hablar por la mañana.

Raffaella se sirve un poco más de café y luego se levanta.

—Bueno, yo me vuelvo a la cama. A vosotras dos os veo a la salida del colegio. Por cierto, decidle a Giovanna que hoy no la quiero esperar. Ha dicho la mamá que si no viene enseguida se va. —Da un beso en la mejilla a Claudio y con un «¡Hasta luego, cariño!», se marcha.

Claudio coge la cafetera. La abre y mira dentro.

—Pero ¿es posible que no me dejéis nunca un poco de café?

Claudio tira la cafetera sobre el platito de madera.

—Todas las mañanas la misma historia. Pero bueno, ¡no es posible!

Babi coge la cafetera.

—¿Te preparo uno, papá?

—No tengo tiempo, me lo tomaré por ahí, como siempre. Pero ¿por qué no hacemos una cafetera más grande?

Daniela mete las tazas en la pila.

—Porque no la tenemos.

—Entonces la compramos. —Daniela le pone delante la lista de la compra.

—¿Qué pasa?

—Ten, escribe. Mamá no quiere tener que acordarse de nada. Lo que queremos, hay que escribirlo.

Claudio toma el folio de las manos de Daniela. Lo lee y escribe bajo «galletas dietéticas» seguido entre paréntesis por «Babi», «cafetera para veinte», seguido entre paréntesis por «Claudio, que no consigue nunca beberse un café».

—¡Hecho! —Cierra el bolígrafo y lo arroja sobre la mesa. Luego se levanta tirando al suelo el taburete dentro del cual, como todas las mañanas, ha acabado su pierna—. ¡Malditos taburetes! —Sale por la puerta de casa dejándola abierta. Babi y Daniela se miran.

—Esperemos que haga bien la maniobra. Esta mañana me parece particularmente nervioso.

—Es el influjo de la luna. Hoy ha pasado por su signo. Date prisa más bien.

—Sí, date prisa, date prisa, pero la que ordena soy siempre yo.

—Ah, sí, ¿y quién puso anoche la mesa...?

Babi coge la bolsa de los libros y sale. Pero las palabras de Branko no han caído en saco roto. Mientras baja las escaleras, trata de recordar su horóscopo. ¿Qué decía la luna? Ah, sí. Cuidado con los posibles encuentros.

12

En el patio del colegio, bajo la copa de un gran sauce, apoyadas contra un largo muro de mármol blanco, algunas chicas copian frenéticas los deberes.

—Pero ¿qué pone aquí? ¿Igual...?

—¡x menos uno! Pero ¿es que ni siquiera eres capaz de copiar?

—Pero ¡mira cómo escribes!

—¡Lo que faltaba! No haces nunca nada en casa y encima te quejas de cómo escribo. ¡Menuda cara!

—Cuidado, llega Catinelli.

Pallina cierra el cuaderno de matemáticas y corre a saludar a Catinelli junto con otras muchachas, todas posibles candidatas a la interrogación de latín.

—Venga, Ale, date prisa que dentro de nada suena el timbre, danos la traducción de latín. —Las chicas esperan delante de Catinelli.

—No, ni hablar.

—¿Cómo que ni hablar?

—¿Qué pasa, no me habéis oído? No quiero que copiéis mi traducción. ¿Vale? No entiendo por qué no podéis hacerla vosotras en casa por vuestra cuenta, como hacen todas.

Pallina se le acerca.

—Venga, Ale, no hagas eso. Perdona, hoy la Giacci me pregunta seguro y también a Festa.

Una chica del grupo con el uniforme más desaliñado que el del resto de sus compañeras, al igual que sus deberes, asiente.

—¡Danos la traducción, venga! ¡Que si no esa se enfada!

—No insistas, Pallina.

—¿Qué pasa, Pallina? ¿Sobre qué estás insistiendo?

—Ah, hola, Babi. Ale no quiere darnos la traducción. ¿Tú la has hecho?

Por un momento, Catinelli deja de ser el centro de la atención.

—No, solo la mitad. Pero creo que ni siquiera está bien. Es que a mí ya me ha preguntado. He controlado, hoy debería tocaros a ti y a Silvia Festa y luego vuelve a dar la vuelta. Aunque normalmente pregunta a quien no ha aprobado.

Catinelli prueba a alejarse. Pallina le tira de la chaqueta.

—¿Has oído? ¡Venga, no puedes dejarnos así, serás nuestra ruina!

—No entiendo por qué no hacéis como Gianetti. Ella la hace y luego me llama por teléfono y la repasamos juntas... Así se la prepara y el día después va bien. ¿Para qué sirve lo que hacéis vosotras?

—¿Y a ti qué te importa? El latín no sirve para nada. En fin, ¿nos la das o no, esa traducción?

—Te he dicho ya que no. Que os la pase Giannetti.

Pallina resopla.

—Sí, esa llega siempre en el último momento... Dentro de cinco minutos sonará el timbre. Venga, solo por hoy... Es la última vez, te lo prometo.

—Siempre decís lo mismo. No, esta vez es que no. ¡No os la doy!

Catinelli se marcha.

—Menuda gilipollas. Y además es un monstruo. Por eso está tan amargada. Nadie quiere salir con ella. Es evidente. Al menos nosotras gustamos y nos divertimos. —Silvia Festa se acerca a Pallina.

—Sí, pero no creo que a mi madre le guste mucho el tres que nos pondrá la Giacci si no tenemos la traducción.

—Ten, toma la mía. —Babi saca de la bolsa su cuaderno de latín y abre la última página—. Al menos podréis decir que lo habéis intentado. Está a la mitad pero siempre es mejor que nada. Decid que os habéis parado en *esperavisse*. Es un verbo que no tengo ni la más remota idea de dónde viene. Lo busqué durante un cuarto de hora en el *Il* sin conseguir encontrarlo. Luego me harté y me fui a merendar. Un yogur desnatado, sin azúcar, terrible. Casi más ácido que Catinelli. —Todas se echan a reír.

Pallina coge el cuaderno y lo apoya sobre el muro. Lo pone en medio de sus compañeras.

—En cualquier caso, es verdad, estudiar engorda. Siempre lo digo: si hubiera hecho el lingüístico pesaría seguro cuatro kilos menos. —Pallina empieza a copiar seguida de Silvia y otras chicas, todas posibles víctimas de la terrible Giacci.

A través de los grandes ventanales de la clase se pueden ver los prados cercanos. Algunos niños, vestidos de idéntico modo, juegan corriendo entre la hierba. Una maestra ayuda a levantarse a un niño que se ha manchado de verde su delantal blanco. El sol cae de lleno sobre los pupitres. Babi mira distraída la clase. Benucci ha resistido menos de lo habitual. Tiene las manos bajo el pupitre, ocupadas en un trozo de pizza. Arranca un trocito y, con los dedos cubiertos de tomate, se lo lleva rápidamente a la boca. Después empieza a masticar fingiendo indiferencia, con la boca cerrada, escuchando la lección como si nada. Babi presta un momento de atención a la explicación de la Giacci. Una joven del siglo diecinueve que no sabía montar a caballo decidió hacerlo a pesar de ello. Y se cayó. Babi no ha estado lo suficientemente atenta como para saber si se hizo daño o no. La única cosa segura es que alguien, realmente carente de ideas, escribió sobre ello una especie de novela.

—Bien. Esta oda, *A Luigia Pallavicini caduta da cavallo*, me la traéis el lunes. —La otra cosa segura es que ellas tendrían que estudiarla. Suena el timbre. La Giacci cierra el libro.

—Voy a la sala de profesores a coger el libro de latín. Os dejo solas. Portaos bien.

Las chicas abandonan sus pupitres. Antes de que la profesora se vaya, tres de ellas consiguen arrancarle el permiso para ir al baño. En realidad, solo una de ellas va por razones fisiológicas. Las otras dos entran en un único baño y comparten felices el mismo vicio. Un agradable Merit a despecho de todos aquellos que lo indican como el cigarrillo más nocivo de todos.

Regresa la Giacci. Las muchachas vuelven a sus asientos. Escuchan atentas sus explicaciones sobre métrica latina. Alguna marca los acentos y copia la frase escrita en la pizarra. Otra, convencida de que le preguntarán, repasa la traducción.

Benucci no consigue resistirlo. Desenvuelve de nuevo la pizza. Dos muchachas a sus espaldas mastican unas Virgosol. Tratan de ocultar el olor a nicotina. Otra, al fondo de la clase, sigue tranquila la lección. Su dolor de tripa ha desaparecido.

—Entonces, para el miércoles que viene haréis de la página 242 a la página 247: traducción y lectura en métrica con conocimiento perfecto de las reglas de los acentos.

Babi abre el diario y marca los deberes para el miércoles. A continuación, casi inconscientemente, lo hojea, yendo hacia detrás. Páginas pintadas y completamente escritas desfilan ante sus ojos. Fiestas, cumpleaños, frases simpáticas de Pallina, notas de los deberes de clase. Opiniones sobre películas vistas en el cine, amores posibles, imposibles, pasados.

«Marco te quiere.» Se detiene. Mira aquellas palabras en rojo, allí, al fondo de la página. Seguidas de un pequeño corazón. Noviembre. Sí, era noviembre. Y ella estaba locamente enamorada.

Noviembre. Un año antes.

—Mamá, ¿no ha llegado nada para mí?

—Sí, hay una carta en la cocina. Te la he puesto sobre la mesa.

Babi se dirige corriendo a la cocina, encuentra la carta. Reconoce la letra y la abre feliz. Hace cuatro meses que están juntos. Su historia más larga. Prácticamente la única historia, en realidad. Lee la carta.

> Querida Babi:
>
> En este día tan importante (¿el descubrimiento de América? ¡Más aún! ¿El primer hombre sobre la luna? ¡Mucho más! ¿La inauguración del Gilda? ¡Casi, casi!)... Eh, pequeña, ¡es una broma! Hoy hace cuatro meses que estamos juntos y he decidido que tiene que ser un día especial, feliz, precioso, romántico. ¿Estás lista? Coge la Vespa del garaje y sal. Porque ha empezado tu «caza al tesoro». «Tesoro» en el sentido de amor. Justo lo que siento por ti. Marco.
>
> P.D: El primer mensaje es: «Una villa que frecuentas, / mas de noche ni lo intentas, / *on the left*, el tercer *tree*, / en inglés, claro que sí. / Es posible que algo halles, / cuando bajo el árbol caves. ¿Preparada? ¡Vamos, ya!».

Babi cierra la carta y piensa. La villa es Villa Glori, adonde va siempre a correr. ¿En inglés? ¿Por quién me toma? Desde luego es fácil, el tercer árbol apenas se entra a la izquierda.

—Salgo, mamá.

—¿Adónde vas?

—Tengo que llevarle una cosa a Pallina.

Babi se pone la cazadora de ante.

—¿A qué hora vuelves?

—A la hora de cenar. Estudio en su casa.

Raffaella se asoma a la puerta.

—No vuelvas tarde, por favor.

—Si cambia algo te llamo por teléfono.

Babi sale deprisa, luego se detiene en la puerta y retrocede. Besa apresurada a su madre en la mejilla y escapa. Una vez en el patio, abre lentamente sin hacer ruido el cierre metálico del garaje. Saca la Vespa; después, sin encenderla, baja la cuesta. Pero justo cuando gira, alza la mirada. Raffaella está asomada al balcón, sus miradas se cruzan.

—En autobús tardo mucho, mamá.

—Coge al menos una bufanda.

—Me subo el cuello de la cazadora, no tengo frío, de verdad. Adiós.

Babi mete la segunda. La Vespa frena ligeramente, luego se pone en marcha de golpe y parte hacia delante con el motor encendido. Babi inclina la cabeza y pasa rozando por debajo de la barra que Fiore se ha apresurado a levantar. Por la avenida de Francia, llega hasta Villa Glori. Pone la Vespa sobre el soporte y entra rápidamente en la villa. Algunas mujeres pasean a sus hijos. Algún atlético muchacho hace footing. Babi se acerca al tercer árbol que hay a la izquierda. Abajo, junto a las raíces, hay un pequeño arbusto. Lo aparta. Bajo él hay escondido un sobre de plástico. Lo coge. Cómplice y feliz vuelve a su Vespa. Lo abre. Dentro hay una bufanda preciosa de cachemira azul claro y una nota: *No lo niegues, no la tienes, /no es normal que no la lleves. / La garganta siempre roja, / natural, pues, que uno tosa. / Bien tapada hasta el gran centro, /de la RAI, sí, justo dentro. / En el patio hay un caballo, / a qué esperas, ¡como un rayo! / Al llegar, cuando allí estés, / lo verás justo a sus pies.*

Babi monta sobre la Vespa y sonríe divertida por aquel romántico juego. Se echa al cuello la bufanda. Abriga y es suave. Realmente un bonito regalo. Y útil, visto el frío que hace. Mamá tiene razón. Marco es de verdad un tesoro. Aunque ha sido un poco imprudente. ¿Y si la hubiese encontrado alguien? Pero ha salido bien. Pone en marcha la Vespa y se dirige a toda velocidad hacia la plaza Mazzini. Se para delante del pequeño patio rodeado por una alta verja eléctrica. Babi baja de la moto y entra. El portero la mira con curiosidad. Luego se concentra en un señor con un maletín que le pide una información. Babi se aprovecha. Se acerca al caballo. En la barriga han dibujado una flecha con tiza blanca que apunta abajo. Piensa que Marco está loco. Mira mejor. Hay otro paquete. Lo coge. El portero no se ha dado cuenta de nada. Esta vez encuentra un par de gafas. Unas Ray-Ban preciosas último modelo, pequeñas y rectangulares. Naturalmente, hay otra nota. La próxima etapa es una dirección. Calle Cola di Rienzo, 48. La Vespa arranca a toda velocidad. En parte gracias al colector que Daniela acaba de cambiar, como hacen todos para que vaya más rápida, pero también a causa de la curiosidad que va en aumento.

Babi llega a la nueva dirección. Es una tienda. La mira estupefacta. Una tienda de ropa interior. Sus sencillos conjuntos de algodón blanco se los compra siempre su madre. Babi entra indecisa. Mira en derredor. Una dependienta joven está detrás del mostrador ordenando unos conjuntos de raso gris recién llegados. Babi vuelve a leer el final de la nota.

Si tu nombre les dirás, / ropa nueva lucirás.

La dependienta se acerca a ella al verla.

—¿Puedo ayudarla?

—Creo que sí, soy Babi Gervasi.

—Ah, sí. —La dependienta le sonríe, simpática—. La estábamos esperando. —Va detrás del mostrador—. Estos son para usted. Elija el que más le guste. —Pone tres conjuntos de ropa interior sobre el mostrador. Los tres son de raso. El primero es un body negro, con dibujos transparentes sobre el pecho y unos finos tirantes. El segundo es un dos piezas rosa pálido con dibujos transparentes ligeramente más claros. El último es de color ciruela, con unos tirantes ligeros y la braguita con la pernera alta. Babi los mira. Se detiene en cada uno de ellos sin atreverse a levantar la cabeza. Tiene vergüenza. La dependienta lo advierte y trata de echarle una mano.

—Creo que este es el más adecuado para usted. —Coge la parte de arriba del conjunto rosa pálido y se lo enseña—. Tiene usted la piel muy clara, le quedará muy bien.

Babi alza tímidamente la mirada.

—Sí, estoy de acuerdo. Entonces me quedo con este. Gracias. —Babi se aleja del mostrador esperando que aquella dependienta tan solícita se lo envuelva; mira a su alrededor en la tienda. Un frío maniquí luce un conjunto muy sexy. Babi se imagina con él puesto. Le parece natural, después de aquella dramática elección.

—¿Señorita? —Babi se vuelve hacia la dependienta—. El muchacho que vino, que imagino es su novio...

—Sí, en cierto modo.

—Me dijo que, después de haber elegido el conjunto tenía usted que ponérselo.

—Pero... ¿de verdad...?

—Si no, me prohibió terminantemente que le diera el próximo mensaje. Eso me dijo...

—Entiendo. Gracias.

Babi coge el conjunto rosa y se dirige al probador. La dependienta atraviesa la tienda y le da una bolsa.

—Tenga, puede meter aquí dentro el que lleva puesto.

Babi se cambia. A continuación se mira al espejo. La dependienta tenía realmente razón. Aquel dos piezas le sienta de maravilla. Un pensamiento le cruza la mente. ¿Qué dirá mi madre cuando vea esto entre la ropa para lavar? Tengo que decir que el regalo me lo ha hecho Pallina, así, para bromear. Tal vez con Cristina y con alguna amiga más. Babi se viste de nuevo y sale del probador. La dependienta se fía. Sin mirar dentro de la bolsa, le da el nuevo mensaje. La dependienta, soñando con los ojos abiertos, la contempla mientras se aleja. Es lo bastante guapa como para que alguien quiera hacer con ella también aquel juego divertido. Tal vez aquella noche reproche a su novio no tener toda aquella fantasía. En cualquier caso, hay que darse prisa. Ciertas locuras solo son verdaderamente divertidas a una cierta edad.

A Babi le cuesta un poco entender cuál es la siguiente etapa. Al final, va a Due Pini. En el jardín que hay junto a su colegio hay un banco donde a menudo se ha besado con Marco. Allí abajo encuentra un sobre con un billete de la lotería de Agnano y con un nuevo mensaje. La caza continúa. Va a una pequeña joyería del centro y allí se ve obligada a cantar una canción delante de algunos clientes. Una dependienta le entrega unos pendientes preciosos de turquesas con otra nota. En Benetton le espera una chaqueta con una falda burdeos. El mensaje siguiente la conduce hasta una tienda de la calle Veneto donde, resolviendo un acertijo, recibe un par de preciosos zapatos de piel a juego con el vestido. De aquí la caza la lleva hasta la calle de Vigna Stelluti. La vieja florista que hay antes de la plaza a la derecha le tiende una bella orquídea y otro mensaje. En Euclide, allí cerca, le han pagado su pastel preferido. Mientras Babi se come una de aquellas tartas con la crema y los trozos de fruta por encima, la cajera le da la última nota: *Engullida ya la tarta, / ¿hay quizá algo que falta? / ¿O estás ya un poco harta? / Si es el centro de tu vida, / vete al punto de partida.*

Babi se traga el último trozo de torta, el central, el que tiene en medio un grano de uva. Se limpia la boca antes de salir. Pone en marcha la Vespa y desciende por la calle Vigna Stelluti. Si su madre la viera ahora, casi no podría reconocerla. Lleva puesto un traje burdeos precioso, unos elegantes zapatos de piel, unas Ray-Ban pequeñas, unos pendientes espléndidos de turquesas, una orquídea en el pelo y en el bolsillo una posible riqueza: el billete de la lotería. Ahora Babi lleva también una cálida bufanda de cachemira alrededor del cuello. Babi da la vuelta en la plaza Euclide y se para delante de la verja de Villa Glori. Justo donde ha empezado la caza al tesoro. Reconoce el GT azul. Se apresura a entrar. Marco está allí, apoyado en un árbol. Babi llega corriendo hasta él y lo abraza. Marco saca de detrás de la espalda una rosa que había tenido escondida hasta aquel momento.

—Ten, tesoro. Buen mesiversario.

Babi mira encantada la rosa. Luego le rodea de nuevo el cuello con los brazos y lo besa apasionadamente. Está realmente enamorada. ¿Cómo no estarlo después de todo aquello? Marco la aparta ligeramente, sujetándola por los hombros.

—Déjame ver... Estás guapísima vestida así. Estás muy elegante. Pero ¿quién te ha elegido todas estas cosas?

Marco le arregla la bufanda azul alrededor del cuello. Babi lo mira sonriendo con sus grandes ojos azules.

—Tú, cariño.

Marco la abraza y se encaminan hacia la salida.

—¿Puedes dejar la Vespa aquí?

—¿Por qué, adónde vamos?

—A tomarnos un aperitivo y luego tal vez a comer algo.

—Tengo que avisar a mi madre.

Babi sube al GT. Marco se ocupa amablemente de poner el seguro en la rueda delantera de la Vespa. Luego sube al coche y se aleja veloz en el tráfico de la noche. Babi llama a su madre. Está jugando a las cartas en casa de los Bonelli. Raffaella está tan concentrada en el juego que escucha distraída lo que le dice Babi. Van a comer una pizza. Va Marco con ella pero, por supuesto, también un grupo de amigos. Deja la Vespa en casa de Pallina, la recogerá mañana. Marco le ha regalado una bufanda. Puede que sea justo esta última noticia la que pone contenta a Raffaella. Babi tiene permiso para ir.

Comen en el Matriciano, una pizzería-restaurante en la calle de los Gracchi en Prati, muy famoso porque lo frecuentan actores y personajes famosos.

Hablan de la caza al tesoro. Babi le dice cuánto se ha divertido. Cuánto le ha gustado todo, cuánto le habrían envidiado sus amigas. Marco le resta importancia, pero no consigue ocultar hasta qué punto aquella idea lo hace sentirse orgulloso.

Bromea contándole que fue a Villa Glori, preocupado por que ella no hubiera entendido algún mensaje y por que no llegara nunca. Babi finge ofenderse. Marco le sonríe. Babi se toca el pelo. Él le acaricia la mano. Entra un actor conocido con una guapa muchacha que todavía no es famosa. Lo será muy pronto, al menos en «Novella 2000», a juzgar por cómo se comporta. Un camarero saluda al actor y le encuentra de inmediato un sitio. Babi nota su presencia. Se gira varias veces para mirarlo y se lo dice también a Marco. Él le llena la copa fingiendo suficiencia e indiferencia ante la noticia. La mayor parte de las personas del local se reprime y se comporta como Marco. Alguno no lo resiste y se vuelve a mirarlo. Algún otro lo saluda, jactándose de que es amigo suyo. El actor devuelve los saludos, luego confiesa a su bella acompañante que no conoce a aquella gente. Ella ríe más o menos sincera. Tal vez llegue de verdad a ser una discreta actriz. Muchos siguen comiendo como si lo vieran todos los días. En realidad no se entiende muy bien por qué el Matriciano tiene tanto éxito. La gente va para ver a los famosos pero luego, cuando estos llegan, hacen como que no los ven.

Más tarde dan un breve paseo por el centro. Entran en Giolitti y se toman un helado. Babi casi riñe con el camarero para que le ponga doble ración de nata. Marco paga un suplemento con tal de contentarla. Después, hablando aún sobre el helado, el camarero, Giolitti y la ración doble de nata acaban casi sin darse cuenta en casa de Marco. Abren con cuidado la puerta para no despertar a sus padres. Andan de puntillas hasta su habitación. Cierran la puerta y con un poco de tranquilidad encienden la radio. Mantienen bajo el volumen. Un tierno beso los lleva hasta la cama. En Tele Radio Stereo una cálida voz femenina anuncia otro disco romántico. Un poco de luna entra insolente por la ventana. En aquella mágica penumbra, Babi se deja acariciar. Lentamente, Marco recupera el vestido que le ha regalado. Ella se queda en ropa interior. Él la besa entre el cuello y los hombros, acariciándole el pelo, le roza el pecho, el vientre pequeño y liso. Luego se incorpora y la mira.

Babi está allí, bajo él. Tímida y ligeramente asustada, lo mira. Marco le sonríe. Sus dientes blancos se asoman en la penumbra.

—Estaba seguro de que elegirías este conjunto. Es precioso.

Babi abre los labios. Marco se inclina sobre ella para besarla. Ella, casi inmóvil, delicada y suave, acoge su beso. Aquella noche, en Tele Radio Stereo, ponen las canciones más bonitas que jamás se hayan compuesto. O, al menos, así les parece a ellos. Marco es dulce y tierno e insiste un buen rato para obtener algo más. En vano. Solo tiene el placer y la suerte de ver cómo está sin la parte de arriba, eso es todo. Más tarde la lleva a casa. La acompaña hasta la puerta y la besa tiernamente disimulando aquella extraña rabia. Después regresa conduciendo veloz en la noche. Recuerda aquella canción de Battisti que hablaba de una muchacha que es igual a una torta de nata montada. Una muchacha feliz de que no se la hayan comido.

—Sí, prácticamente como ella, y yo he probado solo una cucharada.

Piensa en toda la caza al tesoro, en lo que se ha gastado. El tiempo que ha empleado para componer aquellas frases en rima. Los sitios que ha elegido y todo lo demás. Entonces da la vuelta y decide ir al Gilda. Otro pensamiento acaba barriendo hasta el último escrúpulo. Por si fuera poco, Babi ha conseguido incluso el helado con la doble ración de nata.

13

Los recuerdos...

De repente, se produce un extraño silencio. La clase está como paralizada, suspendida en el aire. Babi mira a las chicas que tiene a su alrededor, sus amigas. Simpáticas, antipáticas, delgadas, gordas, guapas, feas, monas. Pallina. Alguna hojea apresurada un libro, otras releen preocupadas la lección. Una, particularmente nerviosa, se restriega los ojos y la frente. Otra se agacha a un lado tratando de esconderse. Ha llegado el momento de la interrogación. La Giacci pasa su índice punitivo sobre la lista. Puro teatro. Sabe ya dónde pararse. «¡Gianetti!» Una muchacha se alza dejando en el banco sus esperanzas y algo de color. «Festa.» También Silvia coge su cuaderno. Ha conseguido copiar la traducción por un pelo. Avanza entre dos filas de pupitres, se dirige a la mesa de la profesora y le entrega el cuaderno. También ella se coloca junto a la puerta, al lado de Gianetti. Las dos se miran desconsoladas, tratando de darse ánimos en aquella dramática suerte común. La Giacci levanta la cabeza de la lista y mira en derredor. Algunas alumnas le sostienen la mirada para demostrar que están tranquilas y seguras. Una falsamente preparada fanfarronea vistosamente, casi ofreciéndose. Todos los corazones aprietan un poco sobre el acelerador.

«Lombardi.»

Pallina se levanta. Mira a Babi. Como si se estuviera despidiendo de ella para siempre. Luego se dirige hacia la mesa, condenada ya al suspenso.

Pallina se coloca entre Gianetti y Silvia Festa, que le sonríe. Después le susurra un «Tratemos de ayudarnos», que hace aumentar al máximo la ansiedad de Pallina. La primera en ser interrogada es Gianetti. Traduce un trozo del texto tropezando con algún acento. Busca desesperadamente las palabras más apropiadas en italiano. No encuentra nunca de qué verbo viene un difícil pasado remoto. Adivina casi por casualidad el participio futuro pero no recuerda nunca el gerundio. Silvia Festa prueba con la primera parte de la traducción, la más fácil. No acierta un verbo, ni siquiera se aproxima. Admite prácticamente haber copiado la traducción. Cuenta acto seguido una extraña historia sobre su madre que, por lo visto, no se encuentra demasiado bien al igual que ella, por otra parte, en aquel momento. Sin saber cómo, declina perfectamente un nombre de la tercera. Pallina hace mutis. Le ha tocado la tercera parte del texto, la más difícil. La lee rápidamente, sin errar un solo acento. Pero se detiene ahí. Aventura una posible traducción de la primera frase. Pero un acusativo en el lugar equivocado produce una interpretación quizá excesivamente fantasiosa. Babi mira preocupada a su amiga. Pallina no sabe qué hacer. En su sitio, Babi abre el libro. Lee el fragmento. Controla la frase traducida correctamente en el cuaderno de la compañera empollona. A continuación, con un leve susurro, llama la atención de Pallina. La Giacci, con aire de desdén mira por la ventana, esperando unas respuestas que no llegan.

Babi se extiende sobre el banco y, ocultándose tras la compañera que se sienta delante, sopla a su amiga del alma la perfecta traducción del texto. Pallina le manda un beso con la mano, luego repite en voz alta, en el orden exacto, todo aquello que Babi le acaba de indicar. La Giacci, al oír repentinamente una serie de palabras justas y en el lugar justo, se vuelve hacia la clase. Es demasiado perfecto como para que sea solo una casualidad. En el aula todo ha vuelto a la normalidad. Todas las alumnas están en su sitio, inmóviles. Babi, correctamente sentada, mira a la maestra con ojos ingenuos e inocentes. Pallina, casi desafiando a la suerte, sonríe. «Disculpe, maestra, me he confundido un poco, me he atascado, pero eso les pasa incluso a los mejores, ¿no?» Después de la traducción, generalmente vienen las preguntas sobre los verbos y sobre eso Pallina se siente más segura. Lo peor ha pasado. La Giacci sonríe. «Muy bien, Lombardi. Escuche, tradúzcame todavía un trozo, hasta *habendam.*» Pallina vuelve a caer en el más absoluto desaliento. Lo peor está todavía por llegar. Afortunadamente, la Giacci vuelve a mirar fuera. Babi lee la traducción de la nueva frase, luego espera algunos segundos. Todo está tranquilo. Se tumba sobre el pupitre para soplar de nuevo a la amiga. Pallina controla una última vez a la Giacci. Acto seguido, mira hacia Babi lista para repetir el juego. Pero justo en ese momento la profesora se da lentamente la vuelta. Se inclina hacia delante sobre la mesa y pilla a Babi en el preciso momento en el que sopla a la amiga. Con la mano alrededor de la boca. Babi, como si sintiera que la han descubierto, se vuelve de golpe. La ve. Sus miradas se cruzan a través de los hombros de algunas compañeras inmóviles. La Giacci sonríe satisfecha.

—Ah, muy bien. Tenemos una alumna verdaderamente preparada en esta clase. Gervasi, visto que lo sabe tan bien, venga usted a traducir el resto del texto.

Pallina, sintiéndose culpable, interrumpe a la Giacci.

—Maestra, disculpe, es culpa mía, soy yo la que le ha pedido que me lo dijera.

—Muy bien, Lombardi, lo aprecio. Es muy noble por su parte. Nadie pone en duda, de hecho, que usted no sepa absolutamente nada. Pero ahora me gustaría oír a Gervasi. Venga, venga, por favor.

Babi se levanta pero permanece en su sitio.

—Maestra, no estoy preparada.

—Está bien, pero venga usted de todos modos, venga.

—No veo por qué tengo que ir hasta ahí para decirle la misma cosa. No estoy preparada. Perdone pero no he podido estudiar. Póngame una mala nota.

—Perfectamente de acuerdo, entonces le pongo un dos, ¿está contenta?

—¡Casi tanto como Catinelli cuando no pasa sus traducciones! —Toda la clase se echa a reír. La Giacci da un golpe con la mano sobre la lista.

—Silencio. Gervasi, tráigame el cuaderno: quiero ver si también se pone contenta con la comunicación que tendrá que hacer firmar en casa. Y sobre todo, cuénteme lo contenta que se pone su madre. —Babi le lleva el cuaderno a la profesora quien escribe algo apresuradamente y con rabia. Luego lo cierra y se lo devuelve.

—Mañana lo quiero ver firmado. —Babi piensa que hay cosas peores en la vida, pero tal vez sea mejor no dar demasiada publicidad a este pensamiento. Vuelve en silencio a su sitio. Silvia Festa consigue un cinco. Es hasta demasiado para lo escueto de sus respuestas. Aunque tal vez aquel sea el premio a sus excusas. También en estas, sin embargo, tienen que mejorar. Con todas a aquellas desgracias, su madre va a acabar por morirse un día de verdad.

Pallina vuelve su asiento con un bonito cuatro que de noble tiene bien poco. Gianetti consigue arrancar por un pelo el aprobado. La Giacci, al ponerle la nota, le dedica incluso un proverbio latino. Gianetti hace una extraña mueca disculpándose por no saber bien qué decir. En realidad no entiende una palabra. Más tarde, su compañera de pupitre, Catinelli, se lo traduce. Es la macabra historia de un tuerto que vive feliz en un lugar lleno de ciegos. Babi abre el diario. Va hasta el final, a las última páginas. Junto a la lista alfabética de sus compañeras ha metido las hojas donde marca todas aquellas que son interrogadas. Mete los últimos puntos en la hoja de latín a Gianetti, Lombardi y Festa. Con la de Silvia termina la segunda vuelta de interrogaciones. Babi pone también un punto junto a su nombre. La primera interrogada de la nueva vuelta. Nada mal empezar con un dos. Menos mal que las otras notas son altas. La media matemática debe darle todavía un seis. Cierra el cuaderno. Una compañera de la fila de al lado le lanza un mensaje sobre el pupitre. Babi lo esconde de inmediato. La Giacci está eligiendo el nuevo texto para la semana siguiente. Babi lo lee.

¡Muy bien! Estoy orgullosa de tener una amiga como tú. Eres una jefa. P. Babi sonríe, entiende enseguida a quién corresponde aquella P. Se vuelve hacia Pallina y la mira. Es demasiado simpática. Mete el mensaje dentro del diario. Luego, repentinamente, recuerda la comunicación. Se apresura a leerla.

Querida señora Gervasi. Su hija ha venido a la lección de latín sin haberla preparado en lo más mínimo. Como si esto no bastase, al ser interrogada me ha contestado en modo impertinente. Deseo que usted esté al corriente de semejante comportamiento. Reciba un cordial saludo, profesora A. Giacci.

Babi cierra el cuaderno. Mira a la maestra. Es realmente una gilipollas. Acto seguido piensa en su madre. ¡Una nota así! Probablemente la castigará. Organizará una historia inacabable. Y quién sabe qué otra cosa más. Una cosa es segura. Su madre no le dirá nunca: «Muy bien, Babi, eres una jefa».

14

Un perro lobo corre veloz por la playa con un palo en la boca. Agrupa las patas y enseguida las lanza de nuevo, casi rozando la arena, levantando salpicaduras de ella. Llega hasta Step. Se deja quitar el palo de la boca babeando un poco. Luego se acuclilla, con la cabeza doblada entre las patas anteriores, unidas, extendidas junto al suelo. Step finge tirar el palo a la derecha. El perro da un salto, pero luego se da cuenta que no serviría de nada. Step finge de nuevo.

Al final lanza el palo lejos, en el agua. El perro parte. Se arroja al mar de inmediato. Con la cabeza levantada avanza entre alguna que otra ola pequeña y una leve corriente. El trozo de madera flota un poco más allá. Step se sienta a mirar. Es un día precioso. Todavía no hay nadie. Repentinamente, un fuerte ruido. Una gran luz. El perro desaparece. El agua también, el mar, las montañas lejanas, las colinas a la derecha, la arena.

—¿Qué puñetas pasa?

Step se da la vuelta en la cama, tapándose la cara con el almohadón.

—¿A qué coño viene esta invasión? —Pollo, después de haber levantado la persiana, abre la ventana.

—¡Madre mía, menuda peste! Será mejor que abramos un poco. Ten, te he traído unos sándwiches. —Pollo le tira la bolsa verde de Euclide sobre la cama. Step se incorpora y se estira un poco.

—¿Quién te ha abierto? ¿Maria?

—Sí, está haciendo el café.

—Pero ¿qué hora es?

—Las diez.

Step se levanta de la cama.

—Maldita sea, ¿no podías dejarme dormir un poco más? —Step se dirige al baño. Levanta la tapa del váter que golpea las baldosas con un ruido seco. En la otra habitación, Pollo abre el *Corriere dello Sport* y alza un poco la voz.

—Me tienes que acompañar a recoger la moto en el garaje de Sergio. Me ha llamado para decirme que ya está lista. Oh, ¿has visto que el Lazio ha confirmado a Stam, el defensor del Manchester? Genial, Jaap.

Pollo se pone a leer un artículo, luego al oír que Step no da muestras de acabar:

—Eh, pero ¿qué pasa? ¿Te has bebido un río?

Step tira de la cadena. Vuelve a la habitación, coge el paquete de Euclide.

—Solo te justifica haberme traído esto. —Acto seguido, se dirige a la cocina, seguido de Pollo. La cafetera aún humeante está posada sobre un platito de madera. Cerca hay un cacito con leche caliente y, en el habitual brik azul claro, algo más de leche fría, del tipo entero.

Maria, la mujer de la limpieza, es una señora menuda de unos cincuenta años. Sale del cuarto contiguo, donde apenas ha acabado de planchar.

—¿Ve a este, Maria? —Step indica a Pollo—. Haga lo que haga o diga lo que diga, no debe entrar en esta casa antes de las once. —Maria lo mira un poco preocupada.

—Le he dicho que usted quería dormir. Pero ¿sabe lo que me ha contestado? Que si no le abría tiraba abajo la puerta. —Step mira a Pollo.

—¿Le has dicho eso a Maria?

—Bueno, la verdad... —Pollo sonríe. Step finge que se enfada.

—¿Le has dicho eso? ¿Amenazas a Maria...? —Step agarra

al vuelo el cuello robusto de Pollo y se lo mete bajo el brazo, inmovilizándole la cabeza—. Te comportas como un nazi en mi casa y ahora pagarás por ello. —Coge el jarro de leche hirviendo y se lo acerca a la cara.

Pollo advierte el calor y grita exagerando.

—Ay, Step, quema... Venga, coño, que me haces daño. —Step aprieta un poco más.

—Ah, dices también palabrotas, entonces es que estás loco. Discúlpate enseguida con Maria. Venga, pídele disculpas. —Maria mira preocupada la escena. Step acerca un poco más el jarro a la cara de Pollo.

—Ay, me has quemado. Perdone, Maria, perdone. —Maria se siente culpable de todo lo que está pasando.

—Déjelo, Step. Me he equivocado. No ha dicho que tiraba abajo la puerta. Le he entendido mal. Ha dicho que pasaría más tarde, eso es. Sí, ahora me acuerdo, ha dicho justo eso. —Step deja a Pollo. Los dos amigos se miran. Luego estallan en carcajadas. Maria los mira sin entender muy bien lo que pasa. Pasado un momento, Step recupera la compostura.

—Está bien, Maria. Gracias. Es que a este tipo le vendría muy bien una lección. Puede irse. Verá que a partir de hoy se porta mejor.

Maria mira disgustada a Pollo. Con una mirada trata de hacerle entender que le gustaría que las cosas no hubieran llegado tan lejos. Luego coge la ropa recién planchada y se la lleva. Step, divertido, la contempla mientras se aleja. A continuación, se vuelve hacia Pollo.

—¿Eres idiota? Venga, ¿me aterrorizas a la mujer de la limpieza?

—Pero es que esa no me quería abrir.

—Vale, pero tú se lo puedes pedir por favor, ¿no? ¿Qué haces, le dices que tiras la puerta abajo? La próxima vez te quemo de verdad esa cara que tienes.

—Entonces déjame las llaves, ¿no?

—Sí, y así, cuando no esté en casa, me la limpias.

—¿Estás bromeando? ¿De verdad piensas que sería capaz de hacer una cosa así?

—No, puede que no. Pero, en la duda, mejor no darte la posibilidad.

—Qué canalla eres, devuélveme enseguida los sándwiches.

Step sonríe y hace desaparecer inmediatamente uno devorándolo. Pollo abre el periódico y simula estar enojado. Step se sirve café, añadiéndole un poco de leche caliente y después un poco de leche fría. A continuación, mira a Pollo.

—¿Quieres un poco de café?

—Sí, gracias —le contesta con fingida indiferencia. Todavía no está dispuesto a ceder del todo. Step le sirve un poco en una taza.

—Venga, me ducho y te acompaño a recoger la moto. —Pollo bebe un poco de café.

—Hay solo un pequeño problema. Me faltan doscientos euros.

—Pero ¿cómo es posible, con todo lo que robaste ayer por la noche?

—Tenía un montón de deudas. He tenido que pagar la comida, la tintorería y, además, tenía que devolverle dinero a Furio, el del Toto.

—¿Cómo coño se te ocurre jugar al Toto negro si no tienes nunca ni un euro?

—Por eso, trato de tener un golpe de suerte. En cualquier caso, he dejado ciento cincuenta euros para la moto. Pero Sergio me ha llamado y me ha dicho que ha tenido que cambiar también el otro pistón, los rodamientos y todo lo demás. Luego cambio del aceite completo y otras cosas que no recuerdo. Moraleja: cuatrocientos euros. Necesito la moto, coño. Esta noche hay carreras, espero sacar un buen pico. Tú qué haces, ¿vienes?

—No lo sé. entretanto tenemos que encontrar doscientos euros.

—Ya. Si no, no vamos a ninguna parte.

—Tú no vas a ninguna parte. —Step le sonríe antes de encaminarse hacia la habitación de Paolo, su hermano. Empieza a hurgar en las chaquetas. Abre los cajones del armario. Luego pasa a la mesita. Pollo lo mira desde la puerta. Controla a su alrededor. Step se da cuenta.

—¿Qué haces ahí plantado? ¿Te pones a vigilar en mi propia casa? Ven, échame una mano.

Pollo no se lo hace repetir dos veces. Se dirige al otro lado de la cama. Abre el cajón de la otra mesita de noche.

—Un tipo prudente, tu hermano, ¿eh? —Pollo mira a Step. Lleva en la mano una caja de *Settebello* y una sonrisa tonta en la cara.

—¡Prudentísimo! Es tan prudente que ni siquiera deja medio euro suelto.

—Bueno, no le falta razón. Después de todas las veces que lo hemos saqueado... —Pollo se mete tres preservativos en el bolsillo antes de volver a poner en su sitio la caja. A pesar de todo, es un optimista. Step sigue buscando un posible escondite.

—Nada que hacer, no hay nada. Yo no tengo ni siquiera un euro para prestarte. —Por la puerta pasa Maria con algunas camisetas y sudaderas de Step en la mano derecha y las camisas de Paolo perfectamente planchadas en la izquierda.

Pollo la señala con la cabeza.

—¿Y a ella? ¿Podemos pedírselos?

—¡Déjala! Le debo todavía el dinero de los periódicos de la semana pasada.

—¿Qué hacemos entonces?

—Estoy pensando. El Siciliano y el resto están peor que nosotros, así que con ellos no se puede contar. Mi madre está fuera.

—¿Dónde?

—En Canarias, creo, o en las Seychelles. De todos modos, aunque estuviera aquí no le podríamos pedir nada. —Pollo asiente. Está al corriente de la relación que hay entre Step y su madre.

—¿Y tu padre? ¿No te los podría prestar?

Step coge una camiseta recién planchada y la coloca sobre la cama donde ha preparado ya un par de calzoncillos negros y un par de pantalones vaqueros.

—Sí, hoy voy a comer con él. Me llamó ayer para decirme que quería hablar conmigo. Tanto, ya sé lo que me va a decir. Me preguntará qué tengo intención de hacer con la universidad y todo lo demás. Y yo, ¿qué crees que puedo hacer entonces? En lugar de contestarle le digo: papá, dame doscientos euros que tengo que recoger la moto de Pollo, ¿eh? Creo que es mejor que no. ¡Maria! —La mujer se asoma a la puerta—. Perdone, ¿dónde está la cazadora azul?

—¿Cuál, Stefano?

—La que es igual que la verde militar, solo que azul oscura, me la compré el otro día. Se parece a las que llevan los policías.

—Ah, ya sé, la he puesto en el recibidor, en el armario de su hermano. Pensaba que era de él. —Step sonríe. Paolo con una cazadora así. Sería todo un número. Él y sus trajes de chaqueta. Step se dirige al pasillo. Ahí está su cazadora. Es la única entre todas aquellas chaquetas a cuadros y aquellos trajes de chaqueta grises.

Step aprovecha y, de paso, los registra también sin encontrar nada. Vuelve a la habitación. Pollo está echado en su cama. Tiene la cartera abierta. Repasa sus finanzas esperando un milagro que no se ha producido. La cierra desconsolado.

—¿Entonces?

—Alégrate. He encontrado la solución.

Pollo mira esperanzado al amigo.

—¿Cuál es?

—El dinero nos lo dará mi hermano.

—¿Y por qué debería dárnoslo?

—Porque yo le haré chantaje.

Pollo parece más tranquilo.

—¡Ah, claro!

Por otro lado, para él chantajear a un hermano es la cosa más normal del mundo. Por un momento lamenta ser hijo único.

15

Paolo, el hermano de Step, está en su despacho. Vestido elegantemente, sentado en un escritorio que no le desmerece, controla algunos expedientes del señor Forte, uno de los clientes más importantes de la financiera. Paolo ha estudiado en la Bocconi. Diplomado con matrícula de honor, volvió de Milán y encontró de inmediato un magnífico puesto como asesor fiscal. No por nada, es un bocconiano. La verdad es que fue el padre quien, bien relacionado, lo recomendó en su momento, pero lo cierto es que el hecho de que aún conserve el puesto y la estima es todo mérito suyo. Aunque también hay que reconocer que en aquella financiera no han despedido nunca a nadie.

Una joven secretaria con una camisa de seda color crema, tal vez demasiado transparente para aquel mundo de impuestos y desgravaciones fiscales donde la transparencia no está precisamente al orden del día, entra en el despacho de Paolo.

—¿Señor?

—Sí, dígame. —Paolo deja de revisar las cartas para dedicarse por completo al sostén de la secretaria y, acto seguido, a aquello que le tiene que decir.

—Ha venido su hermano con un amigo. ¿Los dejo entrar?

Paolo no tiene tiempo de inventar una excusa. Step y Pollo irrumpen en el despacho.

—Claro que me deja entrar. ¡Soy su hermano, coño! Sangre de su sangre, señorita. Nosotros compartimos todo. ¿Ha entendido? Todo. —Step toca el brazo de la secretaria aludiendo de este modo a la eventual aunque remota posibilidad de que a Paolo aquella joven y atractiva muchacha, además de los expedientes y la lista de las llamadas, le pase algo más—. De manera que yo siempre puedo entrar aquí, ¿verdad Pa'? —Paolo asiente.

—Claro. —La secretaria mira a Step; a pesar de estar acostumbrada a tratar con señores más mayores, falsos y encorbatados, lo trata con respeto.

—Lo siento. No lo sabía.

—Bueno, pues ahora lo sabe. —Step le sonríe. La secretaria mira el brazo de Step.

—¿Puedo irme ya?

Paolo que, a pesar de sus nuevas gafas, no se ha dado cuenta de nada, le da permiso.

—Claro, gracias, puede irse ya, señorita.

Una vez a solas, Pollo y Step se sientan en dos sillones giratorios de piel que hay delante del escritorio de Paolo. Step se arrellana. Luego se da un empujón con el pie.

—Caramba, eliges bien a tus secretarias. —Step da una vuelta completa y se vuelve a colocar frente al hermano—. Di la verdad, te la has tirado, ¿verdad? O te la has tirado o lo has intentado y ella no ha querido. En este caso, despídela, qué más te da.

Paolo lo mira molesto.

—Step, ¿es posible que te tenga que repetir siempre las mismas cosas? Cuando entras aquí, ¿no podrías evitar los tacos, organizar menos lío? Yo trabajo aquí. Todos me conocen.

—¿Por qué? ¿Qué he hecho? ¿He hecho algo, Pollo? Dile tú también que yo no he hecho nada.

Pollo mira a Paolo tratando de poner una cara lo más convincente posible.

—Es verdad, no ha hecho nada.

Paolo suspira.

—Tanto, es inútil hablar con vosotros, es una pérdida de

tiempo. Como ayer por la noche. Te he dicho mil veces que entres con cuidado cuando vuelves tarde, pero tú como si nada. Haces siempre un ruido de mil demonios.

—No, Pa', perdona. Ayer cuando volví tenía hambre. ¿Qué podía hacer, quedarme sin comer? Solo me preparé un filete.

Paolo sonríe irónico al hermano.

—No es que no quiera que comas. El problema es cómo lo haces, cómo haces todo... ¡Siempre haciendo ruido, cerrando de golpe las puertas, la nevera, sin importarte que yo esté durmiendo, que me tenga que levantar pronto! Pero claro, ¿a ti qué más te da? Te levantas cuando te parece... A propósito, sé que hoy vas a comer con papá.

Step cambia de postura y se sienta mejor.

—Sí, ¿por qué? ¿Habéis hablado de mí?

—No, me lo ha dicho él. Me ha llamado antes. Figúrate si hablamos de ti, yo no me entero nunca de nada. —Paolo mira mejor a su hermano—. Solo sé que vas siempre como un zarrapastroso, con esas cazadoras oscuras, los vaqueros, las zapatillas de tenis. Pareces un gamberro.

—Pero es que yo *soy* un gamberro.

—Step, deja ya de hacer el imbécil. Dime mejor a qué has venido. En serio... ¿Hay algún problema?

Step mira a Pollo, luego de nuevo al hermano.

—Ningún problema, me tienes que dar trescientos euros.

—¿Trescientos euros? ¿Te has vuelto loco? ¿Acaso crees que yo el dinero me lo saco de la manga?

—Vale, en ese caso, dame doscientos.

—Ni lo sueñes, no te pienso dar nada.

—¿Ah, no? —Step se inclina hacia él sobre el escritorio. Paolo, asustado, retrocede. Step le sonríe—. Eh, hermano, calma, no te haría nunca nada, lo sabes. —Luego aprieta el interfono conectado con la secretaria—. Señorita, ¿puede venir un momento?

La secretaria no presta atención a la diferencia de voz.

—Voy enseguida.

Step se arrellana en el sillón, sonríe a Paolo.

—Entonces, querido hermanito, si no me das enseguida doscientos euros cuando entre tu secretaria le arranco las bragas.

—¿Qué? —Paolo apenas tiene tiempo de decir nada más. La puerta se abre. La secretaria entra.

—¿Sí, señor?

Paolo trata de salvarse.

—Nada, señorita, puede marcharse.

Step se levanta.

—No, señorita, perdone, espere un momento. —Step se acerca a la secretaria. La muchacha se queda mirando a los tres en silencio sin saber muy bien qué hacer. Aquella situación es algo distinta a las tareas que normalmente tiene que desempeñar. La secretaria mira a Step con aire interrogativo.

—¿Qué pasa? —Step la mira sonriendo.

—Quisiera saber cuánto cuestan las bragas que lleva puestas.

La secretaria lo mira avergonzada.

—Pero, realmente...

Paolo se levanta.

—¡Step, ahora basta! Se puede marchar ya, señorita... —Step la sujeta por un brazo.

—Espere solo un momento, perdone. ¿Paolo? Dale a Pollo lo que le debes y luego la señorita se podrá marchar. —Paolo extrae la cartera del bolsillo interior de la chaqueta, saca de ella algunos billetes de cincuenta euros y se los da a Pollo. Pollo los cuenta, luego indica a Step con un gesto que es justo. Step deja marcharse a la secretaria con una sonrisa...—. Gracias, señorita, es usted el máximo de la eficacia. Sin usted no habríamos sabido verdaderamente qué hacer.

La secretaria se aleja molesta. No es completamente estúpida y, sobre todo, no le divierte en absoluto ir por ahí contando lo que cuesta su ropa interior. Paolo se levanta del sillón y da la vuelta al escritorio.

—Bien, ya tenéis vuestro dinero. Ahora fuera de aquí, ya me habéis dado bastante la lata. —Hace ademán de empujarlos, pero se lo piensa dos veces, es mejor agredirlos verbalmente—. ¡Si sigues así, Step, acabarás metido en un buen lío!

Step mira a su hermano.

—¿Bromeas? ¿Qué lío? Yo no me meto nunca en líos. Yo y los líos somos dos cosas que no se han encontrado jamás. El dinero se lo tengo que prestar a un amigo, uno que tiene un pequeño problema, eso es todo. —Pollo sonríe agradecido a Step al oír que hace alusión a él—. Y además, Paolo, ¿qué imagen le estás dando a Pollo? Solo son doscientos euros. Ni que te hubiera pedido una suma exorbitante. Menuda historia estás montando. —Paolo se sienta sobre el borde del escritorio.

—No sé qué pasa pero contigo siempre soy yo el que se equivoca...

—No digas eso, tal vez a fuerza de estar en este despacho, entre tanto dinero, os entra una especie de enfermedad que os impide dar, prestar algo.

—Entonces, ¿se trata de un préstamo?

—Claro, siempre te he restituido todo, ¿no? —Paolo pone cara de no estar muy convencido. Las cosas no han ido precisamente de ese modo. Step hace como que no se da cuenta—. Entonces, ¿de qué te preocupas? Te devolveré también estos. Más bien deberías relajarte un poco. Divertirte. Estás muy pálido... ¿Por qué no vienes a dar una vuelta en moto conmigo?

Paolo, en un arranque de simpatía, se quita las gafas.

—¿Qué? ¿Estás bromeando? Jamás. Antes muerto. Hablando de muerte... ya que se libró por un pelo. Ayer por la noche fui al Tartarughino y, ¿sabes a quién vi?

Step lo escucha distraído. Al Tartarughino no irá nunca nadie que le interese. Aun así, decide dar aquel pequeño gusto a su hermano. A fin de cuentas, le acaba de dar doscientos euros.

—No, ¿a quién?

—A Giovanni Ambrosini.

Step se estremece. Un sobresalto. La rabia se apodera inmediatamente de él pero disimula.

—¿Ah, sí?

Paolo prosigue con su relato.

—Estaba con una mujer muy guapa, una mucho mayor que él. Al verme miró preocupado a su alrededor. Parecía aterrorizado. Creo que tenía miedo de que estuvieras también tú. Luego, al comprobar que no era así, se calmó. Hasta me sonrió. Si así se puede llamar a una especie de mueca. La mandíbula no le ha vuelto al sitio. Aunque lo sabes mejor que yo. ¿Se puede saber por qué lo golpeaste de aquel modo? Nunca me lo has dicho...

Es verdad, piensa Step. Él no lo sabe. Nunca ha sabido nada. Step coge a Pollo del brazo y se encamina hacia la salida. Una vez en la puerta, se vuelve. Mira a su hermano. Está sentado en el escritorio. Con sus gafitas redondas, el pelo bien cortado y perfectamente peinado, vestido de modo impecable con una camisa planchada justo en el modo en el que él mismo ha enseñado a Maria. No, no debe enterarse nunca. Step le sonríe.

—¿Quieres saber por qué pegué a Ambrosini?

Paolo asiente.

—Sí, tal vez.

—Porque siempre me decía que tenía que vestir mejor.

Salen tal y como han entrado. Descarados y alegres. Con aquel modo de balancearse al andar, un poco de duros. Pasan junto a la secretaria. Step le dice algo. Ella se lo queda mirando. Luego cogen el ascensor. Llegan a la planta baja. Step saluda al portero.

—Hola, Martinelli. Ofrécenos dos cigarrillos, venga.

Martinelli saca del bolsillo de la chaqueta un paquete blando de cigarrillos baratos. Empuja con la mano hacia lo alto haciendo asomar algunos. Pollo y Step saquean el paquete. Cogen más de lo debido. Acto seguido, sin esperar a que el portero se los encienda, se alejan. Martinelli mira a Step. No se parece en nada a su hermano. Paolo da siempre las gracias, por cualquier cosa.

En ese momento suena el telefonillo que hay en la garita. Martinelli mira dentro. Es el del despacho del hermano de Step. Martinelli conecta el enchufe.

—Dígame, señor Mancini.

—¿Puede venir un momento a mi despacho, por favor?

—Por supuesto, voy enseguida.

—Gracias.

Martinelli coge el ascensor y sube al cuarto piso. Paolo lo espera en la puerta de su despacho.

—Venga, Martinelli, entre. —Paolo lo hace entrar y luego cierra la puerta. El portero permanece frente a él, de pie, ligeramente confuso. Paolo se sienta—. Por favor, Martinelli, siéntese. —Martinelli toma asiento en el sillón que hay frente a Paolo, sentándose con respeto, casi en el borde, tratando de no ocupar demasiado sitio. Paolo junta las manos. Le sonríe. Martinelli le devuelve la sonrisa pero está en ascuas. Necesita saber el porqué de aquel encuentro. ¿Ha hecho algo malo? ¿Se ha equivocado? Paolo suspira. Parece decidido a desvelarle el misterio—. Escuche, Martinelli, quisiera pedirle un favor. —Martinelli sonríe relajado. Se tranquiliza y ocupa más sitio en su asiento.

—Dígame, señor. Estoy dispuesto a hacer lo que usted quiera, siempre que esté en mis manos.

Paolo se apoya en el respaldo.

—No quiero que vuelva a dejar entrar aquí a mi hermano.

Martinelli abre los ojos desmesuradamente.

—¿Qué, señor? ¿Realmente quiere que no lo vuelva a dejar entrar? ¿Y qué le digo? Si ese se enfada haría falta Tyson a la puerta para sujetarlo. —Paolo mira mejor a aquel señor pacífico, su vestido gris a juego con el color de su pelo y con el de toda una vida. Imagina a Martinelli deteniendo a Step en la puerta: «Disculpe, he recibido instrucciones. No puede entrar». La discusión. Step que se altera. Martinelli que levanta la voz. Step que se rebela. Martinelli que lo aparta. Step que lo coge por la chaqueta, lo estampa contra la pared y luego seguramente el resto, como era de prever...

—Tiene razón, Martinelli. No es una buena idea. Déjelo estar, ya me ocuparé yo. Hablaré con él en casa. —Martinelli se levanta.

—Cualquier otra cosa, señor, la hago con mucho gusto. De verdad, pero esta...

—No, no, tiene razón. No debería habérselo pedido. Gracias, gracias igualmente. —Martinelli sale del despacho. Coge el ascensor y vuelve a la planta baja. Las ha pasado moradas. ¿Quién para a un energúmeno así? Saca la cajetilla. Decide celebrar con un buen cigarrillo que el peligro se haya alejado. Menos mal que el señor es un tipo comprensivo. No como su hermano. Step le ha birlado medio paquete y ni siquiera le ha dado las gracias. Ni siquiera una vez.

Y luego dicen que el de portero es un oficio tranquilo. Martinelli suspira, luego se enciende un MS.

En el cuarto piso, Paolo mira por la ventana. Siente una extraña satisfacción. En el fondo, ha hecho una buena acción. Ha salvado la vida a Martinelli. Vuelve a sentarse. Bueno, sin exagerar. Le ha ahorrado un montón de problemas. Entra la secretaria con algunos expedientes.

—Tenga, estos son los asuntos que me ha pedido...

—Gracias, señorita.

La secretaria lo mira por un instante.

—Su hermano es un tipo extraño. Ustedes dos no se parecen mucho.

Paolo se quita las gafas, en el vano intento de resultar más fascinante.

—¿Es un cumplido?

La secretaria miente.

—En un cierto sentido sí. Espero que usted no vaya por ahí preguntando a las chicas el precio de sus bragas...

Paolo sonríe avergonzado.

—Oh, no, eso claro que no.

A pesar de que sin las gafas no ve demasiado, sus ojos acaban inevitablemente sobre su blusa transparente. La secretaria lo advierte pero no hace absolutamente nada.

—Ah, su hermano me ha dicho que le diga que es usted demasiado bueno conmigo, que no debería haberle dado el dinero y así él habría hecho esa cosa. —La secretaria se vuelve extrañamente insistente—. Si me permite la pregunta... ¿a qué se refería, señor?

Paolo mira a la secretaria. Su bonito cuerpo. La falda perfecta e impecable que cubre sus piernas torneadas. Tal vez su hermano tenga razón. Imagina a la secretaria medio desnuda y a Step arrancándole las bragas. Se excita.

—Nada, señorita, era solo una broma.

La secretaria se marcha ligeramente desilusionada. Paolo apenas tiene tiempo de ponerse de nuevo las gafas y de enfocar aquellas nalgas provocantes que se alejan con mayor o menor profesionalidad.

¡Qué gilipollas! Debería haberle obligado a hacerlo. Si Step no le devolvía el dinero, aquel iba a ser su peor negocio de los últimos años. No, no el peor. Ese lo ha hecho el señor Forte. Ha confiado sus graves problemas fiscales a un asesor que todavía tiene por resolver sus problemas familiares. Uno no se puede pasar la mañana discutiendo con el propio hermano y acabar pagándole para evitar que le quite las bragas a la secretaria.

Con un cierto sentimiento de culpa, Paolo se concentra de nuevo en los documentos del señor Forte.

16

En un pequeño callejón, en el interior de un sencillo garaje, está Sergio, el mecánico. Viste un mono azul oscuro con un rectángulo blanco, verde y rojo de la Castrol en la espalda. No se sabe muy bien si ha sido esponsorizado por las carreras que hizo hace algunos años o por todo el aceite que cambia a las motos. El hecho es que, cada vez que le llevan una, sea cual sea el problema que tenga, después de haberla probado, acaba diciendo siempre lo mismo: «Le haremos unas cuantas reparaciones y luego le cambiaremos el aceite».

Mariolino, su ayudante, es un chico con aire de ser poco despierto. Considera a Sergio un genio, un ídolo. Un dios del motor. Mariolino pone siempre el disco de Battisti cuando trabajan. *Io tu noi tutti*. Cuando en la canción *Si, viaggiare* llega la estrofa que dice «*quel gran genio del mio amico, lui saprebbe come fare, lui saprebbe come aggiustare, ti regolerebbe il minimo alzandolo un po'*»,[1] Mariolino sonríe siempre abiertamente.

—Coño Se', habla propio de ti, ¿eh?

Sergio sigue trabajando y luego se pasa una mano por el pelo dejándolo todavía más grasiento.

—Por supuesto, no creo que se refiera a ti. Tú con un des-

1. «ese gran genio que es mi amigo, él sabría qué hacer, él sabría ajustarlo, te arreglaría el mínimo levantándolo un poco». *(N. de la T.)*

tornillador en la mano haces solo desastres, milagros no, desde luego.

Una vieja Free azul empujada por un pardillo con gafas se detiene delante del garaje. Han llegado los dos. La Free tiene bloqueada la rueda posterior. El alelado se quita las gafas y se enjuga el sudor de la cara. Sergio se ocupa de la moto. Decidido y seguro le quita el cubrechasis. Parecería un cirujano si no fuera porque no lleva guantes y porque tiene las manos sucias de aceite. Un cirujano, además, no elegiría nunca un ayudante como Mariolino. El pardillo se queda delante de él. Observa inquieto a aquel lento mecánico seccionar su Free. Como el familiar de un paciente, preocupado no tanto por cuánto pueda ser de grave la enfermedad como, mucho más materialista, por cuánto pueda costar la operación entera.

—Hay que cambiar el variador, no es una broma.

La moto de Step frena delante del garaje. Dando gas por última vez deja oír hasta qué punto aquella VF 750 no necesita mínimamente que la arreglen. Sergio se seca las manos con un trapo.

—Hola, Step, ¿qué pasa? ¿Algún problema? —Step sonríe. Da unas afectuosas palmadas sobre el depósito de su Honda.

—Esta moto desconoce esa palabra. Hemos venido a recoger el cacharro de Pollo. —Pollo se ha acercado mientras tanto a su moto. El viejo Kawa 550. El trágico «ataúd».

—Está arreglada. He tenido que cambiar los pistones, las bandas y todo el bloque del motor. Algunas piezas te las he puesto usadas. —Sergio enumera otros trabajos bastante caros—. Y, además, le hemos cambiado el aceite. —Pollo lo mira. No conecta con él. Sergio ni tan siquiera prueba—. Pero esto no te lo añado a la cuenta. Es un regalo.

Hace un año, Sergio tuvo una violenta discusión con ellos que le enseñó el modo en que había que tratarlos.

Es primavera. Step le trae su Honda recién comprada para hacerle la revisión.

—Habría que echar también un vistazo al cubremotor lateral que vibra...

Algunos días después, Step vuelve al garaje de Sergio para recoger su moto. Paga la cuenta sin discutir, incluido el cambio completo del aceite. Pero cuando prueba la moto, el cubremotor sigue vibrando. Step vuelve al garaje con Pollo y se lo dice. Sergio le asegura que la ha arreglado.

—De todos modos, si quieres te la arreglo de nuevo, solo que tienes que pedir una nueva cita y, naturalmente, pagarme el trabajo.

Por si fuera poco, Sergio comete un enorme error. Acercándose a Step, le da unas palmaditas en el hombro y, sobre todo, tiene una salida realmente desgraciada.

—A saber, además, cómo llevas la moto. Por eso has roto otra vez el cubremotor.

Step pierde los estribos. Su moto es, junto a Pollo, la única cosa que le importa realmente. Además, odia a aquellos que le tocan al hablar.

—Te equivocas. Es mucho más fácil romper las piezas laterales de una moto. Mira, eh...

Step va al fondo de la fila de motos que hay delante del garaje. Da una patada violenta a la primera. Una Honda 1000, roja y pesada, cae sobre la que está a su lado, una 500 Custom perfectamente conservada. También esta se cae, sobre una Suzuki 750 y, más allá, sobre un SH 50 blanco y ligero. Motos caras y que están de moda, motos nuevas y modelos antiguos caen unas sobre otras con un ruido de chatarra increíble, acabando en el suelo arrastradas por aquella ola de destrucción, como un pequeño gran dominó, jugado a un alto precio. Sergio intenta detenerlas. En vano. También la última Peugeot cae al suelo de lado destrozándose el costado. Sergio se queda horrorizado. Step le sonríe.

—¿Has visto lo fácil que es? —Antes de que Sergio pueda decir algo, Step prosigue—: Si no me arreglas enseguida la moto te incendio el garaje. —Apenas una hora después, el cubremotor está arreglado. Desde entonces, no ha vuelto a vibrar. Step, por descontado, no pagó nada.

El pardillo espera silencioso en un rincón, mirando preocupado su Free con el motor abierto. Step entra a coger las llaves de la Kawa de Pollo.

—Está bien, muchacho. Déjamela. Veremos lo que puedo hacer. —Esta última frase aumenta un poco más la preocupación de aquel memo. Piensa justamente que su Free se encuentra ya en una fase terminal.

—¿Cuándo puedo pasar?

—Mañana mismo. —El joven gafotas se siente un poco aliviado al oír estas noticias. Sonríe y se aleja estúpidamente feliz. Sergio entrega las llaves a Pollo. La Kawasaki vuelve a rugir de nuevo. El humo sale potente de los silenciadores. Las revoluciones suben veloces. Pollo da gas una o dos veces, luego sonríe feliz. Step lo mira. Es como un niño. Pollo sonríe algo menos cuando Sergio le hace la cuenta. Pero se la esperaba. Ha gripado y cambiar los pistones y todo el resto no es en absoluto una broma. Pollo consigue pagar la cuenta por un pelo. Sergio se mete el dinero en el bolsillo. Naturalmente, no emite ninguna factura.

—Con cuidado, Pollo, ahora es como si estuviera en rodaje. Ve despacio. —Pollo suelta el puño del gas.

—Coño, es verdad, no lo había pensado. Esta noche hay carrera y yo sigo de todos modos sin la moto. Todo este lío no ha servido para nada.

Pollo mira a Step.

—Pero tú podrías...

Step, pillando al vuelo adónde quiere llegar, hace callar al amigo.

—Alto. Frena. Mi moto no se toca. Te presto lo que quieras, pero la moto no. Por una vez te puedes limitar a mirar, ¿eh?

—Sí, venga, ¿y yo qué hago?

—Me animas a mí, yo esta noche corro.

Sergio les mira con una cierta envidia.

—¿De verdad vais al invernadero?

—Ven, ¿no? Podemos quedar e ir juntos.

—No puedo. Por cierto, ¿Siga va todavía por allí?

—Claro, siempre está allí.
—Bueno, dadle recuerdos. Le he hecho ganar, ¿eh?
—Bueno, como quieras. Si cambias de idea ya sabes dónde estamos.

Pollo y Step se despiden de él y, a continuación, meten la primera. Pollo da gas varias veces para calentar bien el motor. Acto seguido, al oír aquel bonito ruido profundo y seguro se dobla y acelera haciendo el caballito. Step lo sigue, levanta la rueda delantera y acelerando se aleja con el amigo por la calle principal. Sergio vuelve a entrar en el garaje. Mira las viejas fotos que hay colgadas en la pared. Su moto, las carreras. Era invencible. Ahora son otros tiempos, han pasado muchos años, es tarde. Recuerda lo que le dijo una vez un amigo: «Crecer significa no volver a correr a doscientos». Puede que sea verdad. Él ha crecido. Ahora tiene responsabilidades. Una familia y también un hijo. Sergio se acerca a la vieja radio sobre la mesa sucia de aceite. Mete de nuevo la cinta. Es la única que tiene. Hace años que escucha siempre las mismas canciones.

«Probablemente, mis padres no me deseaban a mí, sino a otro hijo», piensa Sergio.

Luego mira a Mariolino. Ahí está, inclinado sobre la motocicleta que se ha quedado abierta en medio del garaje. «No es solo cuestión de células», piensa Sergio. Mariolino se vuelve hacia él.

—Ah, Se', pero ¿qué tiene este Free?
—Ay Marioli', ¿no ves que ese chico es bobo? Lo ha puesto sobre la bicicleta y se le ha atascado la rueda. La Free no tiene nada, mueve la palanca del variador y hazle un buen cambio de aceite, verás como luego arranca sin problemas.

Mariolino se inclina sobre la Free. Emplea algunos minutos antes de encontrar la palanca. Sergio sacude la cabeza. Es cierto, cuando se tiene un hijo, uno deja de ir a doscientos por hora. Cuando el hijo en cuestión es Mariolino uno ya no va a ninguna parte. Sergio coge la cazadora y se la pone sobre el mono. Decide arriesgarse y salir de todos modos.

—Vuelvo enseguida.

Mariolino lo mira preocupado.

—¿Adónde vas, papá?

—A comprar los grandes éxitos de Battisti. Han salido hoy. Ya es hora de que cambiemos de cinta.

17

En la plaza Euclide, delante de la salida del Falconieri, hay algunos coches parados en doble fila. Tras ellos algunos conductores, llenos de obligaciones y sin hijos que van a aquel colegio, se pegan al claxon: el habitual y terrible concierto posmoderno.

Algunos muchachos con Peugeot y SH 50 se paran justo delante de la escalera. También Raffaella llega en ese momento. Encuentra un pequeño hueco al otro lado de la calle, enfrente de la gasolinera que hay antes de la iglesia, y se mete en él con su Peugeot 205 cuatro puertas. Palombi la reconoce. Recordando la noche anterior, decide que es mejor poner tierra por medio.

Se une al grupo de muchachos que hay a los pies de la escalera. Argumento del día: la fiesta de Roberta y los que se colaron en ella. Algún muchacho cuenta su propia versión de los hechos. Debe de ser cierta a juzgar por las marcas de los golpes que le asestaron. Al menos es verdad que ha ido y que ha recibido lo suyo, el resto puede que hasta se lo invente. Brandelli se acerca a ellos.

—Hola, Chicco, ¿cómo va?

—Bien —miente descaradamente. Su amigo, sin embargo, le cree. Chicco se ha convertido ya en todo un experto en cuestión de mentiras. Las ha probado de todos los tipos esa misma mañana, cuando su padre ha visto el estado en el que había quedado el BMW. Lástima que su padre no sea tan crédulo como el amigo, No se tragó en lo más mínimo la historia del robo. Cuando Chicco decidió contarle entonces la verdad, su padre se enfadó realmente. En efecto, pensándolo bien, toda aquella historia es absurda. Esos tipos son absurdos, pensó Chicco. Destruirme el coche de ese modo. Aunque mi padre no me crea, se lo demostraré. Encontraré a esos gamberros, descubriré sus nombres y los denunciaré. ¡Eso haré! ¡Bien! Antes o después los encuentro, seguro.

Chicco se queda paralizado. Sus deseos se han visto realizados en menos que canta un gallo. Pero él no parece muy feliz. Step y Pollo aparecen a toda velocidad en la curva con las motos inclinadas y muy próximas. Reducen la marcha y adelantan a un coche. Luego se detienen a unos metros de Brandelli. Chicco, antes de que Step lo reconozca, se da la vuelta. Sube a su Vespa, el único medio del que ahora dispone, y se aleja rápidamente. Step se enciende uno de los cigarrillos que han birlado a Martinelli y se dirige a Pollo.

—¿Estás seguro de que es aquí?

—Claro que sí. Lo he leído en su agenda. Ayer quedamos en ir a comer juntos.

—Menudo estás hecho. Pero si no tienes un euro. ¿Cómo te puedes permitir esas generosidades?

—Pero bueno, ¿qué quieres? Te he llevado hasta el desayuno. ¡Así que cierra la boca!

—Sí, por dos miserables sándwiches.

—Ah, ¿miserables? Dos sándwiches al día, suman un capital a final de mes. En cualquier caso, no te preocupes, se ha ofrecido ella, soy su invitado, no pago.

—Qué morro tienes, has encontrado incluso la rica que te ofrece. ¿Cómo es?

—Mona. Me parece que incluso simpática. Un poco extraña, tal vez.

—Algo extraño tiene que tener si decide ir a comer contigo e invitarte. ¡O es extraña o es un monstruo! —Step suelta una carcajada.

Suena el timbre de la última hora. En lo alto de las escaleras aparecen unas muchachas. Todas visten más o menos de uniforme. Rubias, morenas, castañas. Bajan a saltos, deprisa, lentas o en grupo. Charlando. Alguna contenta porque la interrogación ha ido bien. Otra cabreada por la mala nota del ejercicio que han hecho en clase. Algunas miran esperanzadas al chico que acaban de conquistar o a aquel que las ha dejado confiando en hacer las paces. Otras, menos agraciadas, controlan si está ese tan guapo, ese que les gusta a todas ellas, las menos afortunadas. Ese que seguramente acabará saliendo con una de otra clase. Algunas chicas que han ido al colegio en motocicleta se encienden un cigarrillo. Daniela baja deprisa los últimos escalones y se dirige corriendo hacia Palombi. Raffaella ve a su hija y toca el claxon. Le hace una señal para que suba de inmediato al coche. Daniela asiente pero antes se acerca a Palombi y lo saluda con un beso apresurado en la mejilla.

—Hola, ha venido mi madre, me tengo que ir. ¿Hablamos hoy por la tarde? Me tienes que llamar a casa porque el móvil allí no funciona...

—Vale. ¿Cómo va la mejilla?

—¡Mejor, mucho mejor! Me voy, no me gustaría tener una recaída.

Salen las otras clases. Al final les toca a las del último año.

Babi y Pallina aparecen en lo alto de las escaleras. Pollo da una palmada a Step.

—Mira, es esa. —Step mira hacia arriba. Ve a algunas chicas más mayores que bajan las escaleras. Entre ellas reconoce a Babi. Se vuelve hacia Pollo.

—¿Cuál es?

—Esa con el pelo negro y suelto, esa menuda. —Step vuelve a mirar hacia arriba. Debe de ser la chica que está junto a Babi.

No sabe por qué, pero se alegra de que no sea Babi la tipa extraña que lleva a comer a Pollo, invitándole, además.

—Mona, pero yo conozco a la que va a su lado.

—¿Ah, sí? ¿Y cómo?

—Me duché con ella ayer por la noche.

—Pero ¿qué coño dices...?

—Te lo juro. Pregúntaselo.

—¿Crees de verdad que se lo puedo preguntar? Qué hago, voy hasta ella y le digo: perdona, ¿ayer te duchaste con Step? ¡Vamos!

—Entonces se lo digo yo.

Pallina está considerando con Babi los diversos modos de enseñar la comunicación a Raffaella, cuando ve a Pollo.

—¡Oh, no!

Babi se vuelve hacia ella.

—¿Qué pasa?

—Ahí está el que ayer me robó la paga de la semana.

—¿Cuál es?

—El que está ahí abajo. —Pallina indica a Pollo. Babi mira en esa dirección. Pollo está de pie y, a su lado, sentado en la moto, está Step.

—¡Oh, no!

Pallina mira preocupada a su amiga.

—¿Qué pasa? ¿También a ti te ha robado dinero?

—No, su amigo, el que está a su lado, me metió bajo la ducha.

Pallina asiente, como si el hecho de que unos tipos les roben en el bolso y las metan bajo la ducha fuera la cosa más normal del mundo.

—¡Ah, entiendo, no me lo habías dicho!

—Esperaba olvidarlo. Vamos.

Bajan decididas los últimos escalones. Pollo se acerca a Pallina. Babi deja que se expliquen y se dirige a Step.

—¿Qué haces aquí? ¿Se puede saber a qué has venido?

—¡Eh, calma! Antes que nada, este es un sitio público y, además, he venido a acompañar a Pollo que hoy sale a comer con esa.

—Da la casualidad de que «esa» es mi mejor amiga. Y que Pollo en cambio es un ladrón, dado que ayer le robó el dinero.

Step la imita.

—Da la casualidad de que Pollo es mi mejor amigo y que no es un ladrón. Es ella la que lo ha invitado a comer y, entre otras cosas, paga tu amiga. Eh, pero ¿por qué eres tan ácida conmigo? ¿Qué pasa, estás enfadada porque no te invito a comer? Te llevo si quieres. ¡Basta con que pagues tú!

—Lo que hay que oír...

—Entonces hacemos así: tú mañana traes dinero, reservas en un buen sitio y yo tal vez pase a recogerte... ¿De acuerdo?

—¡Figúrate si yo vengo contigo!

—Bueno, ayer por la noche viniste, y hasta me abrazabas.

—Cretino.

—Venga, monta que te acompaño.

—Imbécil.

—¿Es posible que solo sepas decir palabrotas? ¡Una buena chica como tú con el uniforme, que viene aquí al Falconieri toda modosita y luego va y se comporta así! ¡No está bien, no!

—Gilipollas.

Pollo se acerca justo a tiempo de oír este último cumplido.

—Veo que os estáis haciendo amigos. Entonces, ¿venís a comer con nosotros?

Babi mira sorprendida a la amiga.

—¡Pallina, no me lo puedo creer! ¿Vas a comer con ese ladrón?

—Bueno, al menos recupero algo, ¡paga él!

Step mira a Pollo.

—¡Qué canalla...! Me habías dicho que te invitaba ella.

Pollo sonríe a su amigo.

—Bueno, de hecho, así es. Ya sabes que yo no miento nunca. Ayer le robé su dinero y pago con eso. Así que, en un cierto sentido, paga ella. ¿Qué hacéis entonces, venís o no?

Step, con aire insolente, mira a Babi.

—Lo siento, tengo que ir a comer a casa de mi padre. Pero no desesperes. ¿Quedamos mañana?

Babi trata de controlarse.

—¡Nunca!

Pallina monta detrás de Pollo. Babi la mira amargada, se siente traicionada. Pallina intenta calmarla.

—¡Nos vemos más tarde, paso por tu casa!

Babi hace ademán de irse. Step la detiene.

—Eh, espera. Si no me toman por mentiroso. Dilo, por favor. ¿Es verdad o no que ayer nos duchamos juntos?

Babi se libera.

—¡Vete a la mierda!

Step sonríe a Pollo.

—¡Es su modo de decir que sí!

Pollo sacude la cabeza y se marcha con Pallina. Step se queda mirando a Babi mientras cruza la calle. Camina con paso resuelto. Un coche frena para no atropellarla. El conductor toca el claxon. Babi, sin ni siquiera volverse, sube al coche.

—¡Hola, mamá!

Babi da un beso a Raffaella.

—¿Ha ido bien en el colegio?

—Estupendamente —miente. Recibir un dos en latín y una comunicación en el cuaderno no es, lo que se dice, ir estupendamente.

—¿No viene Pallina?

—No, va por su cuenta. —Babi piensa en su amiga, que va a comer con aquel tipo, Pollo. Absurdo. Raffaella toca el claxon, exasperada.

—Pero bueno, ¿se puede saber qué hace Giovanna? Daniela, te dije que se lo dijeras.

—Aquí está, llega ahora.

Giovanna, una muchacha rubia algo lánguida, cruza lentamente la calle y sube al coche.

—Perdone, señora. —Raffaella no dice nada. Mete la primera y se pone en marcha. La violencia con la que arranca es de por sí bastante elocuente. Daniela mira por la ventanilla. Su amiga Giulia habla con Palombi delante del colegio. Daniela se enfada.

—¡No es posible! Cada vez que me gusta uno Giulia se tiene que poner a hablar con él y a comportarse como una idiota. Mira que es increíble. Parece que lo haga adrede. Antes odiaba a Palombi y ahora, se pone a hablar con él.

Giulia ve pasar el Peugeot. Saluda a Daniela y le indica con un gesto que la llamará por la tarde. Daniela la mira con odio y no le responde. Luego se vuelve hacia su hermana.

—Babi, ¿Step ha venido a recogerte?

—No.

—¿Cómo que no? He visto que hablabais.

—Pasaba por casualidad.

—Bueno, podías haber vuelto con él. ¡Aquí está!

Justo en ese momento, Step pasa a toda velocidad con su moto junto al Peugeot. Raffaella vira de golpe asustada. Inútilmente. Step no la habría tocado jamás. Calcula siempre la distancia al milímetro.

La Honda 750 se dobla dos o tres veces rozando a los otros coches. Acto seguido, Step, con las Ray-Ban oscuras en los ojos, se vuelve ligeramente y sonríe. Está seguro de que Babi lo mira. De hecho, no se equivoca. Step reduce y sin detenerse en el semáforo rojo emboca la calle Siacci a toda velocidad. Un coche que viene por su derecha toca el claxon, cargado de razón. Un guardia no alcanza a ver bien la matrícula. La moto desaparece adelantando a otros coches. Raffaella se detiene en el semáforo y se vuelve hacia Babi.

—Como se te ocurra subir detrás de ese tipo no sé lo que te hago. Es un cretino. ¿Has visto cómo conduce? Mira, Babi, no bromeo, no quiero que vayas con él.

Puede que su madre tenga razón. Step conduce como un loco. Y sin embargo, anoche, cuando iba detrás de él con los ojos cerrados, en silencio, no tuvo miedo. Al contrario, le gustó ir con él. Babi abre la bolsa de la compra y arranca un trozo de pizza blanca. No siempre se puede uno controlar. Luego, movida por un impulso de total transgresión, decide que aquel es el momento adecuado.

—Hoy me han puesto una buena nota, mamá.

18

Step se sirve una cerveza y enciende la tele. Pone el canal diez. En MTV sale en ese momento el viejo vídeo de los Aerosmith: *Love in an elevator*. Una tía buenísima acoge en un ascensor a Steven Tyler. Tyler, con una cara diez veces mejor que la de Mick Jagger, sabe apreciar a la muchacha. Step piensa en su padre sentado frente a él. Quién sabe si él también la aprecia. El padre coge el mando a distancia de la mesa y apaga la televisión. Su padre es como Paolo, no sabe disfrutar de las cosas buenas de la vida.

—Hace tres semanas que no nos vemos y te pones a mirar la tele. Hablemos, ¿no?

Step bebe su cerveza.

—Está bien, hablemos. ¿De qué quieres hablar?

—Me gustaría saber qué has decidido hacer...

—No lo sé.

—¿Qué quiere decir no lo sé?

—Muy sencillo... Quiere decir que no lo sé.

La criada entra con el primer plato. Pone la pasta en el centro de la mesa. Step mira la tele apagada. Quién sabe si Steven Tyler habrá hecho ya el salto mortal con el que finaliza la canción. Cincuenta y seis años y todavía está así. Un físico excepcional. Una fuerza de la naturaleza. Mira a su padre. Tiene dificultades incluso para ponerse los espaguetis en el plato. Step se lo imagina algunos años antes haciendo un salto mortal. Imposible. Es más fácil que Paolo salga con su secretaria.

El padre le pasa la pasta. Está aderezada con pan rallado y anchoas. Justo la que le gusta a él, la que le hacía siempre su madre. No tiene un nombre particular. Son los espaguetis con el pan rallado y basta. Aunque tengan también las anchoas. Step se sirve. Recuerda las veces que la ha comido en aquella misma mesa, en aquella casa, con Paolo y su madre. Normalmente, servían un poco más de salsa en un platito de porcelana. Paolo y su padre no querían, le tocaba siempre a él. Su madre le ponía un poco sobre la pasta con una cucharita. Al final le sonreía y volcaba el platito echándosela toda. Era su pasta preferida. Quién sabe si su padre lo ha hecho adrede. Decide no hablar de ello. Ese día, el platito no está. Al igual que muchas otras cosas. Su padre se limpia educadamente la boca con la servilleta.

—¿Has visto? He pedido que te preparen la pasta que te gusta. ¿Cómo está?

—Buena. Gracias, papá. Ha salido buenísima.

No está mal, en efecto.

—Lo único es que, quizá, debería tener un poco más de salsa. ¿Puedo beber otra cerveza?

El padre llama a la criada.

—Sin ánimo de resultar aburrido pero ¿por qué no te matriculas en la universidad?

—No lo sé. Lo estoy pensando. Y, además, tendría que decidirme por una facultad.

—Podrías hacer derecho o economía, como tu hermano. Una vez licenciado te podría ayudar a encontrar un trabajo.

Step se imagina vestido como su hermano, en su despacho, con todos aquellos expedientes. Con su secretaria. Esta última idea le gusta por un instante. Luego se lo piensa mejor. En el fondo, puede siempre invitarla a salir y seguir sin pegar ni chapa.

—No sé. No creo que sirva.

—Pero ¿por qué dices eso? En el colegio ibas bien. No deberías tener problemas. En selectividad sacaste buena nota, no te fue tan mal.

Step bebe la cerveza que acaba de llegar. Hubiera podido ir mejor si no se hubiera producido todo aquel lío. Después de aquella historia no volvió a abrir un libro. No ha vuelto a estudiar.

—No es ese el problema, papá. No lo sé, ya te lo he dicho. A lo mejor después del verano. Ahora no tengo ningunas ganas de pensar en eso.

—Y qué es lo que tienes ganas de hacer ahora, ¿eh? Te dedicas a ir por ahí buscando gresca. Siempre estás en la calle y vuelves tarde a casa. Me lo ha dicho Paolo.

—¡No sé qué te puede haber dicho Paolo, no se entera de nada!

—No, pero yo lo sé. Tal vez sería mejor que pasaras un año en el ejército, al menos te meterían un poco en vereda.

—Eso, solo me faltaba el ejército.

—Bueno, si lo único que he logrado al conseguir que no fueras es que te pases el día en la calle buscando pelea, entonces hubiera sido mejor que te marchases.

—Pero quién te ha dicho que busco pelea... ¡Estás obsesionado, papá!

—No, estoy asustado. ¿Recuerdas lo que dijo el abogado después del proceso? Su hijo tiene que tener cuidado. A partir de este momento cualquier denuncia, cualquier cosa que suceda, causará automáticamente la decisión del juez.

—Claro que me acuerdo, me lo has repetido al menos veinte veces. Por cierto, ¿has visto al abogado?

—Lo vi la semana pasada. Pagué la última parte de sus honorarios.

Lo dice en tono grave, como para subrayar que han sido sin duda elevados. En esto es idéntico a Paolo. Se pasan la vida contando el dinero. Step decide no hacerle caso.

—¿Todavía lleva esa corbata tremenda?

—No, ha conseguido ponerse otra aún más fea.

El padre sonríe. Más vale hacerse el simpático. Con Step no sirve de nada la línea dura.

—Venga, me parece imposible. Con todo el dinero que

le hemos dado... —Step se corrige—. Perdona, papá, que le *has* dado, podría, al menos, comprarse una corbata algo más bonita.

—Si es por eso, podría hacerse un nuevo guardarropa...

La criada se lleva los platos y vuelve con el segundo. Es un filete poco hecho. Afortunadamente, no va unido a ningún recuerdo. Mira a su padre. Inclinado sobre el plato, corta la carne. Tranquilo. No como aquel día. Hace mucho tiempo, aquel terrible día.

La misma habitación. El padre camina arriba y abajo, rápido, agitado.

—¡Cómo que porque sí! ¿Porque me apetecía? Pero entonces tú eres una bestia, un animal, uno que no razona. Mi hijo es un violento, un loco, un criminal. Has destrozado a ese muchacho. ¿Te das cuenta? Podías haberlo matado. ¿O es que ni siquiera te das cuenta de esto?

Step está sentado con la mirada baja sin responderle. El abogado interviene.

—Señor Mancini, lo pasado, pasado está. Es inútil reñir al muchacho. Yo creo que algún motivo, aunque oculto, tiene que haber habido.

—Está bien, abogado. Entonces dígame usted: ¿qué debemos hacer?

—Para organizar la defensa, para poder responder en el tribunal, tendremos que descubrirlo.

Step levanta la cabeza. Pero ¿qué dice? ¿Qué sabe él? El abogado mira comprensivo a Step. Acto seguido se le acerca.

—Tiene que haber pasado algo, Stefano. Una vieja desavenencia. Una pelea. Una frase que haya dicho ese muchacho, algo que te pueda haber hecho... sí, en fin, que te haya sacado de tus casillas.

Step mira al abogado. Lleva una corbata terrible a rombos grises sobre un fondo de lamé. Luego se vuelve hacia su madre. Está sentada en una silla en un rincón del salón. Tan elegante como siempre. Fuma tranquila un cigarrillo. Step baja de nuevo la mirada. El abogado lo mira. Reflexiona por un momento en silencio. Luego se gira hacia la madre de Step y le sonríe de modo diplomático.

—Señora, ¿sabe si su hijo a tenido alguna vez algo que ver con ese muchacho? ¿Si han tenido alguna discusión?

—No, abogado, no creo. Ni siquiera sabía que se conocieran.

—Señora, Stefano tendrá que presentarse ante un tribunal. Lo han denunciado. Habrá un juez, una sentencia. Con las lesiones que ha referido ese muchacho, serán severos. Si nosotros no podemos alegar nada... una prueba, algo, una mínima razón, su hijo tendrá problemas. Serios problemas.

Step está con la cabeza gacha. Se mira las rodillas. Sus pantalones vaqueros. Luego entorna los ojos. Dios mío, mamá, ¿por qué no hablas? ¿Por qué no me ayudas? Yo te quiero tanto. Te lo ruego, no me dejes. Al oír las palabras de su madre, el corazón le da un vuelco.

—Lo siento, abogado. No tengo nada que decirle. No sé nada. ¿Le parece que, si tuviera algo que decir, si pudiera ayudar a mi hijo, no lo haría? Y ahora discúlpenme, tengo que marcharme. —La madre de Step se levanta. El abogado la mira salir de la habitación. A continuación se dirige a Step por última vez.

—Stefano, ¿seguro que no tienes nada que decirnos?

Step ni siquiera le contesta. Se levanta sin mirarlo y va hasta la ventana. Mira fuera. Aquel último piso justo frente al suyo. Piensa en su madre. Y en aquel momento la odia, tanto como antes la amaba. Luego cierra los ojos. Una lágrima desciende por su mejilla. No consigue detenerla y sufre como nunca, por su madre, por lo que no está haciendo, por lo que ha hecho.

—Stefano, ten, ¿quieres un café? —Step deja de mirar por la ventana y se da la vuelta. De nuevo en la misma habitación. Ahora. Su padre está allí tranquilo, con la tacita en la mano.

—Gracias, papá. —Lo bebe veloz—. Ahora tengo que irme. Hablamos la semana que viene.

—Vale. ¿Pensarás en lo de la universidad?

Step se pone la cazadora en el recibidor.

—Pensaré en ello.

—Llama de vez en cuando a tu madre. ¡Dice que hace mucho que no sabe nada de ti!

—Nunca tengo tiempo, papá.

—No hace falta mucho, solo una llamada.

—Está bien, la llamaré. —Step sale deprisa. El padre, a solas en el salón, se acerca a la ventana y mira a través de ella. En el último piso, en aquel ático frente al suyo, las ventanas están cerradas. Giovanni Ambrosini se ha cambiado de casa, así, de un día para otro, del mismo modo que cambió también la vida de ellos. ¿Cómo puede odiar a su hijo?

Step se enciende en el ascensor uno de los últimos cigarrillos de Martinelli. Se mira al espejo. Ya ha pasado. Aquellas comidas lo destrozan. Llega a la planta baja. Cuando las puertas de acero se abren, Step está distraído y recibe un golpe.

La señora Mentarini, una vecina con unas mechas desastrosas en el pelo y la nariz aguileña, está delante de él.

—Hola, Stefano, ¿cómo estás? Hacía mucho que no te veía.

Por suerte, piensa Step. Ver a menudo a un monstruo semejante debe de ser nocivo. Luego se acuerda de Steven Tyler y de la tía buena que entra en su ascensor. A él, en cambio, le toca la señora Mentarini. Injusticias del mundo. Se aleja sin saludar. Tira el cigarrillo en el patio. Corre deprisa, da un salto y tirando las manos al suelo se lanza hacia delante. No se puede comparar. Él hace mucho mejor el salto mortal. Por otra parte, Tyler tiene cincuenta y cinco años y él solo diecinueve. A saber lo que hará dentro de treinta años. Algo, por descontado, no: no será un asesor fiscal.

19

Pallina, con un chándal Adidas afelpado y azul del mismo color del elástico que le sujeta el mechón de pelo, corre casi rebotando en sus Nike claras.

—Entonces, ¿no me preguntas cómo fue?

Babi, con un chándal oscuro de cintura baja con la inscripción Danza y con una banda rosa en el pelo, mira a su amiga.

—¿Cómo fue?

—No, si me lo preguntas así no te lo cuento.

—Entonces no me lo cuentes.

Siguen corriendo en silencio, manteniendo el ritmo.

Pallina no consigue aguantarse.

—Está bien, ya que te interesa tanto, te lo digo de todos modos. Me divertí como una loca. No sabes adónde me llevó.

—No, no lo sé.

—¡Venga, no seas antipática!

—No comparto ciertas amistades, eso es todo.

—Eh, pero si he salido con él solo una vez, ¿qué pasa?

—Puede, ¡basta con que sea la última!

Pallina permanece por un momento en silencio. Un chico con un chándal impecable las adelanta. Se las queda mirando. A continuación, a pesar de que está exhausto, controla un cronómetro que tiene en la mano y para darse aires acelera el paso, desapareciendo por un sendero.

—Bueno, en fin, me llevó a comer a un sitio chulísimo. Está

cerca de la calle Cola di Rienzo, creo que es la calle Crescenzio, una bocacalle de esas. Se llama La Piramide.

Babi no parece particularmente interesada.

Pallina sigue contando, algo jadeante.

—Lo más divertido es esto: en cada mesa hay un teléfono.

—Hasta ahora no me parece demasiado interesante.

—¡Vamos, qué plasta que eres! Los teléfonos tienen un número que va, haz la cuenta, del 0 al 20.

—¿Y tú cómo lo sabes?

—Está escrito en el menú.

—¡Ah, porque se come también! ¡Pensaba que te había llevado a Telefónica!

—Oye, si quieres que te lo cuente cierra ese pico de amargada.

—¿Qué? —Babi la mira fingiendo estupor—. ¿Amargada yo? Pero ¡si soy la más cortejada del Falconieri! ¿Has visto cómo me miraba el que acaba de pasar? ¿Qué crees, que se le iban los ojos detrás de ti?

—¡Claro!

—Pero si es imposible que ni siquiera se haya dado cuenta de que éramos dos...

—Aquí lo único imposible es que yo siga corriendo de esta manera. ¿No podríamos sentarnos en ese banco y charlar normalmente?

—Ni hablar. Yo corro. Tengo que perder al menos dos kilos. Si quieres venir conmigo, bien, si no, enciendo el Sony. Por cierto, llevo dentro el último CD de U2.

—¿Sony? ¿Desde cuándo lo tienes?

—¡Desde ayer!

Babi se levanta la sudadera enseñándole el walkman MP3 de Sony, sujeto a la cintura. Pallina no da crédito a sus ojos.

—¡Caramba! Con CD y radio. ¿Dónde lo has comprado? Aquí en Italia no se encuentra.

—Me lo ha traído mi tía que ayer volvió de Bangkok.

—Estupendo.

—Como ves, he pensado en ti.

Babi enseña a Pallina dos auriculares.

—Si hubieras pensado en mí de verdad le tenías que haber dicho que trajera dos.

—¡Hablas siempre por hablar! Yo le pedí dos. Pero mi tía se quedó sin dinero y trajo uno solo. ¡Qué más te da! Este tiene dos auriculares y nosotras corremos siempre juntas.

Pallina sonríe a su amiga.

—Tienes razón.

Babi la mira seria.

—¡Lo sé! Pero bueno, ¿acabas o no esa historia del teléfono que se come?

Babi y Pallina se miran y después se echan a reír. Dos chicos se cruzan con ellas. Al verlas tan alegres las saludan esperanzados. Su osadía no se ve recompensada. Pallina retoma su relato.

—Entonces, cada teléfono corresponde a un número, pero ninguno sabe a cuál. De modo que tú marcas un número del 0 al 20 y te contesta otra mesa que tú no sabes cuál es. Por ejemplo, marcas el 18 y te contesta uno que tal vez está en la otra sala. Puedes hablar, contar chistes, describirte inventándote que eres mucho más guapa de lo que realmente eres o, en mi caso, mucho menos. Claro, ¿no?

Babi mira a su amiga enarcando las cejas.

Pallina finge no hacerle caso.

—Si estás sola o con algunas amigas puedes quedar, hacer estupideces. ¿Entiendes? Divertido, ¿no?

Babi sonríe.

—Sí, me parece muy divertido. Realmente simpático. —Pallina cambia de expresión.

—No cuando el que te llama es un maleducado...

—¿Por qué, qué te pasó?

—Bueno, llegado un momento, nos trajeron la pasta. Los dos habíamos pedido macarrones a la arrabiata. No sabes lo fuertes que estaban, picaban... Quemaban, además. Yo soplaba para que se enfriaran y mientras tanto charlaba con Pollo. Entonces va y suena el teléfono. Pollo hace ademán de contestar pero yo soy mucho más rápida que él, cojo el auricular y digo: «Aquí la secretaria del doctor Pollo». Siempre muy simpática, yo. —Pallina hace un mohín. Babi sonríe. La historia empieza a interesarle.

—¿Y bien? ¡Continúa!

—En fin, no sabes lo que me dijo el chulo que había al otro lado del teléfono.

—¿Qué te dijo?

—Me dijo: «¿Así que eres la secretaria del doctor Pollo? Pues muy bien, en ese caso procuraré que lo sientas bien alto en el cuello».

—Delicado, muy inglés.

—Sí, muy grosero. Entonces yo le tiré el teléfono a la cara y lo más probable es que me pusiera roja como un tomate. Entonces Pollo me preguntó qué era lo que me habían dicho por teléfono, pero yo no le contesté. Me molestaba. Me daba vergüenza. Entonces, ¿sabes lo que hizo él? Me cogió por el brazo y me hizo dar la vuelta al local. Pensaba que aquel garrulo, al verme, reaccionaría en algún modo...

—Sí, vale, pero ¿ese cómo sabía que eras tú la chica que había contestado al teléfono?

—Lo sabía, lo sabía...

—¿Y por qué lo sabía?

—Porque yo era la única chica del restaurante.

Babi sacude la cabeza.

—Bonito sitio para ir a comer. La única chica con todos esos maníacos que te llaman para decirte guarradas... Bueno, ¿cómo sigue?

—Sigue que uno, al verme, soltó una carcajada. ¡Pollo lo cogió, le metió la cara en el plato y le tiró la cerveza por la cabeza!

—¡Le está bien empleado, así aprende a no decir ciertas cosas!

—Bueno, puede que no haya entendido demasiado bien la lección.

—¿Por qué?

—Porque cuando Pollo fue a pagar...

—Ah, sí... con tu dinero...

—Uf... Bueno, pues va y se me acerca un tipo bajo y me dice: «Pero bueno, ¿qué haces?, ¿te marchas ya?, espero que no te hayas enfadado. Solo estaba bromeando, ¿eh?». El chulo era ese. ¿Entiendes?, el pobre de antes no tenía nada que ver...

—¿Se lo dijiste a Pollo?

—¿Bromeas? ¿Para que le pegara también?

—¡No, que se había equivocado! Esos se comportan como si fueran jueces. Castigan, pegan y, por si fuera poco, cometen también errores. Lo más trágico es que hasta puede que te hayas divertido.

Babi está ahora verdaderamente seria. Pallina lo advierte. Por unos momentos, corren en silencio, recuperando el aliento. Luego Pallina habla de nuevo. Esta vez, ella también se ha puesto seria.

—No sé si me divertí. Solo sé que sentí algo nuevo, algo que no había experimentado antes. Me sentía tranquila y segura. Sí, Pollo fue allí, pegó a quien no debía, pero me defendió, entiendes. Me protegió.

—¿Ah, sí? Bueno, es muy bonito. Pero dime una cosa... ¿quién te protege a ti de él?

—Qué pesada eres... me proteges tú, ¿no?

—Olvídalo. Yo a ese y a su amigo no los quiero ver ni en pintura.

—Entonces me temo que tampoco nos veremos nosotras.

—¿Por qué?

—Porque estoy saliendo con él.

Babi se para en seco.

—¡No, no me puedes hacer esto! —Pallina continúa corriendo. Sin girarse, hace una señal a su amiga para que la siga.

—Venga, venga, vamos, corre, no hagas eso. Sé que eres feliz. Bien, bien adentro, pero eres feliz.

Babi empieza a correr de nuevo. Alarga un poco el paso, alcanzándola.

—Pallina, te lo ruego, dime que estás bromeando.

—Nada de eso, y me gusta un montón.

—Pero ¿cómo puede gustarte un montón?

—No lo sé, me gusta y basta.

—Pero te ha robado dinero.

—Me lo ha devuelto, me invitó a comer.

—Y eso qué quiere decir, ¡es como si hubieras pagado tú!

—Mejor, así resulta que me he puesto a salir con él porque quería y no porque debía hacerlo. Normalmente, cuando sales con un chico y te ofrece pizza y todo lo demás, luego casi te sientes en la obligación de besarlo. ¡Esto, en cambio, ha sido una elección libre!

Babi permanece en silencio por un momento, luego recuerda algo.

—¿Se lo has dicho a Dema?

—¡Claro que no!

—¡Se lo tendrás que decir!

—Tendrás, tendrás. Se lo diré cuando quiera...

—No, díselo enseguida. Si se entera por otro le sentará mal. Está enamorado de ti.

—Eres tú la que estás obsesionada con esa historia. No es en absoluto cierta.

—Es la pura verdad y lo sabes. Así que, cuando vuelvas a casa, le llamas por teléfono y se lo dices.

—Si me apetece lo llamo, si no, no.

—¿Sabes lo que te digo? Que me alegro que mi tía me haya traído solo un Sony, no te lo mereces. —Babi corre más deprisa. Pallina aprieta los dientes y no da su brazo a torcer.

—Si tanto lo quiero, el Sony me lo regala Pollo.

—Ah, claro, robándomelo a mí.

Pallina se echa a reír. Babi sigue todavía de morros durante un buen rato. Pallina, al final, le da un ligero empujón.

—Venga, no riñamos. Sé que eres una amiga. Hoy te has sacrificado incluso para salvarme de la interrogación. ¿Cómo se ha tomado tu madre la historia de la comunicación de la Giacci?

—Mejor de como yo me he tomado la de Pollo.
—¿Lo ves tan trágico?
—Dramático.
—Oye, tú no lo conoces bien. Es alguien lleno de problemas. No tiene dinero, su padre lo trata mal. Y, además, es muy simpático, conmigo es muy cariñoso, en serio.
—¿No te importa que no lo sea con los demás?
—Tal vez mejore.
Babi piensa que es todo inútil. Cuando Pallina se mete una cosa en la cabeza, no hay modo de quitársela.
—Está bien, basta. Ya veremos.
—Oh, así me gustas más. —Pallina sonríe—. Te prometo que cuando llegue a casa llamo a Dema.
Bueno, Babi al menos ha conseguido una cosa.

Babi y Pallina siguen corriendo, en silencio, para recuperar un poco el aliento. Llegan hasta la explanada equipada para hacer gimnasia. Algunos niños se tiran por los toboganes, chillando. Madres preocupadas los siguen de cerca listas para socorrerlos en aquellos saltos de kamikaze. Un guaperas alto y rubio y una chica un poco más baja tratan de hacer algunos ejercicios en las barras. Babi y Pallina pasan junto a ellos corriendo. El chico, al verlas, deja por un momento los ejercicios.
—¡Babi!
Babi se para. Es Marco. Hacía más de ocho meses que no se habían vuelto a ver. También Pallina deja de correr. Babi se ruboriza. Se siente violenta. Pero, extrañamente, el corazón no le late veloz como de costumbre. Marco le da un beso en la mejilla.
—¿Cómo estás?
Babi ha recuperado el control.
—Bien, ¿y tú?
—Muy bien. Te presento a Giorgia.
Marco le indica a la chica. Babi le da la mano y curiosa-

mente no se olvida acto seguido de su nombre como suele pasar cuando nos presentan a alguien. También Pallina la saluda, aunque se ve a las claras que querría evitar aquel encuentro. Marco empieza a hablar. Lo de siempre. Frases ya oídas. Te he llamado. No me llamas nunca. He visto a una amiga tuya o a un amigo. ¿Qué haces? Ah, claro, tienes la selectividad. No nos defraudes, por favor. Un intento de mostrarse simpático. Babi casi no lo escucha. Recuerda todos los momentos pasados con él, el amor que ha sentido, la desilusión, las lágrimas. Qué sufrimiento. Por uno así, además. Lo mira mejor. Ha engordado. Tiene el pelo sucio. Hasta le parece más escaso. Y qué mirada inexpresiva. Carente de vida. ¿Cómo podía gustarle tanto? Una ojeada a la chica. Ni siquiera merece que se la tenga en cuenta. Terrible, la indiferencia. Se despiden así. Después de hablar durante cinco minutos sin haberse dicho nada. Aquel mágico puente ha dejado de existir. Babi se pone de nuevo a correr. Se pregunta adónde habrá ido a parar su amor por él. ¿Cómo es posible que ya no lo pueda sentir? Y, sin embargo, parecía inmenso. Se pone los auriculares del Sony. U2 acomete su último éxito. Babi alza el volumen. Mira a Pallina. Su amiga le sonríe con afecto. Su mechón baila en el viento. Le pasa los otros auriculares. Se los merece. Porque, aunque Babi no lo sepa, fue ella la que la salvó.

20

El año anterior.

—Babi, Babi. —Daniella aporrea chillando la puerta del baño. Pero Babi no la oye. Está bajo la ducha y como si eso no bastase la radio cercana transmite a todo volumen una canción del año anterior de U2. Finalmente, Babi oye algo. Unos golpes fuertes que no siguen el ritmo del batería. Cierra el agua, luego, todavía chorreando, alarga el brazo bajando el volumen.

—¿Qué pasa?

Daniela suspira al otro lado de la puerta.

—Finalmente, hace una hora que te estoy llamando. Pallina al teléfono.

—Dile que estoy en la ducha, que la llamo dentro de cinco minutos.

—Dice que es algo urgentísimo.

Babi resopla.

—¡Está bien! Dani, ¿me traes el teléfono?

—Ya lo he hecho. —Babi abre la puerta. Daniela está allí con el inalámbrico en la mano.

—No te alargues mucho, estoy esperando que me llame Giulia.

Babi se seca la oreja antes de apoyar sobre ella el teléfono.

—¿Qué es tan urgente?

—Nada, solo quería saludarte. ¿Qué haces?

—Estaba duchándome. No sé cómo lo haces, pero me llamas siempre cuando estoy bajo el agua.

—¿No sales con Marco?

—No, esta noche va a casa de un amigo a repasar. Tiene el examen dentro de dos días. Biología.

Pallina se queda por un momento en silencio. Decide no decirle nada.

—Estupendo, entonces paso a recogerte dentro de diez minutos.

Babi coge una toalla pequeña y se frota el pelo.

—No puedo.

—Venga, vamos a tomar una pizza.

—¿Y si luego me llama Marco? Ha apagado su móvil, tiene que estudiar...

—Dile a Dani que le diga que te llame más tarde o que te busque en el tuyo. ¡Venga, volvemos enseguida!

Babi trata de replicar. Pero todas las excusas —cansancio, deberes por hacer y un increíble deseo de quedarse en casa en bata y camisón delante de la tele— son inútiles. Poco después se encuentra sentada en la Vespa detrás de Pallina, que conduce temeraria en el tráfico de las nueve.

Babi tiene el pelo todavía mojado, un suéter con la inscripción California y una expresión de fastidio.

—Vas a hacer que acabe por tener un accidente.

—Pero ¡si esta noche hace calor!

—Me refería al modo en que conduces.

Pallina reduce la velocidad y gira a la derecha en el Ponte Milvio.

Babi se acerca a la mejilla de Pallina para que su amiga la oiga.

—¿Por dónde vas?

—¿Por qué?

—¿No vamos a Baffetto?

—No.

—¿Ha pasado algo?

—De vez en cuando hay que cambiar. Te has convertido

en una metódica, Babi. Siempre a Baffetto, siempre ocho en latín, ¡siempre lo mismo! Por cierto, ¿con quién sales ahora?

—¿Cómo que con quién salgo? Con Marco, ¿no?

Babi mira sorprendida a Pallina. No sabe por qué, pero está segura de que a ella Marco no le gusta.

—Ves, Babi, también en eso eres demasiado aburrida. Tendrías que cambiar.

—¿Bromeas? ¡Me gusta muchísimo!

—No exageres...

—No, Pallina, en serio. ¡Me importa un montón!

—¿Cómo te puede importar tanto si apenas hace cinco meses que estás con él?

—Lo sé, pero estoy completamente enamorada, tal vez porque es mi primera historia importante.

Pallina reduce las marchas con rabia. Ya, tu primera historia importante y justo con ese gusano, piensa Pallina. Luego mete la tercera y emboca la plaza Mazzini. Después reduce a segunda y dobla a la derecha. Babi se aferra a su cintura cuando entran en la tercera travesía, la de la Nueva Fiorentina. Fabio, el hijo del propietario, está en la puerta. Cuando las ve, las saluda saliéndoles al encuentro. Está muy unido a las dos. En realidad, tiene debilidad por Babi, aunque siempre lo haya ocultado. Fabio las hace acomodar en la hilera de mesas que hay a la derecha, nada más entrar, junto a la caja. Desde allí se puede ver todo el local. Un camarero les trae de inmediato el menú. Pero Pallina sabe ya qué pedir.

—¡Ay, hacen un *calzone* maravilloso! Tiene de todo: queso con huevo, mozzarella y trocitos de jamón. ¡Como para desmayarse!

Babi controla en el menú si hay algo menos deletéreo para su dieta. Pero Pallina es convincente.

—En ese caso, dos *calzone* y dos cervezas medias claras.

Babi mira preocupada a su amiga.

—¿También cerveza? Por lo visto quieres que reviente.

—¡Venga, por una vez! ¡Esta noche tenemos que celebrar!

—¿El qué?

—Bueno, hacía mucho tiempo que no salíamos solas.

Babi piensa que es verdad. Últimamente, las pocas veces que ha salido lo ha hecho siempre con Marco. Le gusta estar allí, en aquel momento, con su amiga. Pallina está hurgando en los bolsillos de su cazadora. Al final saca de uno de ellos una peineta con brillantitos y corazoncitos de piedra dura de colores, se recoge el pelo y lo atraviesa con la peineta, sujetándolo.

Su bonita cara redonda queda despejada. Babi le sonríe.

—Esa peineta es preciosa. Te queda muy bien.

—¿Te gusta? La he comprado en la plaza Carli da Bruscoli.

—¿Te importa si me la compro también? Tal vez un poco distinta. Tenía una parecida pero la he perdido.

—Bromeas, estoy acostumbrada a que me copien. Soy una chica que marca la moda. ¿Sabes que cuando voy ahora a las tiendas me dan las cosas gratis? Basta con que me las ponga. ¡He decidido que desde mañana pido un porcentaje!

Se ríen. En ese momento llegan las cervezas. Babi las mira. Son enormes.

—¿Esta es la media? ¿Y si hubiera sido la grande?

Pallina levanta la jarra.

—Venga, deja de protestar. —La hace chocar con fuerza contra la jarra de Babi. Un poco de cerveza se derrama de ella, espumando sobre el mantel.

—Por nuestra libertad.

Babi la corrige:

—Provisional...

Pallina le sonríe levemente como diciendo: concedido. Acto seguido, beben las dos. Babi es la primera en ceder. Llegada a un cuarto de la jarra, deja de beber. Pallina sigue todavía un poco, bebiéndose más de la mitad.

—Ahhh. —Pallina deja caer con fuerza la jarra sobre la mesa—. Esto sí que me hacía falta.

Y se limpia la boca restregándosela violentamente con la servilleta. De vez en cuando le divierte jugar a hacerse la dura. Babi abre una bolsa de *grissini*. Saca uno ligeramente tostado y lo mordisquea. A continuación, mira a su alrededor por el local. Grupos de chicos charlan divertidos dividiendo a triángulos una pizza con tomate. Muchachas refinadas se obstinan en comer con el tenedor hasta las aceitunas ascolanas. Una pareja de jóvenes habla divertida mientras espera que les sirvan. Ella es una chica bastante guapa con el pelo oscuro y no demasiado largo. Él le sirve amablemente la bebida. Está de espaldas. Babi no sabe por qué, pero le resulta familiar. Un camarero pasa junto a ellas. El muchacho lo detiene. Le pregunta dónde están sus pizzas. Babi le ve la cara. Es Marco. El *grissini* se le rompe entre las manos a la vez que algo más se resquebraja dentro de ella. Recuerdos, emociones, momentos preciosos, frases dulces susurradas empiezan a girar en un remolino de ilusión. Babi palidece. Pallina lo advierte.

—¿Qué pasa?

Babi no consigue hablar. Le indica el fondo de la sala. Pallina se da la vuelta. El camarero se está alejando de una mesa. Pallina lo ve. Marco está allí, sonríe a una chica sentada frente a él. Le acaricia la mano, confiado en la llegada de las pizzas y, sobre todo, en lo que vendrá a continuación aquella noche. Pallina se vuelve de nuevo hacia Babi.

—Menudo hijo de puta. Nada de tópico. ¡Todos los hombres son realmente iguales! Tenía el examen de biología, ¿eh? ¡Ese está preparando el de anatomía! —Babi agacha en silencio la cabeza. Una lágrima ingenua le resbala por la mejilla. Se detiene indecisa un instante en la barbilla, luego, empujada por el dolor, efectúa un salto en el vacío.

Pallina mira a su amiga con pesar.

—Perdona, no quería.

Se saca del bolsillo de los pantalones una bandana de colores y se la da.

—Ten, no es lo más apropiado para la situación, puede que resulte demasiado alegre, pero siempre es mejor que nada.

Babi suelta una extraña carcajada con un cierto regusto a llanto. Acto seguido, se seca las lágrimas y levanta la nariz.

Sus ojos brillantes, ligeramente enrojecidos, vuelven a mirar a su amiga. Babi suelta otra carcajada. En realidad suena como un sollozo. Pallina le acaricia la barbilla, arrastrando al hacerlo otra lágrima indecisa.

—Venga, no hagas eso, ese gusano no se lo merece. ¿Cuándo encontrará a otra como tú? Es él el que debería llorar. No sabe lo que se ha perdido. De ahora en adelante no tendrá más remedio que salir con tías como esa.

Pallina se vuelve de nuevo para mirar la mesa de Marco. Babi lo hace también. Siente una nueva punzada en el estómago. La caza del tesoro. Los paseos en Villa Glori, los besos al caer la tarde, mirarse a los ojos y decirse: te quiero. Imágenes dulcemente etéreas se desvanecen barridas por un viento de tristeza. Babi trata de sonreír.

—Bueno, no me parece tan fea.

Pallina sacude la cabeza. Babi es increíble, incluso en una situación como esa no puede por menos que ser sincera. Babi coge la cerveza y da un largo sorbo. A continuación apoya con fuerza la jarra sobre la mesa y se limpia enérgicamente la boca con la servilleta imitando a Pallina.

—Dios, cómo lo odio.

—¡Bien! Así me gusta. ¡Tenemos que castigarlo! —Pallina hace chocar su jarra con la de su amiga, luego ambas se acaban la cerveza con un largo y sufrido sorbo. Babi, ligeramente confundida, nada acostumbrada a beber y a todo el resto, sonríe decidida a su amiga.

—Tienes razón, ¡me la tiene que pagar! Tengo una idea. ¡Vamos con Fabio!

Marco ríe divertido mientras sirve a la chica Galestro frío. Sabe divertir a una mujer casi tanto como es incapaz de elegir un buen vino.

Aquella noche, la Nuova Fiorentina puede sentirse orgullosa. Nunca ha tenido un camarero tan atractivo. Una camarera, para ser más exactos. Babi avanza entre las mesas con las pizzas en la mano. No le cabe ninguna duda. Aquella con la mozzarella sin anchoas es para Marco. Cuántas veces se la ha oído pedir. Cuántas veces, además, se la ha hecho probar con amor, metiéndole un trozo en la boca.

Otra punzada. Decide que es mejor no pensar en ello. Se da la vuelta. Fabio y Pallina están junto a la caja. Le sonríen incitándola desde lejos. Babi osa. Está aturdida. La cerveza estaba buena y ahora la está ayudando a llegar hasta la mesa de Marco.

—Esta es para usted.

Coloca la *focaccia* blanca con jamón y con poco aceite delante de la chica, que la mira estupefacta.

—¡Y esta es para ti, gusano! —A Marco no le da tiempo a sorprenderse. La mozzarella sin anchoas y el tomate le chorrean por la cabeza mientras la pizza caliente se transforma en un abrasador e incómodo sombrero. Fabio y Pallina estallan en aplausos, seguidos de todo el restaurante. Babi, algo borracha, se inclina para dar las gracias. Luego se aleja del brazo de Pallina seguida por los divertidos comentarios de los presentes y la mirada asombrada de la muchacha ignorante.

Regresan silenciosas en la Vespa. Babi se abraza estrechamente a Pallina. Y no porque tenga miedo. En la calle hay mucho menos tráfico. Con la cabeza apoyada en el hombro de su amiga contempla desfilar los árboles por delante de ella, las luces lejanas rojas y blancas de los coches. Un autobús naranja pasa junto a ellas. Cierra los ojos. Un estremecimiento se apodera de ella, después la abandona. Tiene frío y calor, y se siente sola. Siempre en silencio, llegan a casa. Babi baja de la Vespa.

—Gracias, Pallina.

—¿De qué? Yo no he hecho nada.

Babi le sonríe.

—La cerveza estaba buenísima. Mañana te ofrezco la merienda en el colegio. Hay que celebrar.

—¿El qué?

—La total libertad. —Pallina la abraza. Babi cierra los ojos. Se le escapa un sollozo, luego se separa y se apresura a marcharse. Pallina la mira subir los escalones corriendo y desaparecer en el portal. A continuación arranca la Vespa y se aleja en la noche. Más tarde, mientras Babi se desviste, saca el dinero del bolsillo de los vaqueros. Cuando vuelve a meter la mano en él para ver si todavía queda algo, se queda estupefacta. En medio de todas aquellas lágrimas, asoma una sonrisa. La peineta de Pallina con los brillantitos y los corazoncitos está allí. Se la ha metido en los pantalones, mientras se abrazaban.

Un pequeño regalo para darle ánimos, para hacerla sonreír. Lo ha conseguido. Pallina es realmente una amiga. Al pobre de Marco, en cambio, le ha salido el tiro por la culata. Babi sonríe mientras se pone el pijama. Piensa que aquella tragedia tiene, en el fondo, un lado divertido. Si hubiéramos ido al Baffetto como siempre no lo habríamos pillado nunca. Babi se lava los dientes. Qué extraño, mira que decidir justo esa noche ir a la Nuova Fiorentina... Babi se desliza entre las sábanas. Sí, Marco ha tenido mala suerte y espero que sea así por el resto de su vida.

Pallina gira a la derecha. Decide pasar a saludar a su amigo Dema.

Un gato cruza la calle. Ni siquiera se fija en si es negro o no. Pallina no cree en la mala suerte. Prefiere mil veces la pizza de Baffetto que la calzone de la Nuova Fiorentina. No la cambiaría por nada del mundo. Pero aquella noche, cuando Fabio la llamó para decirle que estaba allí el novio de Babi con otra, no dudó ni por un momento. Era la ocasión que esperaba desde hacía tiempo. Se había enterado de demasiadas historias sobre Marco. No podía tratarse solo de rumores. Pero, si se lo hubiera contado, estaba segura de que Babi no la habría creído. O tal vez sí. Y entonces se habría arruinado una amistad. Mejor culpar al destino. Pallina llama a Dema por el telefonillo. Le responde una voz somnolienta.

—Hola, ¿quién es?

—Pallina. Hecho.

—¿Lo habéis pillado?

—¡*In fraganti*! Como un ratón con el queso en la boca o, mejor, ¡como un gusano con la pizza en la cabeza!

—¿Por qué, qué ha pasado?

—Si bajas te lo cuento.

—¿Y cómo se lo ha tomado Babi?

—Bastante mal...

—Espera, me visto y bajo.

Pallina se peina el pelo hacia atrás. Solo por un momento echa de menos su peineta. Aunque está convencida de que es mejor así, lo lamenta por Babi. Tal vez sufra un poco. Pero es mejor ahora que después. Cuando estuviera más colada por él. No tardará en volver a estar alegre. Y la sonrisa de una amiga vale mucho más que una peineta, mucho más que una pizza Margarita. Aunque sea la de Baffetto.

21

Bajo la ducha, Babi se peina el pelo lleno de bálsamo. En el 103.10 de la radio transmiten los últimos éxitos americanos. Anastasia ha subido al tercer puesto. Babi echa la cabeza hacia atrás mecida por aquella lenta melodía. Una ligera cascada de agua le quita el bálsamo, que se desliza por su cara, rozándole las facciones, las delicadas protuberancias.

Alguien llama a la puerta.

—Babi... te llaman por teléfono.

Es Daniela.

—Voy enseguida. —Se envuelve rápida en una toalla y va hasta la puerta. Daniela le da el inalámbrico.

—Date prisa, estoy esperando que Andrea me llame. —Babi se encierra de nuevo en el baño y se sienta sobre la suave tapa de la taza.

La voz de Pallina parece excitada.

—¿Estabas en la ducha?

—¡Claro, si no, no me habrías llamado! ¿Qué es lo que es tan urgente?

—Pollo me ha llamado hace diez segundos. Me ha dicho que el otro día se lo pasó muy bien conmigo. Me ha pedido disculpas por lo que pasó en el restaurante y me ha dicho que me quiere ver. Me ha pedido que esta noche vaya con él a las carreras.

—¿A qué carreras?

—Esta noche todos van a la Olimpica con las motos y hacen carreras. A toda velocidad, dos en cada moto sobre una sola rueda. ¿Te acuerdas? Francesca nos dijo que había ido. Dijo que era muy guay. ¡Ella ha sido incluso camomila...!

—¿Camomila?

—Sí, a las que van detrás las llaman así porque tienen el cinturón doble de Camomilla[1] para atarse al que conduce. La regla es que deben ir vueltas con la cara hacia atrás.

—¿Vueltas con la cara hacia atrás? Pallina, ¿qué te pasa?, ¿has perdido la cabeza? Casi empiezo a lamentar haberme sacrificado por ti...

—¿A qué sacrificio te refieres?

—¿Cómo que a qué? ¡La comunicación y todo lo demás!

—¡Venga, la estás haciendo durar demasiado, esa historia de la comunicación!

—Sí, bueno, pero mientras tanto, yo estoy castigada y no puedo salir hasta el lunes.

—Está bien, pero mira que yo no te estoy pidiendo que vengas conmigo. Solo quería un consejo. ¿Qué piensas, voy?

—Ir a ver a los que corren es aún más idiota que correr con las motos. Además, puedes hacer lo que quieras.

—Bueno, tal vez tengas razón. Por cierto. Le he dicho a Dema que salgo con Pollo. ¿Estás contenta?

—¿Yo? ¿Y a mí qué me importa? Es tu amigo. Solo te dije que, en mi opinión, si se enteraba por otro le iba a sentar mal.

—Sí, ya lo he entendido. En cambio no le ha sentado nada mal. A mí me parecía incluso contento. ¿Ves cómo te habías equivocado? No era verdad que estaba enamorado de mí.

Babi se acerca al espejo. Quita con la toalla un poco de vapor. Aparece su imagen con el teléfono en la mano y aire de fastidio. A veces Pallina resulta realmente exasperante.

—Bueno, mejor así, ¿no?

1. Se trata de una marca italiana de ropa y complementos. El autor se refiere aquí a unos cinturones anchos y dobles de dicha marca que estuvieron de moda en Italia durante los años ochenta. *(N. de la T.)*

—¿Sabes qué te digo, Babi? Me has convencido. No voy a las carreras.

—¡Bien! Hablamos luego.

Babi sale del baño. Pasa delante de Daniela y le devuelve el teléfono. Daniela no dice nada, pero parece molesta, como si quisiera hacer notar que su hermana ha pasado demasiado tiempo al teléfono. Babi va a su habitación y empieza a secarse el pelo. Entra Daniela con el teléfono.

—Es Dema. Es inútil que te diga que todavía vale lo mismo de antes.

Babi apaga el secador y coge el teléfono.

—Hola, Dema, ¿cómo estás?

—Fatal.

Babi escucha en silencio. Casi parece que hayan escrito para él *Un'emozione per sempre*, la canción de Eros. «*Vorrei poterti ricordare così...*»[1] Pero ¿en qué modo, si no tiene nada que recordar? Babi renuncia a decírselo. También porque Dema le hace mil preguntas.

—Pero cómo, después de todo el tiempo que he ido detrás de ella, ¿va y empieza a salir con ese? Y, además, ¿quién es?

—Se llama Pollo, es todo lo que sé.

—¿Pollo? ¡Qué nombre! ¿Qué espera encontrar en él? Es un violento, uno de esos gamberros que vinieron la otra noche a la fiesta de Roberta. Chusma, ¡y Pallina va y se enamora!

—Bah, enamorada, Dema... ¡le gustará!

—No, no, enamorada. ¡Me lo ha dicho ella!

—Ya sabes todo lo que dice Pallina, ¿no? La conoces mejor que yo. Esta noche, por ejemplo, quiere ir a ver las carreras en la Olimpica... Cinco segundos después cambia de idea. ¿Ves cómo es? A lo mejor dentro de poco se da cuenta del error que ha cometido y rectifica. Venga, Dema, ya verás cómo pasa eso.

Dema permanece en silencio. Se ha creído sus palabras o,

1. «Quisiera poder recordarte así».

en cualquier caso, ha querido creer en ellas. «Pobre», piensa Babi. ¡Y menos mal que no estaba enamorado!

—Sí, puede que tengas razón. Tal vez pase justo eso.

—Ya lo verás, Dema, es solo cuestión de tiempo.

—Sí, solo espero que no sea demasiado. —Luego, trata de quitar hierro a todo aquel asunto—. Babi, por favor, no le digas nada a Pallina de esta llamada.

—Por supuesto, y ánimo, ¿eh?

—Sí, gracias. —Cuelgan.

Entra Daniela.

—Caramba, Pallina sale con Pollo, ¡increíble! Y Dema, claro, está destrozado.

—Ya, pobre, lleva una vida detrás de ella.

—¡Sin esperanza! Es el clásico amigo de las mujeres.

Tras emitir este duro juicio, Daniela se aleja con el teléfono pero, antes de que pueda salir de la habitación, el aparato vuelve a sonar.

—Hola. Sí, ahora te la paso. Babi, te lo suplico, no estés una hora.

—¿Quién es?

—Pallina.

—¡Lo intentaré! —Babi coge el teléfono.

—¿Has roto con Pollo?

—¡No!

—Lástima...

—¿Con quién hablabas que estaba siempre ocupado?

—Con Dema, está destrozado.

—¡No!

—¡Sí, le ha sentado fatal! Pobre, me ha pedido que no te lo diga. Te lo ruego, haz como si no supieras nada, ¿eh?

—Tal vez no debía haberle dicho que salgo con Pollo.

—Pero ¿qué dices, Pallina?, si se hubiera enterado habría sido peor.

—Habría podido esperar hasta el último momento.

—¿Qué último momento? Podrías no salir con Pollo y basta.

—No toquemos ese tema. Digamos, más bien, que he decidido que en la vida es mucho más divertido ser idiotas...

—¿Y entonces?

—Entonces, voy a las carreras.

Babi sacude la cabeza. A estas alturas, el pelo ya casi se le ha secado solo.

—Está bien, diviértete.

—Me ha llamado Pollo y pasa a recogerme enseguida. ¿Qué piensas, tengo que ir allí a divertirme o a hacer la que se queda mirando las carreras y se aburre un poco?

Pallina se ha pasado. Babi explota.

—Oye, Pallina. Vete a las carreras, sube a una de esas motos, haz el caballito, sal con todos los gamberros de este mundo pero, por favor, ¡no le des tantas vueltas!

Pallina suelta una carcajada.

—Tienes razón. Pero, escucha, tienes que hacerme un último favor. Como no sé a qué hora acaban las carreras, le he dicho a mi madre que vengo a dormir a tu casa.

—¿Y si tu madre llama?

—Imposible. Esa no me busca nunca... Más bien déjame las llaves bajo la alfombrilla del portal. En el sitio de siempre.

—Está bien.

—Ah, no te olvides, ¿eh? ¡Pobre Dema! ¿Crees que debo hacer algo?

—Me parece que por hoy ya has hecho bastante, Pallina.

Babi apaga el teléfono. Daniela casi se lo arranca de las manos.

—Menos mal que te he pedido que no estuvieras mucho, ¿eh?

—¡Qué puedo hacer! Ya has oído el lío que se ha armado. Te lo ruego, no se lo digas a nadie, lo de Pollo y Pallina.

—¿Y a quién quieres que se lo diga?

El teléfono suena de nuevo. Es Giulia.

—¿Se puede saber a quién se le ha quedado pegado el teléfono a la oreja?

—Hola, Giuli. Perdona, eh, era mi hermana.

Daniela va a su habitación. Nada más cerrar la puerta, revienta al no poderse aguantar.

—No sabes qué noticia, Giulia. ¡Pallina sale con Pollo!

—¡No!

—¡Sí! ¡Dema está destrozado pero, te lo suplico, no se lo digas a nadie!

—Por supuesto, faltaría más. —Giulia escucha el resto de la historia pensando ya en lo que le va a contar más tarde a Giovanna y Stefania.

22

Babi sale de su habitación. Lleva puesta una bata rosa suave y acolchada bajo un pijama de felpa azul claro, y en los pies unas cálidas zapatillas. La ducha la ha ayudado a recuperarse del cansancio del footing, pero no está nada contenta. Aquella noche la dieta solo le permite una miserable manzana verde. Cruza el pasillo. Justo en ese momento siente girar la llave en la cerradura de la puerta. Su padre.

—¡Papá! —Babi corre a su encuentro.

—Babi.

Su padre está furioso. Babi se detiene.

—¿Qué ha pasado? No me digas que no he puesto bien la Vespa, que no has conseguido entrar en el garaje...

—¡Qué narices me importa a mí la Vespa! Hoy han venido a verme los Accado.

Al oír aquellas palabras, Babi palidece. ¿Cómo no se le ha ocurrido antes? Debería haber contado a sus padres todo lo que pasó.

Raffaella, que ha acabado de lavar las dos manzanas verdes preparando de este modo la cena, entra en el salón.

—¿Qué querían de ti los Accado? ¿Qué ha pasado? ¿Qué tiene que ver Babi?

Claudio mira a su hija.

—No lo sé. Dínoslo tú, Babi, ¿qué tienes que ver?

—¿Yo? ¡Yo no tengo nada que ver!

Daniela se asoma a la puerta.

—¡Es verdad, ella no tiene nada que ver!

Raffaella se vuelve hacia Daniela.

—Tú calla, nadie te ha preguntado.

Claudio coge a Babi por un brazo.

—Puede que no sea culpa tuya, ¡pero ese que estaba contigo tiene que ver y cómo! Accado ha tenido que ir al hospital. Tiene el tabique nasal fracturado en dos puntos. El hueso se ha hundido y el médico ha dicho que medio centímetro más y le agujereaba el cerebro.

Babi permanece en silencio. Claudio la mira. Su hija está descompuesta. Le suelta el brazo.

—Puede que no me hayas entendido, Babi, medio centímetro más y Accado habría muerto...

Babi traga saliva. Se le ha pasado el hambre. Ahora ni siquiera le apetece la manzana. Raffaella mira preocupada a su hija, luego, al verla tan alterada, adopta un tono sereno y tranquilo.

—Babi, por favor, ¿puedes contarme esta historia?

Babi alza los ojos. Son claros y están asustados. Es como si la viera por primera vez aquella noche. Empieza con un «Nada, mamá» y prosigue contándoselo todo. La fiesta, los que se colaron, Chicco, que llamó a la policía, esos que hicieron como que se marchaban y, en cambio, los esperaron debajo de casa. La persecución, el BMW destrozado. Chicco que se para, el chico de la moto azul le pega, Accado interviene y el chico le pega también a él.

—Pero cómo, ¿Accado te dejó sola con ese gamberro? ¿Con ese violento, no te llevó con él?

Raffaella está conmocionada. Babi no sabe qué contestarle.

—Puede que pensase que se trataba de un amigo mío, yo qué sé. Lo único que te puedo decir es que, después de los golpes, todos escaparon de allí y yo me quedé a solas con él.

Claudio sacude la cabeza.

—Es cierto que Accado escapó. Se arriesgaba a morir desangrado con esa nariz rota. En cualquier caso, se ha acabado para ese muchacho. Filippo lo ha denunciado. Hoy vinieron a mi despacho a contarme toda la historia por corrección. Me dijeron que procederán por vía legal. Quieren saber el nombre y los apellidos de ese chico. ¿Cómo se llama?

—Step.

Claudio mira perplejo a Babi.

—¿Cómo Step?

—Step. Se llama así. Yo, al menos, lo he oído nombrar siempre así.

—¿Y eso por qué, es americano?

Daniela interviene.

—¡Qué va a ser americano, papá! Es un apodo.

Claudio mira a sus hijas.

—Pero digo yo que ese chico tendrá un nombre, ¿o no?

Babi le sonríe.

—Claro que lo tiene, pero yo no lo sé.

Claudio pierde de nuevo la paciencia.

—Pero ¿cómo les puedo decir yo a los Accado que mi hija va por ahí con uno que ni siquiera sabe cómo se llama?

—Yo no voy por ahí con él. Estaba con Chicco... ya te lo he dicho.

Raffaella interviene.

—Sí, pero luego volviste a casa en moto con él.

—Pero, mamá, si Chicco y los Accado se habían marchado, ¿de qué otro modo podía volver? ¿Me quedaba ahí en la calle, de noche? ¿Qué hacía, volver a casa sola? Lo intenté. Pero pasados unos minutos se paró uno tremendo con un Golf y empezó a molestarme. Entonces hice que me acompañara.

Claudio apenas puede creer lo que oye.

—¡No, si ahora resulta que tendremos que darle las gracias a ese Step!

Raffaella mira enfadada a sus hijas.

—No podemos hacer un papelón semejante. ¿Lo habéis entendido? Quiero saber de inmediato el nombre de ese chico. ¿Está claro? —En ese momento, Babi recuerda lo que le dijo Daniela esa misma mañana. Todavía era pronto, ella estaba medio dormida, pero está segura.

—Dani, tú sabes cómo se llama. ¡Díselo!

Daniela mira a Babi sorprendida. ¿Qué le pasa, se ha vuelto loca? ¿Decirlo? ¿Denunciar a Step? Recuerda lo que le hicieron a Brandelli y muchas otras historias más que le han contado. Le destrozarían la Vespa, le pegarían, la violarían. Escribirían cosas terribles sobre las paredes del colegio con su nombre, cosas indecentes que, desgraciadamente, todavía no ha hecho. ¿Denunciarlo? Pierde la memoria en un abrir y cerrar de ojos.

—Mamá, solo sé que se llama Step.

Babi arremete contra la hermana.

—¡Mentirosa! ¡Eres una mentirosa! Yo no me acuerdo, pero esta mañana me has dicho su nombre. Tú y tus amigas lo conocéis de sobra.

—Pero ¿qué estás diciendo?

—¡Eres solo una cobarde, no lo quieres decir porque tienes miedo! Tú sabes cómo se llama.

—No, no lo sé.

—¡Sí que lo sabes!

Babi se interrumpe repentinamente. Como si algo se hubiera abierto, desatado, aclarado en su mente. Ahora recuerda.

—Stefano Mancini. Se llama así. Lo llaman Step.

A continuación, mira a su hermana y cita sus palabras:

—Yo y mis amigas lo llamamos 10 y matrícula de honor.

—Muy bien, Babi. —Claudio saca del bolsillo una hoja sobre la que anota todo. Escribe el nombre antes de olvidarlo. Mientras escribe se pone nervioso. Ha leído algo que tendría que haber hecho, pero ya es demasiado tarde.

Daniela mira a la hermana.

—Te sientes fuerte, ¿eh? ¿No entiendes lo que te van a hacer? Te destrozarán la Vespa, te pegarán, escribirán sobre ti en las paredes del colegio.

—Pues vaya, la Vespa está ya destrozada. Dudo que escriban algo sobre las paredes, entre otras cosas, porque no creo que ninguno de ellos sepa escribir. Y si me quieren hacer daño papá me protegerá, ¿verdad?

Babi se vuelve hacia él. Claudio piensa en Accado, imagina el dolor que se debe sentir cuando a uno le rompen la nariz.

—Claro, Babi, puedes contar conmigo.

Se pregunta hasta qué punto es cierta aquella afirmación. Puede que no demasiado. Pero, al menos, ha conseguido lo que pretendía. Babi, ya más tranquila, va a la cocina. Coge su manzana verde y la lava de nuevo. Acto seguido, manteniéndola alzada en el vacío por el rabito, empieza a girarla. Cada vuelta, una letra. Cuando el rabito se rompe, la inicial donde se ha detenido corresponde a la de la persona que piensa en ti. A, B, C, D. El rabito se rompe con un ruido seco.

Ha salido la D. ¿A quién conoce que empiece por la D? A nadie, no se le ocurre nadie. Menos mal que no ha salido la S. Es difícil que un rabito resista tanto. Pero, aun en el caso de que hubiera salido esa letra, no se habría preocupado demasiado. No tiene miedo. Babi pasa por delante de su madre. Le sonríe. Raffaella la contempla alejarse. Está orgullosa de su hija. Babi sí que se le parece. No como Daniela. Su miedo, en el fondo, está justificado. Daniela es igual que su padre. Claudio pone el traje gris sobre la cama.

—Ah, cariño, ¿has comprado la cafetera grande?

—No, me he olvidado.

Raffaella se encierra en el baño. Pero cómo es posible, piensa Claudio, lo he escrito incluso en la lista de la compra. Decide no decir nada justificando de este modo aún más el carácter de Daniela. Claudio, elegida una camisa, la arroja sobre la cama. Luego pone encima su corbata preferida. Quién sabe, tal vez esa noche consiga ponérsela.

Los padres salen rogándoles, como todas las noches, que no le abran a nadie. Inmediatamente después, Babi baja corriendo en batín y, sin que nadie la vea, esconde las llaves de casa bajo la alfombrilla del portal. A saber dónde estará Pallina en ese momento. En las carreras de motos de la Olimpica. Contenta ella...

Daniela está en el pasillo. Habla con Andrea Palombi por teléfono mientras garabatea con un bolígrafo sus nombres y algunos corazoncitos sobre un folio. Andrea, al oír que Daniela no le contesta, siente curiosidad.

—Dani, ¿qué estás haciendo?

—Nada.

—¿Cómo nada? Oigo ruidos.

—Estoy escribiendo.

—Ah, ¿y qué escribes?

—Nada... —miente—. Estoy dibujando.

—Ah, entiendo. ¿Así que dibujas mientras hablas conmigo?

—Eh, no, te escucho. He entendido todo.

—Entonces repítelo.

Daniela resopla.

—Lunes, miércoles y viernes vas al gimnasio, martes y jueves a inglés.

—¿A qué hora?

Daniela piensa por un momento.

—A las cinco.

—A las seis. ¿Lo ves como no me estabas escuchando?

—Claro que sí, solo que no me acuerdo. ¿Has entendido en cambio por qué antes no podía hablar?

—Sí, porque estaban tus padres y se estaban despidiendo.

—Exacto: te hacía sí, er, eh. Y tú no me entendías.

—¿Cómo puedo entenderlo si tú no me lo dices?

—¿Cómo puedo decírtelo si mis padres estaban delante? ¡Mira que eres listo! Tengo una idea: tenemos que ponernos de acuerdo sobre una palabra para cuando no podamos hablar.

—¿Tipo?

—No sé, pensemos...

—Podremos decir el nombre de mi academia de inglés.

—¿Cuál es?

—¡Ves cómo no me escuchas! British.

—Sí, British me gusta.

Babi pasa en ese momento por el pasillo y se detiene delante de la hermana.

—¿Es posible que te pases la vida al teléfono?

Daniela no le contesta. Decide recurrir de inmediato a la nueva palabra.

—British.

Andrea se queda perplejo por un momento.

—¿Qué pasa, no puedes hablar?

—¡Claro! ¿Por qué digo British si no? Así, sin ton ni son. Entonces, ¿para qué hemos decido usarla?

—Está bien, pero ¿yo cómo puedo saber que ahora no puedes hablar?

—Ah, no, lo tienes que saber. He dicho British.

—Sí, pero pensaba que tal vez estuvieras probando para ver qué tal suena.

Esta conversación, no precisamente metafísica, se ve interrumpida repentinamente por la voz inflexible de una señorita de la Telecom.

—Atención. Llamada urbana urgente para el número... —Daniela y Andrea se callan. Esperan la primera cifra para saber a cuál de los dos buscan—. 3... 2... Daniela habla por encima de la voz de la señorita.

—Es para mí. ¡Será Giulia!

—¿Hablamos más tarde?

—Sí, te llamo en cuanto acabe. ¡British! —Andrea se ríe—. En ese caso quiere decir algo así como: «Te quiero mucho».

—Yo también. —Cuelgan. Babi mira a su hermana. Qué extraño que haya obedecido tan pronto.

—Nos han hecho una llamada urbana urgente.

—¡Ya me parecía a mí! Era demasiado extraño que colgaras solo porque te lo hubiera dicho yo. Serán papá y mamá enojados porque tienen que decirnos algo y la línea está siempre ocupada.

—¡Qué va! Esta es sin duda Giulia, quedamos en volvernos a llamar.

Esperan en silencio junto al teléfono. Listas para levantar el auricular a la primera llamada. Como dos participantes en un concurso televisivo donde hay que ser el primero en apretar el botón y dar la respuesta exacta. El teléfono suena. Daniela es la más rápida.

—¿Giulia? —Respuesta equivocada—. Ah, perdone, sí, ahora se la paso. Es para ti. —Babi arranca el auricular de las manos de Daniela.

—¿Sí?

Aquel sentimiento de satisfacción se convierte de inmediato en una grave desazón. Es la madre de Pallina. Daniela sonríe.

—No estés mucho, ¿eh?

Babi prueba a darle una patada. Daniela la esquiva. Babi se concentra en la llamada.

—Ah, sí, señora, buenas noches. —Escucha a la madre de Pallina. Naturalmente, quiere hablar con su hija—. La verdad es que está durmiendo. —Acto seguido, arriesgándose como nunca—: ¿Quiere que la despierte? —Babi entorna los ojos y aprieta los dientes esperando a que se produzca la respuesta.

—No, no te preocupes. Puedo decírtelo a ti.

Ha salido bien.

—Mañana por la mañana tenemos una cita para hacer los análisis de sangre. De modo que tienes que decirle que no coma cuando se levante y que iré a recogerla hacia las siete. Entrará a segunda hora, si no nos retrasamos mucho. —Babi se ha relajado ya.

—Sí, de todos modos, a primera hora tenemos religión... —Babi piensa que aquella materia no le sirve de nada a su amiga. El alma de Pallina, entre mentiras y novios violentos, se ha perdido ya irremediablemente.

—Recuerda, Babi, no le dejes comer.

—No, señora. No se preocupe.

Babi cuelga. Daniela pasa junto a ella lista para apoderarse de nuevo del teléfono.

—Te ha ido bien, ¿eh?

—Le ha ido bien a Pallina. Si la pilla es asunto suyo. ¿Qué tengo que ver yo? —Babi se apresura a llamar al móvil de Pallina. Nada que hacer: está apagado. Claro. Está durmiendo en mi casa y en mi casa no tiene cobertura. ¿Para qué la llamo? ¿De qué me preocupo? Al límite, la que se arriesga es ella. Es más, ni siquiera me tengo que poner nerviosa.

Babi se prepara una camomila. Dos rodajas de limón, un sobrecito de Dietor y se echa sobre el sofá. Las piernas dobladas hacia atrás, los pies metidos en el pliegue de un almohadón, justo en el sitio más caliente. Se pone a mirar la televisión. Daniela, por supuesto, vuelve a llamar a Andrea. Le cuenta la historia de Pallina, la llamada de la madre, la mentira de Babi y muchas otras cosas más que ellos encuentran divertidísimas. En la tele del salón un poco de *zapping*. Una retransmisión sobre las civilizaciones antiguas, una historia de amor más contemporánea, un concurso demasiado difícil. Babi piensa un momento, sentada en el sofá. No. Esa respuesta no la sabe. La voz de Daniela llega desde el pasillo alegre y divertida. Dulces palabras de amor se confunden entre frescas risas. Babi apaga la tele. Pallina llegará antes de las siete.

—Buenas noches, Dani.

Daniela sonríe a la hermana.

—Buenas noches.

Babi ni siquiera prueba a repetirle de nuevo que no tenga ocupado el teléfono. ¿Para qué? Se lava los dientes. Coloca sobre la silla el uniforme para el día siguiente, prepara la bolsa y se mete en la cama. Recita una oración mirando el techo. Se siente un poco distraída. Luego apaga la luz. Da vueltas en la cama tratando de conciliar el sueño. En vano. ¿Y si Pallina decidiera ir directamente al colegio? Esa es capaz de todo. A lo mejor pasa toda la noche fuera y hace que Pollo la acompañe al Falconieri mientras su madre viene a recogerla a su casa. ¡Maldita Pallina! ¿Por qué no puede ser una enamorada como las demás? Se pasa dos horas al teléfono como su hermana y ya está. No causa tantos daños, solo una factura un poco más sustanciosa. No, ella tiene que ir a las carreras. Tiene que ser la novia del duro. ¡Maldita Pallina! Baja de la cama y se viste apresuradamente. Se pone solo un suéter y unos de vaqueros, luego va hasta la habitación de Daniela y coge sus Superga azules. Pasa por delante de su hermana. Como no podía ser de otro modo, sigue colgada del teléfono.

—Voy a avisar a Pallina.

Daniela la mira asombrada.

—¿Vas al invernadero? Yo también quiero ir.

—¿Al invernadero? Voy a la Olimpica. Donde hacen las carreras.

—¡Eh! Se llama el invernadero.

—¿Y por qué?

—¡Por todas las flores que hay a lo largo del camino! En recuerdo de todos los que han muerto.

Babi se pasa la mano por la frente.

—Solo me faltaba eso... ¡el invernadero!

Coge la cazadora colgada en el pasillo y hace ademán de salir. Daniela la detiene.

—¡Te lo suplico, Babi, llévame contigo!

—Pero bueno, ¿acaso os habéis vuelto todas locas? Pallina, tú y yo frecuentando ese invernadero. Podríamos incluso hacer una carrera en moto, ¿eh?

—Si te pones el cinturón de Camomilla te eligen ellos y te llevan detrás, coge el mío, venga, piensa qué guay, hacer la camomila.

Babi piensa en la que se ha bebido antes de ir a la cama. Todo inútil. Se levanta el cuello de la cazadora. Se siente como si estuviera sentada frente al presentador de un concurso en el que ella es la única participante. ¿Qué vas a hacer allí? ¿Por qué vas al invernadero, entre ramos de flores en honor de aquellos que han muerto? ¿A esa carretera donde unos grupos de exaltados en moto se arriesgan a acabar del mismo modo? La respuesta le parece fácil. Va a avisar a Pallina de que vuelva antes de la siete. A esa misma Pallina a la que le gusta ir a lugares absurdos, esa Pallina que no sabe nada de latín. La Pallina a la que a ella le gusta soplar aunque eso suponga recibir una mala nota. Sí, ella va allí sobre todo por su amiga Pallina. O al menos eso es lo que quisiera creer.

—No te lo repito más, Daniela. Cuelga el teléfono. —Luego sale corriendo con la peineta de los brillantitos en el pelo y el corazón, curiosamente, a mil por hora.

23

A ambos márgenes de la carretera de amplia curva hay mucha gente. Algunos jeep Patrol con las puertas abiertas disparan música sin cesar. Muchachos con el pelo rubio teñido, con camisetas y gorras americanas, de físico enjuto, se fingen surfistas y en poses estatuarias se pasan, obsesionados por el físico, una cerveza. Un poco más allá, junto a un Maggiolone[1] descapotable, otro grupo, mucho más realista, se está liando un porro.

Más allá, unas personas de cierta edad a la búsqueda de una noche emocionante, se agrupan alrededor de un Jaguar. Junto a ellos, una pareja de amigos contempla divertida aquel absurdo torbellino.

Motocicletas sobre una sola rueda, motos que zumban veloces, muchachos que pasan de pie sobre los pedales mirando a su alrededor para ver si hay alguien que conocen, saludando a los amigos.

Babi empieza a subir por la suave pendiente con su Vespa trucada. Una vez en lo alto, se queda sin habla. Cláxones de todo tipo, agudos y graves, suenan como enloquecidos. Al estruendo de los motores responden nuevos rugidos. Luces de faros de diferentes colores iluminan la carretera como si se tratara de una enorme discoteca.

1. Se trata del modelo VolksWagen Escarabajo. *(N. de la T.)*

En una pequeña explanada hay un puesto de esos móviles que venden bebidas y bocadillos calientes. Está haciendo su agosto. Babi se detiene delante de él y pone el soporte a la Vespa. La cierra. Una Free sobre una sola rueda le pasa tan cerca que Babi casi pierde el equilibrio. Un muchacho de unos quince años como mucho vuelve a caer sobre la rueda delantera riendo groseramente. Frena derrapando y vuelve a arrancar en sentido inverso. Hace de nuevo el caballito con las piernas fuera de sitio, ligeramente desequilibrado.

Babi mira distraída en derredor. Luego echa de nuevo a andar, tropieza con un tipo con el pelo al rape, una cazadora negra de piel y un pendiente en la oreja derecha. Parece tener una gran prisa.

—Mira por dónde cojones vas, ¿no?

Babi se disculpa. Se vuelve a preguntar qué estará haciendo en aquel sitio. De repente, ve a Gloria, la hija de los Accado. Está allí, sentada en el suelo, sobre una cazadora vaquera. A su lado está Dario, su novio. Babi se acerca a ellos.

—Hola, Gloria.

—Hola, ¿cómo estás?

—Bien.

—¿Conoces a Dario?

—Sí, nos hemos visto ya.

Se intercambian una sonrisa tratando de recordar dónde y cuándo.

—Oye, siento lo que le pasó a tu padre.

—¿Ah, sí? Bueno, a mí me importa un comino. Se lo tiene bien merecido. Así aprende a no meterse donde no le llaman. Siempre tiene que estar en medio, decir lo que piensa. Finalmente se ha topado con uno que lo ha puesto en su sitio.

—Pero ¡es tu padre!

—Sí, pero es también un coñazo.

Dario se ha encendido un cigarrillo.

—Estoy de acuerdo. Es más, dale las gracias a Step de mi parte. ¿Sabes que no me deja subir a su casa? Tengo que esperar siempre abajo, para salir con Gloria. Y no porque tenga ningún interés en verlo. Es una cuestión de principios, ¿no?

Babi se pregunta a qué principios se referirá. Dario le pasa el cigarrillo a Gloria.

—Claro que si el que le daba el cabezazo era yo, habría visto las estrellas.

Dario suelta una carcajada.

Gloria da una calada, luego mira a Babi sonriendo.

—¿Y qué, estás saliendo con Step?

—¿Yo? ¡Tú estás loca! Bueno, yo me voy, tengo que encontrar a Pallina.

Se aleja. Se ha equivocado. Los dos están locos. Una hija feliz de que a su padre lo hayan vapuleado. Su novio disgustado por no haber podido hacerlo él. Increíble. Sobre una pequeña elevación, detrás de una red agujereada, está Pollo. Está sentado sobre una gruesa moto y charla alegremente con una chica que tiene abrazada entre las piernas. La chica lleva una gorra azul con la visera y la inscripción NY delante. El pelo negro recogido en una cola le sale de la gorra entre el cierre y la costura. Viste una cazadora con las mangas blancas plastificadas de típica chica pompón americana. El cinturón doble de Camomilla, un par de mallas azul oscuras y las Superga a juego la hacen parecer un poco más italiana. Esa loca desenfrenada que se ríe y mueve divertida la cabeza besando de vez en cuando a Pollo es Pallina. Babi se acerca. Su amiga la ve.

—¡Eh, hola, qué sorpresa! —Sale a su encuentro y la abraza—. Estoy muy contenta de que hayas venido.

—Yo para nada. Al contrario, ¡quiero irme lo antes posible!

—Por cierto, ¿qué haces aquí? ¿No es una idiotez venir a las carreras?

—De hecho, eres realmente una idiota. ¡Tu madre ha llamado!

—¿No...? ¿Y tú qué le has dicho?

—Que estabas durmiendo.

—¿Y se lo ha creído?

—Sí.

Pallina silba.

—¡Menos mal!

—Sí, pero me ha dicho que mañana por la mañana te viene a recoger pronto, que tienes que ir a hacer los análisis y te saltas la primera hora.

Pallina da un salto de alegría.

—¡Yuhuu! —Su entusiasmo, sin embargo, no dura mucho—. Pero mañana a primera hora tenemos religión, ¿no?

—Sí.

—Qué rabia, ¿no puedo hacer los análisis el viernes que tenemos italiano?

—Bueno, en cualquier caso, pasará a recogerte a las siete, así que trata de volver pronto, ¿eh?

—¡Quédate, venga! —Pallina coge del brazo a Babi y la arrastra hacia donde está Pollo—. ¿A qué hora se acaba esto?

Pollo sonríe a Babi que lo saluda resignada.

—Pronto, como mucho en dos horas se habrá acabado todo. Luego nos vamos a comer una buena pizza, ¿eh?

Pallina mira entusiasmada a la amiga.

—¡Venga, no seas muermo! —dice mientras Pollo sonríe y se enciende un cigarrillo—. Venga, que está también Step, se alegrará de verte.

—¡Sí, pero yo no! Pallina, yo me vuelvo a casa. Trata de volver pronto. ¡No quiero tener problemas con tu madre por tu culpa!

Babi advierte un letrero en el suelo en el borde de la carretera. Es de madera, y en el centro hay una foto de un chico junto a un círculo mitad negro y mitad blanco. El símbolo de la vida. Esa misma vida que el chico en cuestión ha dejado de tener. En él está escrito: «Era rápido y fuerte pero al final el Señor no se comportó con él como un verdadero señor. No quiso concederle el desquite. Los amigos».

—¡Menudos amigos que sois! ¡Y hasta os da por hacer de poetas! Prefiero estar sola que tener amigos como vosotros que me ayudan a matarme.

—¿Qué coño has venido a hacer aquí si nada te parece bien? —dice Pollo tirando al suelo el cigarrillo.

Luego, su voz.

—Pero ¿es posible que no consigas llevarte bien con nadie? Tienes realmente un carácter asqueroso, ¿eh?

Es Step. Plantado delante de ella con su sonrisa insolente.

—Da la casualidad de que yo me llevo bien con todos. Jamás he tenido una discusión en mi vida, puede que porque siempre he frecuentado un cierto tipo de gente. Es solo hace poco que mis amistades han empeorado, tal vez por culpa de alguien... —Mira alusivamente a Pallina, quien a su vez alza la mirada resoplando.

—Ya lo sé, de todos modos, lo mires como lo mires, es siempre culpa mía.

—¿Acaso no he venido hasta aquí solo para avisarte?

—Pero bueno, ¿no has venido por mí? —Step se pone delante de ella—. Estoy seguro de que has venido a verme correr...

Su cara se acerca demasiado peligrosamente a la de ella. Babi lo esquiva haciéndose a un lado.

—Pero si ni siquiera sabía que estabas aquí. —Enrojece.

—Lo sabías, lo sabías. Te has puesto roja como un pimiento. Ves, no te conviene contar mentiras, no eres capaz.

Babi se calla. Exasperada con aquel maldito rubor y con el corazón que, desobediente, le late con fuerza. Step se acerca a ella lentamente. Su cara se encuentra de nuevo demasiado próxima a la de Babi. Le sonríe.

—No entiendo por qué te preocupas tanto. ¿Tienes miedo de decirlo?

—¿Miedo? ¿Miedo yo? ¿Y de quién? Tú no me das miedo. Solo me produces risa. ¿Quieres saber algo? Esta noche te he denunciado. —Esta vez es ella la que se acerca a la cara de Step—. ¿Has entendido? He dicho que has sido tú el que pegó al señor Accado. Ese al que diste un cabezazo. Les he dado tu nombre. Imagínate, pues, el miedo que te tengo...

Pollo baja de la moto y se dirige deprisa hacia Babi.

Banco Pastor
SEVILLA

¡IMPORTANT!
If your credit card is lost or stolen, please call urgently to the phone numbers in Spain: 902 11 44 00 / 91 362 62 00
If you have any doubts, address yourself to any bank or merchant displaying the credit card stick.

¡IMPORTANTE!
En caso de robo o extravío de su tarjeta llame urgentemente a los teléfonos: 902 11 44 00 / 91 362 62 00
Servicio 24 Horas (Laborables y festivos).
En caso de duda, consulte en cualquier entidad financiera o establecimiento donde aparezca el distintivo de su tarjeta.

¡IMPORTANT!
If your credit card is lost or stolen, please call urgently to the phone numbers in Spain: 902 11 44 00 / 91 362 62 00
If you have any doubts, address yourself to any bank or merchant displaying the credit card stick.

¡IMPORTANTE!
En caso de robo o extravío de su tarjeta llame urgentemente a los teléfonos: 902 11 44 00 / 91 362 62 00
Servicio 24 Horas (Laborables y festivos).
En caso de duda, consulte en cualquier entidad financiera o establecimiento donde aparezca el distintivo de su tarjeta.

—Asquerosa...

Step lo detiene.

—Tranquilo, Pollo, tranquilo.

—¿Cómo que tranquilo, Step? ¡Esa te ha arruinado! Después de todo lo que pasó, otra denuncia y tendrás que pagar por todo el resto. Irás directamente a la cárcel.

Babi se queda estupefacta. Esto no lo sabía. Step calma al amigo.

—No te preocupes, Pollo. No pasará nada. No iré a la cárcel. Puede que, como mucho, tenga que presentarme ante el juez. —Luego, dirigiéndose a Babi—: Lo que importa es lo que digas en el proceso cuando te llamen para testimoniar en mi contra. Ese día tú no dirás mi nombre. Estoy seguro. Dirás que no he sido yo. Que yo no tengo nada que ver.

Babi lo mira con aire de desafío.

—¿Ah, sí? ¿Estás seguro?

—Por supuesto.

—¿Piensas meterme miedo?

—En absoluto. Ese día, cuando vayamos al juzgado, estarás tan loca por mí que harás lo que sea con tal de salvarme.

Babi se queda en silencio por un instante, acto seguido suelta una carcajada.

—El que está loco eres tú, si te crees eso. Ese día diré tu nombre. Te lo juro.

Step le sonríe imperturbable.

—No jures.

Un silbido prolongado y decidido. Todos se dan la vuelta. Es Siga. En el centro de la carretera hay un hombre bajo de unos treinta y cinco años. Lleva puesta una cazadora negra de piel. Todos lo respetan, en parte porque se rumorea que lleva escondida una pistola en su interior. Levanta los brazos. Es la señal. La primera carrera, la de las camomilas. Step se vuelve hacia Babi.

—¿Quieres venir detrás de mí?

—¿Lo ves como es verdad? Estás loco.

—No, la verdad es otra: tú tienes miedo.

—¡No tengo miedo!

—Entonces pídele prestado el cinturón a Pallina, ¿no?

—Estoy en contra de esas estúpidas carreras.

Una SH azul se para delante de ellos. Es Maddalena. Saluda a Pallina con una sonrisa, luego ve a Babi. Las dos muchachas se miran fríamente. Maddalena se levanta la cazadora.

—¿Me llevas, Step? —Enseña el cinturón de Camomilla.

—Claro, pequeña. Apaga la SH.

Maddalena lanza una mirada de satisfacción a Babi, luego le pasa por delante para aparcar la SH un poco más allá. Step se acerca a Babi.

—Qué lástima, te habrías divertido. A veces el miedo es realmente algo terrible. Te impide disfrutar de los mejores momentos. Si no sabes vencerlo, es como una especia de maldición.

—Ya te he dicho que no tengo miedo. Vete a hacer tu carrera, si eso te divierte tanto.

—¿Me animarás?

—Me voy a casa.

—No puedes, después del silbido nadie se puede mover. Pallina se acerca a ellos.

—Tiene razón. Venga, Babi. Quédate aquí conmigo. Vemos esta carrera y luego nos vamos las dos juntas.

Babi asiente. Step se le acerca y con un ágil movimiento le quita la bandana que ella lleva en lugar de cinturón. A Babi no le da tiempo a impedirlo.

—Devuélvemela.

Trata de cogerla. Step la tiene en alto con la mano. Entonces Babi intenta golpearle en plena cara, pero Step es más rápido. Le agarra la mano a mitad camino y se la aprieta con fuerza. Los ojos azules de Babi brillan. Le está haciendo daño. Orgullosa como es, no dice una palabra. Step se da cuenta. Afloja la mano.

—No vuelvas a intentarlo.

Luego la deja marcharse y monta en su moto. En ese momento llega Maddalena y sube detrás de él. Lo hace al revés, como establece el reglamento, y se ata con su cinturón Camomilla. La moto da un salto hacia delante justo cuando ella está acabando de abrocharse el cinturón en el último agujero. Maddalena lleva las manos hacia atrás y se aferra a su cintura. Las dos muchachas se intercambian una última mirada.

Luego Step hace el caballito, Maddalena cierra los ojos sujetándose aún con más fuerza a él. El cinturón aguanta. Step vuelve sobre las dos ruedas y acelera para llegar al centro de la carretera, listo para la carrera. Levanta el brazo derecho. En su muñeca, llamativa y socarrona, se agita la bandana de Babi.

Repentinamente, tres motos salidas de la nada se colocan en el centro de la carretera. Todas llevan detrás a una chica sentada del revés. Las camomilas miran a su alrededor. Una multitud de chicos y chicas las rodea. Las miran divertidos. Algunas las conocen y las señalan gritando sus nombres. Otros las saludan con la mano tratando de llamar su atención. Pero las camomilas no contestan. Todas tienen los brazos hacia atrás y se aferran al conductor por miedo al arranque. Siga recoge las apuestas. Los señores del Jaguar son los que más dinero se juegan. Uno de ellos lo hace por Step. El otro por uno que está a su lado con la moto de colores. Recoge el dinero y se lo mete en el bolsillo delantero de la cazadora, el abolsado. A continuación levanta el brazo derecho y se lleva el silbato a la boca. Se produce un momento de silencio. Los chicos sobre las motos miran hacia delante, listos para partir. Las camomilas están sentadas detrás, mirando hacia el otro lado. Tienen los ojos cerrados. Todas menos una. Maddalena quiere disfrutar de ese momento. Adora las carreras. Las motos rugen. Tres pies izquierdos empujan hacia abajo el pedal. Con un único ruido entran tres primeras. Preparados. Siga baja el brazo y silba. Las motos arrancan hacia delante, casi de inmediato sobre una sola rueda, veloces y causando un gran estruendo. Las camomilas se sujetan con fuerza a sus hombres. Con la cara vuelta hacia el suelo, ven pasar corriendo bajo ellas la carretera, dura y terrible. Conteniendo el aliento, el corazón a dos mil, el estómago en la garganta. Arrastradas desde detrás a cien, ciento veinte, ciento cuarenta. El primero a la izquierda se adelanta. Baja la rueda delantera, tocando el suelo con un golpe fuerte, empujando sobre los amortiguadores. La horquilla tiembla, pero no sucede nada. El que va a su lado da demasiado gas. La moto se empina, la muchacha, sintiéndose casi en vertical, chilla. El chico, asustado, puede que porque, además, sale con ella, reduce gas y frena. La moto baja delicadamente. Una enorme Kawasaki de casi trescientos kilos planea dulcemente como teledirigida, baja el morro, tocando el suelo, como un pequeño avión sin alas. Step sigue con la carrera, alternando el freno y el acelerador. Su moto, proyectada hacia delante siempre a la misma altura, parece inmóvil, como dirigida por un hilo transparente en la oscuridad de la noche. Vuela, pegado a las estrellas. Maddalena ve pasar la carretera, las bandas blancas casi invisibles se mezclan unas con otras y aquel gris asfalto asemeja a un mar que blando, liso, sin olas, navega en silencio por debajo de ella. Step llega el primero entre los gritos de alegría de sus amigos presentes y la felicidad del señor que ha apostado por él, no tanto por el dinero que ha ganado como por haber vencido al amigo que lo ha llevado a aquel sitio.

Dario, Schello y algún que otro amigo más se precipitan a felicitarlo. Una mano fraterna difícil de reconocer en medio del grupo le ofrece una cerveza todavía fría. Step la coge al vuelo, le da un largo sorbo, luego se la pasa a Maddalena.

—Lo has hecho muy bien, no te has movido ni por un momento. Eres una camomila perfecta.

Maddalena da un sorbo, después baja de la moto y le sonríe.

—Hay momentos en los que hay que quedarse quietos y otros en los que hace falta saberse mover. Estoy aprendiendo, ¿no?

Step sonríe. Es una tía estupenda, esa muchacha.

—Sí, estás aprendiendo.

La mira alejarse. Está también muy buena. Llega Pollo y salta detrás de él en la moto.

—Venga, coño, vamos a buscar a Siga. ¡A ver cuánto has ganado!

—¡No mucho, era el favorito!

—Coño, has dejado de ser una buena jugada. Deberías perder alguna vez, así aumentarías la cuota. Podrías incluso caerte y así luego nos jugaríamos todo a la última, en la que ganarías. Clásico, ¿no? Como los boxeadores americanos en las películas.

—¡De acuerdo, pero la caída la hago con tu moto!

—¡Eso sí que no! La acabo de arreglar.

—¡Step! ¡Step! —Se da la vuelta. Es Pallina que lo llama desde lo alto del muro que hay junto a la red—. ¡Genial! ¡Eres genial!

Step le sonríe. Luego ve a Babi a su lado. Alza el brazo derecho mostrándole su bandana azul.

—¡Ha sido pura suerte! —grita Babi a lo lejos.

Step mete la primera y, llevando detrás a Pollo, hace una gincana entre la gente y se aleja para retirar las merecidas ganancias.

Maddalena frena delante de Babi y Pallina. Lleva a una chica rubia un poco regordeta detrás, sobre su SH. Su amiga tiene los pies sobre los pedales y apenas si se apoya sobre el sillín, pero, de todos modos, la rueda posterior está prácticamente clavada en el suelo. Maddalena mastica una Virgosol con la boca abierta.

—No es solo suerte. Es sobre todo valor, huevos. ¿Se puede saber qué hacen dos cobardes como vosotras en un sitio como este?

La tipa rechoncha que va detrás sonríe.

—Ya, sobre todo, ¿cómo es que vais sin uniforme? ¿No sois dos de esas idiotas del Falconieri? O, mejor dicho, dos de esas furcias... ¿No es así como os llaman? ¡Dicen que sois todas unas putas!

Pallina se ajusta la gorra.

—¡Oye, gordita! ¿Qué pasa, tienes algo contra nosotras? Si hay algo que te corroe dilo y basta. Sin dar tantos rodeos.

Maddalena apaga la SH.

—Lo que pasa es que tienes el cinturón de Camomilla y no te lo puedes permitir.

—¿Y quién lo dice?

—Entonces, ¿cómo es que no has corrido?

—Porque no ha corrido mi novio. Yo corro solo con Pollo. Porque, puede que no lo sepas —Pallina se dirige a la regordeta que Maddalena lleva detrás—, pero Pollo y yo salimos juntos.

La muchacha hace una mueca. Aprieta los dientes. Pallina se lo ha dicho adrede. Sabe que está interesada en la adquisición.

Maddalena señala a Babi.

—¿Y ella? ¿Qué hace ella aquí? Ni siquiera lleva el cinturón. ¿No sabes que este sitio está reservado a las camomilas? O corres o te vas.

Babi se vuelve hacia Pallina suspirando.

—Solo nos faltaba la macarra de turno.

Maddalena se pone tiesa.

—¿Qué has dicho?

Babi le sonríe.

—He dicho que estoy esperando mi turno.

Maddalena permanece impasible. Puede que de verdad no haya oído nada. Babi abre la cazadora de Pallina.

—Venga, dame ese cinturón.

—¿Qué? ¿Estás bromeando?

—No, vamos, dámela. Si ser una camomila es tan emocionante, quiero probar. —Suelta la trabilla. Pallina la detiene.

—Mira que si te lo pones, luego te pueden elegir, tendrás que correr. Una vez vino hasta aquí una tipa que se había puesto el cinturón de Camomilla por casualidad, porque le gustaba. Bien, pues la hicieron subir a una moto y tuvo que correr a la fuerza.

Babi la mira con aire interrogativo.

—¿Y? ¿Cómo acabó la cosa?

—Bueno, no se hizo nada, no se cayó. Creo que la conoces. Es Giovanna Bardini. La de segundo E.

—¿Quién, esa mema? Entonces lo pueden hacer todas.
Pallina le pasa el cinturón.
—Sí, pero no sé si te has dado cuenta... Giovanna ahora solo usa tirantes.
Babi la mira. Pallina hace un gracioso mohín. Luego las dos se echan a reír. En realidad, solo tratan de quitar hierro a aquel momento. Maddalena y la amiga las miran con cara de fastidio. Babi se pone el cinturón.
—¡Qué guay! Ahora yo también soy una camomila.
Un macarra espantoso se planta con la moto delante de ellas. Tiene la parte baja del pelo prácticamente al ras y un cuello de toro asoma impávido de una cazadora verde militar con solapas naranja.
—Venga camomila, la de ahí arriba. Sube detrás.
Babi se indica incrédula.
—¿Quién, yo?
—¿Y quién si no? Venga, muévete, dentro de poco empezamos.
—Hola, Madda. —El macarra, además de tener un aspecto terrible, tiene además otro punto en su contra: es un amigo de Maddalena.
Babi se acerca a Pallina.
—Bueno, yo voy. Luego te contaré cómo es.
—Sí, claro.
Pallina se para delante de ella, preocupada.
—Oye, Babi... lo siento.
—No, qué dices. Me parece chulísimo hacer de camomila y quiero probar. Tú no tienes nada que ver.
Pallina la abraza y le susurra al oído.
—Eres una jefa.
Babi le sonríe, luego se encamina hacia el macarra con la moto. De repente, recuerda aquella frase. Pallina se la dijo también aquella mañana y luego la Giacci le puso una nota muy baja. ¿Estará gafada? Maldice a Pallina, a las camomilas, pero también a ella misma, cuando se le mete entre ceja y ceja ser la jefa.

El macarra da gas sin problemas de consumo. Babi en cambio tiene alguno que otro para subir detrás en la moto. El macarra la ayuda. Babi se desata el cinturón. El tipo lo coge, se lo coloca alrededor de la cintura y se lo pone de nuevo en la mano. Babi apenas consigue llegar al último agujero. Encima gordo. Como si no bastase, Maddalena da una palmada con fuerza sobre la cazadora del macarra.

—Venga, ve a por todas. ¡Estoy segura de que vais a ganar! —A continuación, sonríe a Babi—: Verás cómo te diviertes aquí detrás. Danilo hace el caballito de maravilla.

Babi no tiene tiempo de contestarle. El macarra da gas y arranca hacia delante. ¡Danilo! De modo era a él a quien se refería la D de su manzana. D. Como Danilo. O peor, como destino. La moto frena. Babi rebota y se da contra la espalda de Danilo.

—Tranquila, pequeña.

La voz cálida y profunda del macarra que, según él, debería tranquilizarla, produce sobre ella el efecto contrario. Dios mío, piensa Babi. Tranquila, pequeña. Tiene que ser una pesadilla. Este cinturón de Camomilla que me aprieta la cintura. Yo el Camomilla no me lo he puesto nunca, ni siquiera cuando estaba de moda. Debe de ser una especie de castigo. Un tipo con una banda sobre un ojo y una moto amarilla frena a su izquierda. Hook. Lo ha visto ya alguna que otra vez en la plaza Euclide. A sus espaldas va una chica con el pelo rizado y un pintalabios excesivamente llamativo. Está encantada de hacer la camomila. La chica la saluda. Babi no le contesta. Tiene la garganta seca. Se vuelve hacia el otro lado. Un chico alto y atractivo, con el pelo más largo y una pequeña pluma de pájaro como pendiente, se para a su derecha. Tiene el depósito de la moto pintado con aerógrafo. Un atardecer con un gran sol en el centro, olas sobre la playa. Un tipo que hace surf. Seguro que hacer surf es menos peligroso que hacer de camomila. Abajo está escrito: «El Balle...». Babi se inclina hacia delante, pero no consigue leer más. Los 501 del tipo tapan el resto de la inscripción. El chico saca del bolsillo de la cazadora un trozo de papel. Apoya los pies en el suelo y se acerca al espejito. Lo gira hacia lo alto. La luna se asoma allí dentro. Babi mira el depósito. Ahora se puede leer bien lo que hay escrito: «El Ballerino». Ah, sí, ha oído hablar de él. Dicen que se droga. El Ballerino tira el contenido de la papelina sobre el espejito. La redonda palidez de la luna queda cubierta por el blanco de un polvo menos inocente. El Ballerino se inclina hacia delante. Apoya encima un rulo de diez euros e inspira. La luna vuelve repentinamente a reflejarse. El Ballerino pasa el dedo por el espejito, recoge los últimos restos de aquella felicidad artificial y se los pasa por los dientes. Sonríe sin ningún motivo real. Químicamente feliz. Se enciende un cigarrillo. La muchacha detrás de él tiene el pelo recogido con una cinta y no parece haberse dado cuenta de nada. Acepta, sin embargo, un cigarrillo. No es válido. No se puede correr drogados. No es deportivo. Si luego le hacen el antidoping lo descubrirán. Pero ¿qué estoy diciendo? ¡Esto no es una carrera de caballos! No hay nada lícito. Aquí uno se puede hasta drogar. Se va a ciento cincuenta sobre una sola rueda con una desgraciada detrás. Y yo soy ahora esa desgraciada.

Le entran ganas de llorar. ¡Maldita Pallina!

Mientras Step se mete en el bolsillo los cincuenta euros, Pollo le da un codazo.

—Eh, mira quién está ahí. —Pollo indica las motos listas para arrancar—. ¿Esa que va detrás en la moto de Danilo no es la amiga de Pallina?

Step mira en esa dirección. No es posible. Es Babi.

—Es cierto. —Agita el brazo con la bandana y grita su nombre—. ¡Babi! —Oye que la llaman. Es Step. Lo reconoce, allí al fondo justo delante de ella. La está saludando.

«Tiene mi bandana —se susurra a sí misma—. Te lo ruego, Step, hazme bajar, ayúdame. ¡Step! ¡Step!» Luego suelta la mano para decirle que se acerque. En ese mismo momento, Siga silba. El público chilla. Es casi un estruendo. Las motos saltan hacia delante bramando. Babi se aferra de nuevo inmediatamente a Danilo, aterrorizada. Las tres motos hacen el caballito. Babi se encuentra con la cabeza hacia abajo. Le parece que casi toca el suelo. Ve el asfalto correr veloz por debajo de ella. Prueba a gritar mientras la moto ruge y el viento le despeina. No le sale nada. El cinturón le aprieta fuertemente la tripa. Le entran ganas de vomitar. Cierra los ojos. Es aún peor. Le parece que va a desmayarse. La moto sigue corriendo mientras hace el caballito. La rueda de delante baja un poco. Danilo da más gas. La moto se empina de nuevo, Babi se encuentra aún más cerca del asfalto. Cree que se va a dar la vuelta. Un toque al freno y la moto desciende ligeramente. Va mejor. Babi mira en derredor. La gente no es ya sino un grupo lejano, abigarrado, levemente borroso. A su alrededor, silencio. Solo el viento y el ruido de las otras motos. El Ballerino está a su derecha, casi detrás de ellos. Su pelo largo se tiende al viento y la rueda de delante está casi inmóvil. Hook los sigue a una cierta distancia.

Danilo está ganando. Ella está ganando. Maddalena tiene razón. «Hace el caballito de maravilla.» Babi está aturdida. Siente un ruido a su derecha. Se vuelve. El Ballerino ha dado más gas reduciendo la marcha. La moto se empina demasiado. Un golpe seco al freno. La rueda de delante baja demasiado deprisa. La moto rebota, el Ballerino prueba a sujetarla. Se le escapa el manillar. La moto se desplaza hacia la izquierda, deslizándose de lado, y luego de nuevo a la derecha, coleando. El Ballerino y la muchacha que va detrás son derribados por aquel caballo de motor encolerizado, hecho de pistones y de cilindros enloquecidos. Acaban en el suelo todavía atados. Luego el cinturón se rompe, resbalan, juntos por un poco más de tiempo, rebotando y arañándose la piel, de un lado a otro de la carretera. La moto, ya liberada, sigue veloz su carrera. Después cae hacia un lado, se desliza sobre el asfalto, lanza chispas, tropieza, rebota varias veces. Al final hace una especie de cabriola, vuela cerca de Babi, alta en la oscuridad de la noche. Salta en el cielo, durante al menos cinco metros, con el faro todavía encendido ilumina todo a su alrededor, traza un arco luminoso. Después, con un último impulso inconexo, cae al suelo rebotando y rompiéndose, dejando tras de sí miles de pequeños pedazos de acero y de cristales de colores. Sutiles destellos de fuego siempre más débiles la acompañan hasta el final de su carrera. Hook y Danilo se detienen. El público permanece por un momento en silencio antes de precipitarse en aquella dirección. Subidos a Vespas, Sì, SH 50, Peugeot robados, motos de pequeña y gruesa cilindrada, Yamaha, Suzuki, Kawasaki, Honda.

Un ejército de motos avanza con gran estruendo. Todos se apresuran a llegar al lugar del accidente. El Ballerino se ha levantado. Se arrastra sobre una sola pierna. La otra sobresale fuera de sus vaqueros desgarrados, herida y en mal estado, perdiendo sangre por la rodilla. Una llamativa hinchazón en lo alto de la cazadora indica que el hombro se le ha salido, mientras un chorro de sangre oscura se desliza desde su frente por todo el cuello. El Ballerino mira su moto destrozada. Una parte de la playa ha quedado borrada por los arañazos. El surfista ha desaparecido, transportado por esa ola mucho más dura que es el asfalto incandescente.

La chica está tendida en el suelo. El brazo derecho le cuelga como muerto a un lado. Está roto. Llora asustada, sollozando con fuerza. Babi se quita el Camomilla. Baja de la moto. Se tambalea al andar. Las piernas le tiemblan a causa de la emoción. Se adentra en la multitud. No conoce a nadie. Siente los quejidos de la chica tumbada en el suelo. Busca a Pallina. De repente, oye otro silbido. Más prolongado. ¿Qué es? ¿Empieza otra terrible carrera? No entiende. La gente empieza a correr en todas direcciones. Tropiezan con ella. Las motos la rozan. Se oyen sirenas. No demasiado lejos aparecen unos coches. Sobre sus techos luces de color azul claro. La policía. Lo que faltaba. Tiene que llegar hasta su Vespa. A su alrededor no hay sino muchachos que escapan. Alguno grita, otros chocan peligrosamente. Una chica cae con la moto a pocos metros de ella. Babi echa a correr. Varios coches de la municipal se detienen a su alrededor. Ahí está. Ve su Vespa parada delante de ella, a pocos metros de distancia. Está salvada. De repente, algo la detiene a mitad camino. Alguien la ha cogido por la melena. Un policía. Tira con fuerza de ella haciéndola caer al suelo, sujetándola por el pelo. Babi grita de dolor, la arrastra sobre el asfalto, arrancándole algunos mechones. Repentinamente, el policía la suelta. Una patada en plena cara lo ha obligado a doblarse soltando a su presa. Es Step. El policía prueba a reaccionar. Step le da un violento empujón que lo hace caer al suelo. Luego ayuda a Babi a levantarse, la hace subir detrás en su moto y parte a toda velocidad. El policía se recupera, sube a un coche que hay allí cerca con uno de sus colegas al volante, y se ponen a perseguirlos. Step pasa fácilmente entre la gente y las motos paradas por la policía municipal. Algunos fotógrafos advertidos de la redada llegan y sacan algunas fotos. Step hace el caballito y acelera. Adelanta a otro policía que con el disco rojo le hace una señal para que se detenga. A su alrededor, flashes enloquecidos. Step apaga las luces y se agacha sobre el manillar. El coche de la policía municipal con el guardia que la ha golpeado adelanta al grupo por un lado y, haciendo sonar la sirena, los alcanza casi de inmediato.

—Tapa la matrícula con el pie.

—¿Qué?

—Tapa el último número de la matrícula con el pie.

Babi echa la pierna derecha hacia atrás tratando de cubrir la matrícula. Se le resbala dos veces.

—No puedo.

—Déjalo estar. ¿Es posible que no sepas hacer nada?

—Da la casualidad de que nunca he tenido que escapar en una moto. Y puedes estar seguro que hoy también me habría gustado evitarlo.

—¿Tal vez preferías que te dejara en manos de ese policía que quería tu cuero cabelludo?

Step reduce y gira a la derecha. La rueda de detrás se desliza ligeramente derrapando en el asfalto. Babi se abraza más fuerte a él.

—¡Frena! —grita.

—¿Estás bromeando? Si esos nos pillan ahora me secuestran la moto.

El coche de la municipal emboca detrás de ellos el callejón dando bandazos. Step baja volando por él. Ciento treinta, ciento cincuenta, ciento setenta... Se oye a la sirena retumbar a lo lejos. Se están acercando. Babi piensa en lo que le dijo su madre.

«No te atrevas a subir detrás de ese chico. Mira cómo conduce... Es peligroso.» Tiene razón. Las madres tienen siempre razón. Sobre todo la suya.

—Frena. No quiero matarme. Ya me imagino lo que leeré mañana en los periódicos. Joven muerta en una persecución policial. Frena, te lo suplico.

—Pero si mueres, ¿cómo harás para leer el periódico?

—¡Párate, Step! ¡Tengo miedo! Puede que esos nos disparen.

Step reduce de nuevo y gira repentinamente a la izquierda. Salen a una carretera en el campo casi desierta. Hay algunas casas con un muro alto y una valla. Tienen unos segundos. Step frena.

—Baja, deprisa. Espérame aquí y no te muevas. Paso a recogerte apenas los pierda de vista...

Babi se apresura a bajar de la moto. Step vuelve a partir a toda velocidad. Babi se aplasta contra el muro cercano a la verja de la casa. Justo a tiempo. El coche de la policía municipal aparece en ese preciso momento. Pasa derrapando por delante de la casa y se aleja detrás de la moto. Babi se tapa los oídos y cierra los ojos para dejar de oír el sonido lancinante de aquella sirena. El coche desaparece a lo lejos, detrás del pequeño faro rojo. Es la moto de Step que, con los faros apagados, solo de nuevo, corre veloz en la oscuridad de la noche.

24

Pollo se para con la moto delante del edificio donde vive Babi. Pallina baja de ella y se dirige hacia el portero.

—¿Ha llegado ya Babi?

A Fiore, medio dormido, le cuesta un poco reconocerla.

—Ah, hola, Pallina. No. La he visto salir con la Vespa pero todavía no ha vuelto.

Pallina regresa junto a Pollo.

—Nada que hacer.

—No te preocupes, si está con Step está en buenas manos. Veras cómo llega dentro de nada. ¿Quieres que te haga compañía?

—No, voy arriba. A lo mejor tiene algún problema y llama a casa. Es mejor que haya alguien para responder al teléfono. —Pollo enciende la moto—. El que primero se entere de algo llama al otro.

Pallina lo besa y se aleja corriendo. Pasa bajo la barrera y sube por la cuesta que hay antes de llegar al edificio. A mitad camino se vuelve. Pollo la saluda. Pallina le manda un beso con la mano, antes de desaparecer por la izquierda en las escaleras. Pollo mete la primera y se aleja. Pallina levanta la alfombrilla. Las llaves están ahí, como habían acordado. Le cuesta un poco encontrar la del portal. Desde el pasillo le llega una voz. Es Daniela. Está hablando por teléfono.

—Dani, ¿dónde están tus padres?

—Pallina, ¿qué haces aquí?

—Contesta, ¿dónde están?

—Han salido.

—¡Bien! Cuelga, deprisa. Tienes que dejar libre el teléfono.

—Pero estoy hablando con Andrea. ¿Dónde está Babi? Fue a buscarte.

—Precisamente por eso tienes que colgar. Puede que llame. La última vez que la vi estaba detrás, sobre la moto de Step, y los perseguía la policía municipal.

—¡No!

—¡Sí!

—Mi hermana es una tía grande.

El polvo ha ido desapareciendo lentamente. Nubes bajas y grises flotan en lo alto, en el cielo sin luna. Alrededor hay un gran silencio. Ni siquiera una luz. Solo un pequeño farol a lo lejos colgado de la pared de una casa. Babi se aparta del muro. Le impresiona el fuerte olor del abono que han echado en los campos. Una leve brisa mueve las copas de los árboles. Se siente sola y perdida. Esta vez es verdad. Tiene miedo. A su derecha, remoto, se oye un relincho de caballos. Establos perdidos en medio de campos sumidos en la oscuridad. Se dirige hacia el pequeño farol. Camina lenta, a ras del muro, con la mano apoyada en la valla, atenta a dónde mete el pie, entre matojos de hierba alta y silvestre. ¿Habrá víboras? Un viejo recuerdo del libro de ciencias la tranquiliza. Las víboras no salen de noche. Pero los ratones sí. Debe de haber muchos a su alrededor. Los ratones muerden. Leyendas urbanas. Se acuerda de alguien, amigo de otro, que fue mordido por un ratón. Murió al poco tiempo. Lepto no sé qué. Terrible. Condenada Pallina. Inesperadamente, un ruido a su izquierda. Babi se detiene. Silencio. Luego una rama se quiebra. De repente, algo se dirige veloz hacia ella, corriendo, jadeando entre los arbustos. Babi está como aterrorizada. De la mancha oscura que hay frente a ella aparece gruñendo un enorme perro de pelo oscuro. Babi ve cómo su perfil se precipita hacia ella, ladrando en la noche. Babi se da la vuelta y echa a correr. Casi resbala sobre los adoquines. Recupera el equilibrio, echa a correr de nuevo en la oscuridad, hacia delante, sin ver hacia dónde va. El perro la persigue. Avanza amenazador, va ganando terreno. Gruñe y ladra enfurecido. Babi alcanza la valla. Hay una grieta en lo alto. Mete una mano, luego la otra, al final encuentra un apoyo para los pies. Derecho, izquierdo, arriba, pasa por encima de ella. Salta en la oscuridad, evitando por un pelo aquellos dientes blancos y afilados. El perro acaba contra la valla. Rebota con un golpe sordo. Empieza a correr de arriba abajo, ladrando, buscando inútilmente el modo de alcanzar a su presa. Babi se levanta de nuevo. Se ha golpeado las manos y las rodillas al caer hacia delante en la oscuridad. Se ha metido de lleno en algo caliente y blando. Es barro. Chorrea lentamente por su cazadora y sus pantalones vaqueros. Por las manos doloridas. Prueba a moverse. Tiene las piernas hundidas hasta las rodillas. El perro corre a lo lejos, de un lado a otro de la valla. Babi espera que no haya ninguna abertura. Lo oye ladrar, aún más enfurecido porque no consigue alcanzarla. Bueno, mejor el barro que sus dentelladas. Luego, repentinamente, un olor ácido, con un toque ligeramente dulce, penetra con fuerza por su nariz. Acerca su mano sucia a la cara. La olfatea. El campo parece envolverla por un instante, haciéndola suya. ¡Oh, no! ¡Estiércol! El intercambio ha dejado de ser tan conveniente.

Pallina sale por la puerta del portal, la acompaña lentamente para que no se cierre. A continuación, coge las llaves del bolsillo, levanta la alfombrilla y las vuelve a colocar en el lugar establecido. Babi aún no ha llamado. Pero al menos así no tendrá que tocar el timbre para entrar. En ese preciso momento oye el ruido de un coche. Por la curva de la explanada asoma un Mercedes 200. Los padres de Babi. Pallina deja caer la alfombrilla y corre hacia el portal. Deja que la puerta se cierre de golpe a sus espaldas. Sube corriendo, entra en casa y cierra la puerta.

—Dani, deprisa, tus padres han vuelto.

Daniela está frente a la nevera, víctima del ataque de hambre que le suele entrar a las dos de la madrugada. Esta vez, sin embargo, tendrá que ayunar. Dieta obligatoria. Cierra la puerta de la nevera. Corre a su habitación y se encierra en ella. Pallina entra en la habitación de Babi y se mete vestida en la cama. El corazón le late con fuerza. Escucha. Oye el ruido que hace la puerta metálica del garaje al bajar. Es cuestión de minutos. Luego, en la penumbra de la habitación, ve el uniforme sobre la silla. Babi lo ha preparado antes de salir. Contaba con volver enseguida. Qué meticulosa es, pobre Babi. Esta vez sí que se ha metido en un buen lío. Si Pallina supiera dónde está Babi, no se atrevería a hacer un chiste fácil. Esta vez sí que se ha metido de lleno en la mierda, aunque sea de caballo.

Pallina se tapa con las sábanas hasta la barbilla y se vuelve hacia la pared, mientras una llave gira haciendo ruido en la cerradura de la puerta de casa.

25

Step desciende por el Lungotevere, adelanta en zigzag a dos o tres coches, acto seguido, mete la tercera y acelera. La municipal sigue a sus espaldas. Si consigue llegar a la plaza Trilussa se los quitará de encima. Por el espejito ve al coche acercarse peligrosamente. Dos coches delante de él. Step reduce dando gas. Tercera. La moto acelera hacia delante. Pasa rozando las puertas. Uno de los dos coches se hace a un lado asustado. El otro continúa su carrera en medio de la calle. El conductor, alelado, no se ha dado cuenta de nada. La policía se echa completamente a la derecha. Las ruedas suben haciendo ruido sobre el borde de la acera. Step ve ante sus ojos la plaza Trilussa. Reduce de nuevo. Atraviesa la calle de derecha a izquierda. El conductor alelado frena bruscamente. Step emboca el callejón que hay frente a la fuente que une los dos Lungotevere. Pasa entre dos pilones bajos de mármol. La policía municipal frena. No puede pasar. Step acelera. Lo ha conseguido. Los dos policías bajan del coche. Solo les da tiempo a ver a una pareja de enamorados y a un grupo de muchachos apresurándose a subir a la estrecha acera para dejar pasar a aquel loco que conduce una moto con los faros apagados. Step mantiene la velocidad durante un rato. Luego mira en el espejito. A sus espaldas todo parece tranquilo. Solo algún que otro coche a lo lejos. El tráfico nocturno. Enciende las luces. Solo faltaría que ahora lo detuvieran por eso.

Claudio abre la nevera y se sirve un vaso de agua.

Raffaella se dirige a los dormitorios. Antes de acostarse da siempre un beso de buenas noches a sus hijas, un poco por costumbre, pero también para asegurarse de que hayan vuelto. Esa noche ni siquiera tenían previsto salir. Pero nunca se sabe. Es mejor controlar. Entra en la habitación de Daniela. Camina sin hacer ruido, con cuidado para no tropezar con la alfombra. Apoya una mano sobre la mesita. La otra en la pared. Luego se inclina hacia delante, lentamente, y roza su mejilla con los labios. Duerme. Raffaella se aleja de puntillas. Cierra despacio la puerta. Daniela se vuelve lentamente. Se incorpora apoyándose en un costado. Ahora viene lo bueno. Raffaella baja silenciosamente el picaporte de la puerta de Babi y la abre. Pallina está en la cama. Ve el ángulo de luz del pasillo que poco a poco se dibuja sobre la pared, ensanchándose. El corazón empieza a latirle con fuerza. Y ahora, si me descubren, ¿qué les cuento? Pallina permanece de espaldas, inmóvil, tratando de no respirar. Siente un ruido de collares: debe de ser la madre de Babi. Raffaella se acerca a la cama, se inclina lentamente hacia delante. Pallina reconoce su perfume. Es ella. Contiene la respiración, a continuación siente cómo su beso le roza la mejilla. Es el beso suave y afectuoso de una madre. Es verdad. Las madres son todas iguales: preocupadas y buenas. ¿Serán también todas las hijas idénticas para ellas? Así lo espera. Raffaella pone en orden la colcha, la tapa delicadamente con el borde de la sábana. Luego, de repente, se detiene. Pallina sigue inmóvil, a la espera. ¿Habrá descubierto algo? ¿La habrá reconocido? Siente un ligero crujido. Raffaella se ha inclinado. Puede sentir su cálido aliento cerca, demasiado cerca. Luego oye sobre la moqueta unas pisadas ligeras que se alejan. La débil luz del pasillo desaparece. Silencio. Pallina se da poco a poco la vuelta. La puerta está cerrada. Finalmente respira. Ya pasó. Se mueve hacia delante. ¿Por qué se habrá inclinado la madre de Babi? ¿Qué habrá hecho?

En la penumbra de la habitación, sus ojos acostumbrados a la oscuridad encuentran de inmediato la respuesta. A los pies de la cama, colocadas perfectamente la una junto a la otra, se encuentran las zapatillas de Babi. Raffaella las ha puesto en su sitio, ordenadamente. Listas para acoger a la mañana siguiente los pies de su hija todavía caldeados por el sueño. Pallina se pregunta si su madre habría hecho lo mismo. No, ni siquiera se le ocurriría. Alguna que otra noche se ha quedado despierta esperando su beso. En vano. Sus padres volvieron tarde. Los oyó hablar, pasar de largo por delante de su puerta. Luego aquel ruido. La puerta de su dormitorio, que se cerraba. Y, con ella, sus esperanzas se desvanecían. Bueno, son dos madres diferentes. Siente unos escalofríos extraños por todo el cuerpo. No, en cualquier caso, no le gustaría tener por madre a Raffaella. Entre otras cosas, no le gusta su perfume. Es demasiado dulzón.

Step sale al sendero. Al llegar delante de la verja donde la ha dejado, frena levantando una nube de polvo. Mira a su alrededor. Babi no está allí. Toca el claxon. No hay respuesta. Apaga la moto. Prueba a llamarla.

—Babi.

Nada. Ha desaparecido. Cuando está a punto de volver a encender la moto, oye de repente un crujido a su derecha. Llega desde detrás de la valla.

—Estoy aquí.

Step mira por entre los tablones de madera oscura.

—¿Dónde?

—¡Aquí!

Una mano se asoma por un espacio libre que hay entre dos tablones.

—¿Qué haces ahí detrás?

Step ve sus grandes ojos azules. Aparecen solitarios sobre su mano, entre otros dos tablones. Los ilumina la débil luz de la luna y parecen asustados.

—Babi, sal de ahí.
—¡No puedo, tengo miedo!
—¿Miedo? ¿De qué?
—Hay un perro enorme ahí detrás y va sin bozal.
—Pero ¿dónde? Aquí no hay ningún perro.
—Antes sí que estaba.
—Bueno, escucha, ahora no está.
—Aunque no esté el perro no puedo salir de todos modos.
—¿Por qué?
—Me da vergüenza.
—¿De qué tienes vergüenza?
—De nada, no quiero decírtelo.
—Oye, ¿te has vuelto idiota? Bueno, yo ya me he hartado. Ahora arranco y me voy.
Step enciende la moto. Babi golpea los tablones con las manos.
—No, espera.
Step apaga de nuevo la moto.
—¿Entonces?
—Salgo ahora, pero tienes que prometerme que no te reirás.
Step mira aquel extraño trozo de madera con ojos azules y se lleva la mano derecha al corazón.
—Prometido.
—Me lo has prometido, ¿eh?
—Sí, ya te lo he dicho.
—Seguro, ¿eh?
—Seguro.
Babi mete las manos entre las grietas esperando no hacerse daño con ninguna astilla. Un «ay» ahogado. Step sonríe. No ha tenido bastante cuidado. Babi está encima de la valla, pasa por encima de ella y empieza a bajarla. Al final da un salto. Step gira el manillar de la moto hacia ella, iluminándola con el faro.
—Pero ¿qué has hecho?
—Para escapar del perro he saltado la valla y me he caído.
—¿Te has manchado de barro?

—Qué va... es estiércol.

Step suelta una carcajada.

—Dios mío, estiércol... No, no es posible. Me va a dar algo. —No puede parar de reírse.

—Dijiste que no te reirías. Lo prometiste.

—Sí, pero esto es demasiado. ¡Estiércol! No me lo puedo creer. Tú en el estiércol. Es demasiado bonito para ser verdad. ¡No se puede pedir más!

—Sabía que no me podía fiar de ti. Tus promesas no valen nada.

Babi se acerca a la moto. Step deja de reírse.

—¡Alto! Detente. ¿Qué haces?

—¿Cómo que qué hago? Subo.

—Pero bueno, ¿estás loca? ¿Pretendes subir en mi moto en ese estado?

—Claro que sí, si no, ¿qué hago? ¿Me desnudo?

—Ah, no sé. Sea como sea, tú no subes en mi moto así de sucia. ¡Estiércol, por si fuera poco! —Step se echa a reír de nuevo—. Dios mío, no me puedo contener...

Babi lo mira exhausta.

—Oye, es una broma, ¿no?

—En absoluto. Si quieres te doy mi cazadora y así te tapas con ella. Pero quítate antes esa ropa. Si no, te juro que en la moto no subes.

Babi resopla. Está negra de rabia. Pasa por su lado. Step se tapa la nariz, exagerando.

—Dios mío... Es insoportable...

Babi le da un golpe, luego va detrás de la moto, junto al faro posterior.

—Mira, Step. Te juro que si mientras me desnudo te das la vuelta, salto sobre ti con todo el estiércol que tengo encima.

Step sigue con la mirada clavada hacia delante.

—De acuerdo. Dime cuándo te tengo que pasar la cazadora.

—Mira que lo digo en serio. Yo no soy como tú. Yo mantengo mis promesas.

Babi controla por última vez que Step no se dé la vuelta, luego se quita lentamente el suéter, teniendo mucho cuidado para no ensuciarse. Debajo no lleva casi nada. Lamenta no haberse puesto una camiseta para no perder tiempo. Mira de nuevo hacia Step.

—¡No te vuelvas!

—¿Y quién se mueve?

Babi se inclina hacia delante. Se quita las zapatillas. Basta un momento. Step es rapidísimo. Dobla el espejito lateral izquierdo inclinándolo hacia ella, centrándola. Babi se incorpora. No se ha dado cuenta de nada. Lo controla de nuevo. Bien. No se ha dado la vuelta. En realidad, sin que ella se dé cuenta, Step la está mirando. Está reflejada sobre el espejito. Tiene un sostén de encaje transparente y la piel de gallina en los dos brazos. Step sonríe.

—¿Quieres darte prisa, cuánto te falta?

—Ya casi he acabado, pero ¡tú no te des la vuelta!

—Te he dicho que no, no lo repitas más, venga.

Babi se desabrocha los vaqueros. Luego, poco a poco, tratando de ensuciarse lo menos posible, se inclina hacia delante acompañándolos hasta los pies, ahora desnudos sobre aquellas frías piedras polvorientas. Step dobla hacia abajo el espejito siguiéndola con la mirada. Los vaqueros bajan lentamente dejando a la vista sus piernas lisas y pálidas en aquella tenue luz nocturna. Step canturrea *You can leave your hat on*, imitando la voz de Joe Cocker.

—Nada que ver con *Nueve semanas y media...*

Babi se vuelve de golpe. Sus ojos iluminados por el débil farolito rojo se cruzan con la mirada divertida de Step que le sonríe malicioso en el espejito.

—No me he dado la vuelta, ¿no?

Babi se apresura a liberarse de los vaqueros y salta detrás de él sobre la moto en bragas y sostén.

—¡Canalla asqueroso, bastardo! ¡Cerdo! —Lo aporrea. Sobre los hombros, el cuello, la espalda, la cabeza. Step se dobla hacia delante tratando de protegerse lo mejor posible.

—¡Ay, basta! Ay. ¿Qué he hecho de malo? He echado una miradita, pero no me he dado la vuelta, ¿no? He mantenido mi palabra... Ay, mira que no te doy la cazadora.

—¿Qué? ¿Que no me la das? Entonces cojo mis vaqueros y te los paso por la cara, ¿quieres verlo?

Babi empieza a quitarle la cazadora subiéndosela por las mangas.

—Está bien. Está bien. ¡Basta! Cálmate. Venga, no hagas eso. Ahora te la doy.

Step deja que se la quite. Acto seguido, enciende la moto. Babi le da un último puñetazo.

—¡Cerdo! —Luego se mete deprisa la cazadora intentando taparse lo más posible con ella. El resultado es escaso. Las dos piernas se quedan fuera, incluido el borde de las bragas.

—Eh... ¿sabes que no estás mal? Deberías lavarte más a menudo... Pero tienes un culo realmente bonito... En serio.

Ella intenta darle un golpe en la cabeza. Step se inclina inmediatamente riéndose. Mete la primera y arranca. Luego hace como si olfateara el aire.

—Eh, ¿notas tú también un olor extraño?

—¡Imbécil! ¡Conduce!

—Parece estiércol...

En ese momento, de detrás de un arbusto que hay delante que ellos, sale un perro lobo. Corre hacia ellos ladrando. Step lo apunta con la moto. El faro lo deslumbra por un instante. Sus ojos rojos brillan rabiosos en la noche. Muestra los dientes al gruñir, blancos y afilados.

Basta ese instante. Step reduce. Da gas apartándose con la moto. El perro echa a correr de nuevo. Los roza por un pelo saltando lateralmente con la boca abierta. Babi chilla. Levanta las piernas desnudas y se agarra con fuerza a los hombros de Step. El perro casi la alcanza. La moto acelera. Primera. Segunda. Tercera. A todo gas. Se aleja en la noche. El perro la sigue enfurecido. Luego va perdiendo terreno. Al final se para. Se desahoga ladrando a lo lejos. Una nube de polvo y oscuridad lo envuelve gradualmente haciéndolo desaparecer del mismo modo en el que ha aparecido. La moto sigue corriendo en el húmedo frío de los verdes campos. Babi tiene todavía las piernas apretadas alrededor de la cintura de Step. Poco a poco, la moto reduce la marcha. Step le acaricia la pierna.

—Por poco, ¿eh?, y estos bonitos muslos acababan mal. Entonces era cierta la historia del perro...

Babi le quita la mano de la pierna y la hace caer a un lado.

—No me toques. —Se impulsa hacia atrás en el sillín, volviendo a poner los pies sobre los pedales y se cierra la cazadora. Step le pone de nuevo la mano sobre la pierna—. ¡Te he dicho que no me toques con esa mano! —Babi se la quita. Step sonríe y cambia de mano. Babi le aparta también la derecha.

—¿Ni siquiera puedo con esta?

—¡No sé qué es peor si el perro que llevaba detrás o el cerdo que tengo ahora delante! —Step se ríe, sacude la cabeza y acelera.

Babi se cierra aún más la cazadora. ¡Qué frío! ¡Qué noche! ¡Qué lío! Maldita Pallina. Vuelan en la noche. Al final llegan sanos y salvos a casa. Step se para delante de la barra. Babi se vuelve hacia Fiore. Lo saluda. El portero la reconoce y levanta la barra. La moto pasa bajo ella apenas sin esperar a que la barra finalice su recorrido hacia lo alto. Fiore no puede por menos que echar una ojeada a las bonitas piernas de Babi que asoman ateridas por debajo de la cazadora. Lo que hay que ver. En sus tiempos ninguna muchacha salía con minifaldas como esa. Babi ve la puerta metálica del garaje cerrada. Sus padres han vuelto. Un peligro menos. ¿Qué habría podido inventar si la hubieran pillado en aquel momento detrás, sobre la moto de Step y, sobre todo, en ropa interior? Prefiere no pensar en ello, la fantasía no le alcanza. Baja de la moto. Trata de taparse lo más posible con la cazadora. Nada que hacer. Le llega apenas al borde de las bragas.

—Bueno, gracias por todo. Oye, te tiro la cazadora por la ventana.

Step le mira las piernas. Babi se agacha. La chaqueta baja un poco más, pero el resultado sigue siendo muy pobre. Step sonríe.

—Puede que nos veamos otra vez. Veo que tienes argumentos muy interesantes.

—¿Te he dicho ya que eres un cerdo?

—Sí, creo que sí... Entonces, paso a recogerte mañana por la noche.

—No podría. Creo que no podría resistir otra noche como esta.

—¿Por qué, no te has divertido?

—¡Muchísimo! Yo hago siempre la camomila, todas las noches. Procuro que la policía me persiga durante un rato, me arrojo de la moto en medio de un campo desconocido, me dejo perseguir por un perro rabioso y, para acabar, me tiro sobre un montón de estiércol. Luego me revuelvo un poco en él y a continuación regreso a casa en sostén y bragas.

—Con mi cazadora encima.

—Ah, claro, lo olvidaba.

—Y, sobre todo, no me has dicho una cosa.

—¿Qué?

—Que has hecho todo esto conmigo.

Babi lo mira. Qué tipo. Tiene una sonrisa preciosa. Qué lástima que tenga tantos defectos. En lo tocante al carácter. Sobre el físico no tiene nada que objetar. Al contrario. Decide sonreírle. A fin de cuentas, no le supone un gran esfuerzo.

—Sí, tienes razón. Bueno, hasta luego.

Babi hace ademán de alejarse. Step le coge la mano. Esta vez con dulzura. Babi se resiste un poco, luego se deja hacer. Step la atrae hacia él, acercándola a la moto. La mira. Tiene el pelo largo, despeinado, tirado hacia atrás por el viento frío de la noche. Su piel es blanca, está helada. Sus ojos son intensos, buenos. Es guapa. Step desliza una mano bajo la cazadora. Babi abre los ojos como platos, ligeramente asustada, emocionada. Siente subir su mano, extrañamente cálida. Por su espalda, hacia arriba. Se detiene junto al cierre del sostén.

Babi se apresura a llevar su mano detrás. La pone encima de la suya, lo obliga a pararse. Step le sonríe.

—Eres una buena camomila, ¿sabes? Eres valiente, mucho. Así que es cierto que no tienes miedo de mí. ¿Me denunciarás?

Babi asiente.

—Sí —susurra.

—¿En serio?

Babi hace un gesto afirmativo con la cabeza. Step la besa en el cuello, varias veces, con delicadeza.

—¿Lo juras?

Babi asiente una vez más, después cierra los ojos. Step sigue besándola. Sube, roza sus frescas mejillas, sus orejas congeladas. Un soplo caliente y provocativo la hace estremecerse más abajo. Step se acerca al borde rosado de sus labios. Babi suspira temblando. Luego abre la boca, lista para acoger su beso. En ese momento, Step se separa. Babi permanece así por un momento, con la boca entreabierta, los ojos cerrados, embelesados. Los abre de repente. Step está delante de ella con los brazos cruzados. Sonríe. Sacude la cabeza.

—Ay, Babi, Babi. Así no se puede. Soy un cerdo, un animal, una bestia, un violento. Dices, dices, pero al final consientes... y hasta te dejarías besar. ¿Ves cómo eres? ¡Eres una incoherente!

Babi enrojece de rabia.

—¡Y tú un cabrón!

Empieza a darle puñetazos. Step trata de protegerse mientras se ríe.

—¿Sabes a quién me has recordado antes? A un pez rojo que tenía cuando era pequeño. Estabas ahí, con la boca abierta, boqueando. Igual que hacía él cuando le cambiaba el agua y se me caía en el lavabo... —Babi le da una bofetada en plena cara.

—¡Ay! —Step se toca divertido la mejilla—. Mira que te equivocas, con violencia no se consigue nada. ¡Tú también lo dices siempre! No creas que te voy a besar porque me pegues. Puede que, si me prometes que no me denunciarás...

—Yo te denunciaré, claro que sí. ¡Ya lo verás! Acabarás en la cárcel, te lo juro.

—Ya te he dicho que no tienes que jurar... en esta vida nunca se sabe...

Babi se aleja corriendo. La cazadora se le sube dejando al descubierto unas bonitas nalgas cubiertas por unas pequeñas bragas claras. Intenta taparse como puede, mientras mete la llave equivocada en la cerradura del portal.

—Eh, quiero que me des ahora la cazadora.

Babi lo mira con rabia. Se quita la cazadora y la tira al suelo. Se queda en bragas y sostén, en medio de aquel frío, con los ojos llenos de lágrimas. Step la mira complacido. Tiene un bonito cuerpo, nada mal, en serio. Coge la cazadora y se la pone. Babi maldice aquellas llaves. ¿Dónde habrá ido a parar la del portal?

Step enciende un cigarrillo. Tal vez haya hecho mal al no besarla. No demasiado, de todos modos, otra vez será. Babi encuentra finalmente la llave, abre el portal y entra. Step se encamina hacia ella.

—Bueno, pececito, ¿no me das un beso de buenas noches?

Babi le tira prácticamente la puerta a la cara. Step no puede oír lo que le dice a través del cristal, pero lo lee fácilmente en sus labios. Le aconseja o, mejor dicho, le ordena que se vaya a hacer algo a cierto sitio. Step la contempla mientras se aleja. Desde luego, si ese sitio es tan bonito como el que tiene ella, no le importaría darse una vuelta por allí.

Babi abre lentamente la puerta de casa, entra y la vuelve a cerrar sin hacer ruido. Camina de puntillas por el pasillo y se mete en su habitación. ¡Salvada! Pallina enciende la lámpara de la mesita.

—¡Eres tú, Babi! Menos mal, ¡estaba preocupadísima! Pero ¿por qué vas así? ¿Te ha desnudado Step?

Babi coge un camisón del cajón.

—¡He acabado metida hasta las orejas en un montón de estiércol!

Pallina olfatea.

—Es verdad, huele. No sabes el miedo que pasé cuando vi caer aquella moto. Por un momento pensé que eras tú. Eres muy valiente. Genial. Les hemos dado una lección a esas dos fanfarronas. Oye, ¿adónde ha ido a parar mi cinturón de Camomilla?

Babi le lanza una mirada asesina.

—Pallina, no quiero volver a oír hablar de cinturones, de camomilas, de Pollo, de carreras o de otras historias por el estilo. ¿Está claro? ¡Y te aconsejo que te calles, si no te saco a patadas de mi cama y te hago dormir en el suelo, es más, ¡te tiro fuera de casa!

—¡No serías capaz!

—¿Quieres probar?

Pallina la mira. Decide que no conviene ponerla a prueba. Babi se dirige hacia el baño.

—Babi.

—¿Qué pasa?

—Di la verdad. ¿A que te has divertido con Step?

Babi suspira. No hay nada que hacer. Es irrecuperable.

Step salta la verja, atraviesa el jardín sin hacer ruido. Luego se acerca a la ventana. El cierre metálico está abierto. A lo mejor todavía no ha vuelto. Tamborilea con los dedos en el cristal. La cortina clara se abre. En la oscuridad aparece la cara sonriente de Maddalena. Corre la cortina y se apresura a abrir la ventana.

—Hola, ¿dónde estabas?

—Me ha perseguido la policía.

—¿Todo bien?

—Sí, todo bien. Espero que no hayan anotado la matrícula.

—¿Has apagado los faros?

—Claro.

Maddalena se aparta. Step salta ágilmente por la ventana y entra en su habitación.

—No hagas ruido. Mis padres acaban de llegar.

Maddalena cierra con llave la puerta, luego salta sobre la cama. Se mete bajo las sábanas.

—¡Brrr... qué frío! —Le sonríe. Se quita por la cabeza el camisón y lo hace caer a los pies de Step. La débil luz de la luna entra por la ventana. Sus pequeños senos perfectos se distinguen claros en la penumbra. Step se quita la cazadora. Por un momento, le parece sentir el olor del campo. Es extraño, parece mezclarse con otro perfume. No le presta demasiada atención. Se tumba a su lado. Maddalena lo abraza con fuerza. Step desliza su mano hacia abajo, le acaricia la espalda, las caderas. Al subir de nuevo, se detiene entre sus piernas. Maddalena suspira cuando la toca, luego lo besa. Step mete su pierna entre las suyas. Maddalena lo detiene. Se acerca a la mesita. Encuentra a tientas el estéreo. Aprieta REW. Rebobina una cinta. Un ruido seco le avisa que está de nuevo al principio. Maddalena aprieta PLAY.

—Ya está.

Vuelve de nuevo a sus brazos.

—Ahora sí que no nos falta de nada. —Lo besa con pasión. De los altavoces del estéreo salen como en un murmullo las notas de la canción *Ti sposeró perché*. La voz de Eros acompaña dulcemente sus suspiros.

Es cierto, puede que sea ella la mujer que le va. Maddalena sonríe. Susurra entre el fresco crujido de las sábanas:

—Esta es una de las veces en las que hay que saber moverse... ¿verdad?

—Así es.

Step le besa el pecho. Está seguro. Madda es la mujer que le va. Luego, de repente, recuerda el extraño perfume de su cazadora. Es Caronne. Recuerda también a quién pertenece. Y, por un momento, en la oscuridad de aquella habitación, deja de estar tan seguro.

26

Un ruido insistente. El despertador.

Pallina lo apaga. Se desliza silenciosa fuera de la cama y se viste. Mira a Babi. Apenas se ha movido y duerme tranquila boca arriba. Pallina se acerca a la pequeña repisa de madera que hay colgada en la pared. U2, All Saints, Robbie Willliams, Elisa, Tiziano Ferro, Cremonini, Madonna. Hace falta algo realmente especial. Ahí está. Controla el volumen y lo baja. Luego roza apenas el botón de PLAY. *Settemila caffè*. Britti empieza a cantar dulcemente. El volumen es el adecuado. Babi abre los ojos. Se da la vuelta sobre el almohadón hasta quedar boca abajo. Pallina le sonríe.

—Hola.

Babi se vuelve hacia el otro lado. Su voz le llega un poco ahogada.

—¿Qué hora es?

—Las siete menos cinco.

Pallina se acerca a ella y le da un beso en la mejilla.

—¿Hacemos las paces?

—Como mínimo necesito un cruasán al chocolate de Lazzareschi.

—No hay tiempo, mi madre llegará dentro de nada y tengo que ir a hacerme el análisis.

—Entonces no hay paz que valga.

—Anoche fuiste muy valiente.

—He dicho que no quiero volver a oír hablar de eso.

Pallina alarga los brazos.

—Está bien, como quieras. Eh, ¿qué le digo a tu madre si me la encuentro al salir?

—Buenos días.

Babi le sonríe y tira hacia arriba de la sábana. Pallina coge la bolsa con los libros y se la echa al hombro. Está feliz, han hecho las paces. Babi es estupenda y, además, ahora es una camomila. Pallina cierra con cuidado la puerta, como un rayo, cruza de puntillas el pasillo. La puerta de casa todavía está cerrada con llave. Descorre el cerrojo y, justo cuando está a punto de salir, oye una voz a sus espaldas.

—¡Pallina!

Es Raffaella, con una bata rosa, la cara sin maquillar, ligeramente pálida y, sobre todo, estupefacta. Pallina decide seguir el consejo de Babi y con un «Buenos días, señora» desaparece por las escaleras. Sale del portal y llega hasta la verja. Su madre todavía no ha llegado. Se sienta en el muro a esperarla. Un tibio sol asciende frente a ella, el encargado de la gasolinera quita la cadena a los surtidores, algunos señores salen apresuradamente del quiosco que hay enfrente, llevando bajo el brazo el peso de noticias más o menos catastróficas.

A la luz del día, no le cabe ya la menor duda. No le gustaría que Raffaella fuera su madre, para nada, aunque sea mucho más puntual que la suya.

Babi entra en el baño. Se cruza con su cara en el espejo. No es de las mejores. Hacer de camomila no favorece, por lo menos a ella. Abre el grifo del agua fría, la deja correr durante un rato, luego se lava enérgica la cara.

Daniela aparece detrás de ella.

—¡Cuéntame todo! ¿Cómo fue? ¿Cómo es el invernadero? ¿Es de verdad tan divertido como dicen? ¿Viste a alguna de nuestras amigas?

Babi abre el tubo de pasta de dientes, empieza a apretarlo por el fondo tratando de hacer desaparecer la huella del pulgar de Daniela que lo ha abollado justo en la mitad.

—Es una tontería. Un grupo de macarras que arriesga inútilmente la vida y de vez en cuando alguno de ellos llega incluso a perderla.

—Sí, pero ¿hay tanta gente? ¿Qué hacen? ¿Adónde se va después? ¿Has visto qué guays, las camomilas? Qué valor, ¿eh? ¡Yo no sería capaz de hacerlo!

—Yo lo he hecho...

—¿De verdad? ¿Has hecho de camomila? ¡Guau! Mi hermana es una camomila.

—Bueno, tampoco es para tanto, te lo aseguro, y, ahora, tengo que prepararme.

—¡Siempre haces lo mismo! Contigo una no se puede dar nunca el gusto. ¿De qué sirve tener una hermana mayor si luego nunca te cuenta nada? ¡De todas formas, Andrea y yo hemos decidido ir la semana que viene! ¡Y si tengo ganas, yo también haré la camomila! —Daniela sale resoplando del baño. Babi se ríe para sus adentros, acaba de lavarse los dientes y luego coge el cepillo. Es imposible. Daniela se ha vengado a distancia. Algunos pelos largos y negros yacen inmóviles y enredados entre las púas. Babi los coge con la mano y los arroja al váter. Luego tira de la cadena y empieza a peinarse.

Daniela vuelve a aparecer en la puerta.

—¿Dónde has puesto las Superga que te presté ayer por la noche?

—Las he tirado.

—¿Cómo que las has tirado? ¿Mis Superga nuevas...?

—Lo que has oído, las he tirado. Acabaron dentro de un montón de estiércol y estaban tan estropeadas que no me quedó más remedio que tirarlas. Además, si no lo hacía, Step no me quería acompañar a casa.

—¿Has acabado en un montón de estiércol y después Step te ha acompañado a casa? ¿Y cuándo has hecho de camomila?

—Antes.

—¿Detrás de Step?

—No.

Daniela sigue descalza a Babi hasta su habitación.

—Pero bueno, Babi, ¿me cuentas cómo ha ido?

—Oye, Dani, hagamos un pacto, si a partir de hoy limpias el cepillo después de haberte peinado con él, yo te lo cuento todo dentro de unos días, ¿vale?

Daniela resopla.

—De acuerdo.

Luego vuelve a su habitación. Babi se pone el uniforme. No le contará nunca nada, lo sabe ya. Puede que Daniela limpie el cepillo por unos días, eso es todo. Es superior a sus fuerzas.

Raffaella entra en la habitación de Babi.

—¿Pallina ha dormido aquí?

—Sí, mamá.

—¿Dónde?

—En mi cama.

—Pero ¿cómo es posible? Cuando entré ayer en tu habitación para darte un beso estabas solo tú.

—Llegó más tarde. No podía quedarse en su casa porque su madre daba una cena.

—¿Y dónde estuvo antes?

—No lo sé.

—Babi, no quiero ser responsable también por ella. Piensa que si le hubiera pasado algo mientras que su madre creía que estaba en nuestra casa...

—Tienes razón, mamá.

—La próxima vez quiero saber antes si se queda a dormir con nosotros.

—Pero si yo te lo dije, antes de que te fueras a casa de los Pentesti, ¿no te acuerdas?

Raffaella se queda pensativa por un momento.

—No, no me acuerdo.

Babi le sonríe ingenuamente como diciendo «¿y yo qué puedo hacer?». En cualquier caso, sabe que es imposible que se acuerde. No se lo dijo.

—No me gustaría tener una hija como Pallina. Siempre está en la calle por la noche y a saber en qué líos se mete. No me gusta esa chica, acabará mal, ya lo verás.

—No hace nada malo, mamá, le gusta divertirse, pero te aseguro que es buena.

—Lo sé, pero yo te prefiero a ti.

Raffaella le sonríe y le hace una caricia bajo la barbilla, luego sale de la habitación. Babi sonríe. Sabe cómo tratarla. Es un período, sin embargo, en el que dice muchas mentiras. Se propone dejar de hacerlo. Pobre Pallina, incluso cuando no tiene nada que ver resulta culpable. Decide perdonarla. Todavía queda por arreglar el problema de Pollo, desde luego, pero todo a su debido momento. Se pone la falda. Se para delante del espejo, se recoge el pelo, despejando la cara, y lo sujeta con dos pequeños ganchos a ambos lados. Se contempla mientras el *Zingaro felice* sale del estéreo. Babi nota cuánto se parece a su madre. No, aunque se enterase de todo lo que ha organizado, Raffaella no la cambiaría nunca por Pallina, se parecen demasiado.

Es uno de esos raros casos en los que, incluso sin saberlo, todos están de acuerdo.

El sol se filtra alegre por la ventana de la cocina. Babi acaba de comer sus galletas integrales y bebe la última gota de café con leche que ha dejado adrede en la taza. Daniela excava a conciencia. Su cucharita se agita nerviosa en la cajita de plástico de un pequeño flan, tratando de atrapar irritada el último trozo de chocolate que se esconde una de las grietas del fondo. Raffaella ha comprado casi todo lo que habían escrito en la lista. Claudio está feliz. Puede que a causa de algún horóscopo positivo pero lo más probable es que sea porque, finalmente, ha conseguido beberse el ansiado café. Ha ahorrado incluso sobre la cafetera grande.

—Babi, hoy hace un día precioso. Hay un sol... y no creo que haga mucho frío. He hablado ya con tu madre y estamos de acuerdo. Aunque te hayan puesto esa nota... ¡Hoy podéis ir en Vespa al colegio!

—Gracias, papá, sois muy buenos. Pero, sabes, he pensado

mucho en lo que hablamos el otro día, y puede que tú también tengas razón. Ir por la mañana al colegio, juntos, Daniela, tú y yo se ha convertido ya en casi un rito, en un amuleto. Y, además, es un bonito momento: podemos hablar de todo, comenzar juntos el día; es mucho más agradable así, ¿no te parece?

Daniela no puede creer lo que oye.

—Babi, perdona, vayamos en Vespa. Con papá podemos hablar siempre, podemos estar juntos por la noche mientras cenamos, el domingo por la mañana.

Babi le aprieta el brazo, quizá demasiado fuerte.

—Pero, no, Dani, es mejor así, en serio, vamos con él. —Se lo aprieta de nuevo—. Acuérdate, además, de lo que te dije ayer por la noche: no me encuentro muy bien. A partir de la semana que viene iremos en Vespa, para entonces hará más calor. —Este último apretón no deja lugar a dudas. Es un mensaje. Daniela es realmente una muchacha intuitiva, más o menos.

—Sí, papá, Babi tiene razón, vamos contigo.

Claudio bebe feliz el último sorbo de café. Es bonito tener dos hijas así. No sucede a menudo que uno se sienta tan querido.

—Está bien, chicas, en ese caso vamos, si no llegaremos tarde al colegio. —Claudio va al garaje a coger el coche mientras Babi y Daniela se quedan esperándolo en el portal.

—¡Finalmente lo has entendido! ¿Acaso querías que te rompiera el brazo?

—Me lo podías haber dicho antes, ¿no?

—¿Y yo qué sabía que hoy nos dejarían ir en Vespa?

—Pero ¿por qué, no la quieres usar?

—Fácil, porque no está.

—¿No está la Vespa? ¿Y dónde está? ¿No saliste con ella ayer por la noche?

—Sí.

—¿Y entonces? ¿Te caíste también con la Vespa en el estiércol y la has tirado?

—No, la dejé en el invernadero, y cuando volvimos ya no estaba.

—¡No te creo!

—Créeme.

—¡No quiero creérmelo! Mi Vespa.

—Si es por eso, me la regalaron a mí.

—Sí, pero ¿quién la trucó? ¿Quién hizo cambiar el colector? El año que viene papá y mamá te comprarán el coche y la moto habría sido para mí. No me lo puedo creer.

Claudio frena delante de ellas. Baja la ventanilla eléctrica.

—Babi, ¿se puede saber dónde está la Vespa? No está en el garaje.

Daniela cierra los ojos, ahora sí que no le queda más remedio que creérselo.

—Nada, papá, la he puesto detrás, en el patio. Te molesta mucho para maniobrar. Creo que es mejor dejarla fuera.

—¿Bromeas? Métela enseguida dentro. ¿Y si luego te la roban? Mira que tu madre y yo no tenemos ninguna intención de compraros otra. Métela enseguida, venga. Ten, aquí tienes las llaves.

Daniela sube detrás mientras Babi se aleja hacia el garaje fingiendo buscar la llave justa. Una vez en el patio, Babi se pone a pensar. ¿Y ahora qué hago? Tengo que encontrar la Vespa antes de esta noche. Si no, tendré que buscar otra solución. Maldita Pallina, ella me metió en este lío y ella será la que me saque de él. Babi oye el ruido del Mercedes que llega hasta allí haciendo marcha atrás. Corre hacia el garaje. Se inclina sobre la puerta metálica. Justo a tiempo. El Mercedes se asoma por la esquina y se para allí delante. Babi finge cerrar el garaje y se dirige sonriendo hacia el coche.

—Ya está, la he puesto en su sitio.

A pesar de que Babi se considera una actriz consumada, quizá sea conveniente encontrar la Vespa lo antes posible. Mientras sube al coche, nota que la observan. Alza los ojos. Tiene razón.

El chico que vive en el segundo piso está asomado. Debe

de haberlo visto todo. Mejor dicho, en realidad no ha visto nada, precisamente por eso tiene ese aire de perplejidad. Ella le sonríe tratando de tranquilizarlo. Él le devuelve la sonrisa, pero es evidente que hay algo que no entiende.

El Mercedes se pone en marcha. Babi devuelve las llaves a su padre y le sonríe.

—¿La has pegado bien contra la pared?

—Sí. Ahora es imposible que te moleste. —Babi se vuelve hacia Daniela. Está sentada con los brazos cruzados. Negra. —Venga, Dani, ¡iremos al colegio en Vespa la semana que viene!

—Eso espero.

El Mercedes se detiene a la salida de la urbanización delante de la barra que empieza a alzarse lentamente. Claudio saluda al portero quien le hace una señal para que se pare un momento. Sale de su garita con un paquete en la mano.

—Buenos días, señor, perdone, han dejado este paquete para Babi.

Babi lo coge curiosa. El Mercedes arranca dulcemente de nuevo mientras la ventanilla se cierra. Daniela se inclina hacia delante muerta de curiosidad. También Claudio mira de reojo para ver de qué se trata. Babi sonríe.

—¿Quién quiere un trozo? Es un cruasán de chocolate de Lazzareschi.

Babi parte el cruasán con las manos.

—¿Papá? —Claudio hace un gesto negativo con la cabeza.

—¿Dani?

—No, gracias. —Tal vez esperaba que en aquel paquete hubiera noticias de «su Vespa».

—Mejor, así me lo como todo yo. No sabéis lo que os estáis perdiendo... —Pallina es realmente un encanto, siempre sabe cómo hacerse perdonar. Ahora solo le queda encontrar la Vespa antes de las ocho.

27

Las chicas charlan alegres a la entrada del colegio esperando que suene el timbre. Babi y Daniela bajan del coche y se despiden de su padre. El Mercedes se aleja en medio del tráfico de la plaza Euclide. Un grupo de chicas las rodea de inmediato.

—Babi, ¿es verdad que anoche estuviste en el invernadero y que hiciste de camomila?

—¿Un policía te cogió por el pelo, Step lo tiró al suelo y los dos os escapasteis en su moto?

—¿Es verdad que murieron dos chicos? —Daniela escucha asombrada. La Vespa no ha sido sacrificada en vano. Aquello sí que es gloria. Babi está estupefacta. ¿Cómo se pueden haber enterado ya de todo? Bueno, de casi todo. La historia del estiércol, afortunadamente, sigue siendo un secreto. El timbre la salva. Mientras sube las escaleras responde con vaguedad a algunas preguntas de sus amigas más simpáticas. Es un hecho. Aquel día es una celebridad. Daniela se despide de ella con afecto.

—¡Hasta luego, Babi, nos vemos en el recreo!

Increíble. Desde que van juntas al colegio no se lo ha dicho nunca. Mira alejarse a su hermana rodeada de algunas amigas. Todas caminan a su lado haciéndole mil preguntas. También ella está disfrutando de su momento de fama. Es justo, en el fondo ha perdido sus Superga. Solo espera que no cuente lo del estiércol.

Un cura joven procedente de una parroquia cercana se sienta a la mesa del profesor. Es la primera hora, la de religión. La diversión preferida de todas las alumnas es meterlo en apuros con preguntas sobre el sexo y sobre las relaciones prematrimoniales. Le cuentan desinhibidas ejemplos precisos y hechos acaecidos a amigas tremendas y misteriosas que la mayor de las veces resultan ser ellas mismas. Prácticamente, aquella hora de religión se ha transformado en una verdadera y auténtica hora de educación sexual, una materia en la que todas habrían sacado un completo aprobado.

El cura trata de eludir una pregunta bien precisa sobre su vida privada antes de hacer sus votos. Abre la Biblia interrumpiendo de este modo el gran interés que se ha originado alrededor de sus improbables pecados. Babi hojea su cuaderno. Después tienen griego.

La Giacci pregunta. Está a punto de concluir el último trimestre antes de los exámenes de selectividad. Una vez que hayan salido los temas no habrá más interrogatorios. Controla los puntitos. Faltan solo tres para completar la vuelta. Serían ellas las «afortunadas». Babi lee los nombres. Le toca de nuevo a Festa. Pobre. Menuda semana. Babi se vuelve hacia ella. Está con las manos apoyadas en las mejillas y mira hacia delante. Babi la llama con un susurro. Silvia la oye.

—¿Qué pasa?

—Mira que hoy la Giacci te pregunta en griego.

—Ya lo sé. —Silvia esboza una sonrisa, a continuación coge de la espalda de la compañera que tiene delante el libro que ha apoyado sobre ella. Es el de gramática griega—. Estoy repasando. —Babi le sonríe. Para lo que le va a servir. Tal vez hubiera sido mejor atender en la clase de religión. De hecho, solo un milagro podrá salvarla. Suena el timbre. El curita se aleja. Lleva con él una maletita de piel lisa y oscura y lo acompañan también sus últimas dudas. Su modo de andar es una sincera confesión. Si de joven ha cometido algún pecado, ellas, las chicas en general, no habrán tenido seguramente nada que ver.

—¡Hola, Babi!
—¡Pallina! ¿Cómo estás?
Pallina pone la bolsa con los libros sobre el pupitre de Babi.
—¡Bien, con un litro menos de sangre!
—Es verdad. ¿Cómo ha ido el análisis?
Pallina se arremanga la camisa azul claro del uniforme enseñando su pálido brazo.
—¡Mira aquí! —Le indica una tirita con la punta ligeramente roja de sangre—. Esto no es nada. No sabes lo que le ha costado al médico encontrarme la vena. Dos horas. Me ha pinchado por todas partes y no paraba de darme pellizcos en el brazo, según él para encontrarme la vena. Yo creo que solo quería hacerme daño, me odia. Ese médico me ha odiado siempre. Luego se puso a hablar sin parar. Clásico, para que dejes de pensar en la jeringuilla. ¡Me dice que tengo unas venas reales, la sangre azul, que debo de ser una princesa! ¡Y luego zas! Me mete a traición la aguja en el brazo. Pero se la he hecho yo ver, a la princesa. Le he soltado un «Joder...».
—¡Pallina!
—Tú eres más amable. Mi madre me ha dado una bofetada en la boca... No sé quién me ha hecho más daño, si ella o el médico. Mira que los odio, cuando te asusta el dolor físico, solo quieres silencio a tu alrededor, pero esos no lo entienden. Imagínate que cuando salíamos se ha hecho el gracioso con mi madre. —Pallina remeda la voz—. «De algo puede estar segura, señora, con esas venas su hija difícilmente conseguirá drogarse.» Horrible, hace que a una le entren ganas de vomitar. La única cosa buena de todo esto es que luego mi madre me ha llevado a desayunar al Euclide. ¡Me he comido un buñuelo con nata que estaba para morirse! Por cierto, ¿te han entregado mi paquete?
—¡Sí, gracias!
—No, lo digo porque tu portero tiene la cara de uno que tiene que saber siempre lo que hay en el paquete que le dejas.

Es peor que un aparato de rayos X... Se ve que todavía estoy alterada por el análisis, ¿eh?

—Bastante.

—Entonces, ¿no se lo comió él, el cruasán de Lazzareschi?

—No —dice Babi sonriendo.

—¿Me has perdonado?

—Casi.

—¿Cómo que casi? ¿Qué pasa, te tenía que haber dejado dos?

—No, tienes que encontrar mi Vespa antes de las ocho.

—¿Tu Vespa? ¿Y cómo lo hago? A saber dónde ha acabado. ¿Quién la tiene? ¿Quién la ha cogido? ¿Qué puedo saber yo?

—¿Y yo qué sé? Tú sabes siempre todo. Estás bien introducida en el ambiente. Eres la «mujer» de Pollo. Una cosa está clara, cuando mi padre vuelva esta noche a las ocho la Vespa tiene que estar en el garaje...

—¡Lombardi! —La Giacci está en la puerta—. Vaya a su sitio, por favor.

—Sí, disculpe, maestra, estaba preguntando lo que habían hecho durante la hora de religión.

—Lo dudo... En cualquier caso, vaya a sentarse. —La Giacci llega hasta su mesa. Pallina coge la bolsa de los libros. Babi la detiene.

—Tengo una idea. No es necesario encontrar mi Vespa, al menos no de inmediato.

Pallina sonríe.

—Menos mal. ¡Era imposible! Pero ¿qué vas a hacer? Cuando tu padre llegue y no la encuentre en el garaje, ¿qué le vas a decir?

—Mi padre encontrará la Vespa en el garaje.

—¿Y cómo?

—Fácil, meteremos la tuya.

—¿Mi Vespa?

—Claro, para mi padre son idénticas, no se dará nunca cuenta.

—Sí, pero yo cómo...

—¡Lombardi!

A Pallina no le da tiempo a contestar.

—Esa lección de religión debe de haber sido interesantísima. Venga aquí mientras tanto y enséñeme la justificación. —Pallina se echa la bolsa al hombro y lanza una última mirada a Babi.

—Hablamos luego.

Pallina va hasta la mesa de la profesora. Saca el cuaderno y lo abre en la página de las justificaciones. La Giacci se lo quita de las manos. Lo lee y lo firma.

—Ah, bien, veo que le han hecho unos análisis. A usted lo que le tendrían que hacer es una transfusión de cultura. Nada de extracciones de sangre.

Catinelli, como buena empollona y pelota que es, ríe al oír aquella broma. Pero lo hace tan mal que hasta a la Giacci le molesta aquella fingida alegría.

—Ah, hay otra persona que debería enseñarme el cuaderno firmado. —La Giacci mira con ironía en dirección a Babi—. ¿No es verdad, Gervasi?

Babi le lleva el cuaderno abierto por la comunicación firmada. La Giacci lo controla.

—Bueno, ¿qué ha dicho su madre?

—Me ha castigado. —No es verdad, pero no le importa concederle una victoria redonda.

De hecho, la Giacci pica el anzuelo.

—Ha hecho bien. —Luego, se dirige al resto de la clase—: Es importante que vuestros padres sepan valorar el trabajo que realizamos nosotros, los profesores, y que lo apoyen por completo. —Todas asienten—. Su madre, Gervasi, es una mujer muy comprensiva. Sabe perfectamente que lo que hago, lo hago solo por su bien. Tenga. —Le entrega de nuevo el cuaderno. Babi vuelve a su sitio. Extraño modo de quererme, un dos en latín y una comunicación a mis padres. ¿Qué habría hecho si me odiara? La Giacci saca de su vieja bolsa de piel de gamuza los ejercicios de griego doblados por la mitad.

Se abren crujiendo insolentes sobre la mesa, difundiendo

por la clase la mágica duda de haber alcanzado por lo menos el aprobado.

—Les anuncio que se ha producido una masacre. Espero por ustedes que no salga el griego en el examen de selectividad. —Todas están tranquilas. Saben ya la materia: latín. Fingen ignorarlo. En realidad, aquella podría haber sido muy bien una clase de actrices. Papeles dramáticos, a juzgar por el momento.

—Bartoli, tres. Simoni, tres. Mareschi, cuatro. —Una detrás de otra, las muchachas van hasta la mesa para retirar sus ejercicios con silenciosa resignación.

—Alessandri, cuatro. Bandini, cuatro. —Es una especie de procesión fúnebre. Todas vuelven a sus asientos y abren de inmediato su ejercicio tratando de entender la razón de todos aquellos signos en rojo. Tarea completamente inútil, al igual que su fallido intento de traducción.

—Sbardelli, cuatro y medio. —Una muchacha se levanta haciendo el signo de la victoria. De hecho, para ella lo es. Estaba abonada al cuatro. Aquel medio punto de más es un auténtico récord.

—Carli, cinco. —Una muchacha pálida, con gafas gruesas y pelo grasiento, acostumbrada desde siempre al siete, palidece. Se levanta del pupitre y avanza con paso lento hacia la mesa de la profesora preguntándose dónde puede haberse equivocado. Un estremecimiento de alegría recorre el resto de los pupitres. Es una de las empollonas de la clase y jamás deja los deberes.

—¡Venga! —le susurra Pallina cuando aquella desgraciada pasa por su lado. La Giacci entrega el ejercicio a Carli. Parece lamentarlo sinceramente.

—¿Qué te ha pasado? ¿No te encontrabas bien? ¿O es que esta clase de analfabetas ha conseguido contagiarte también a ti?

La muchacha esboza una sonrisa. Y con un débil «Sí, no me encontraba demasiado bien», vuelve a su sitio. Algo es seguro. Ahora está realmente mal. Ella, la Carli. La misma de las traducciones imposibles, sacar un cinco. Abre el ejercicio. Lo relee rápidamente, enseguida encuentra el trágico error. Da un puñetazo en el pupitre. ¿Cómo ha podido confundirse? Se lleva las manos al pelo sinceramente desesperada. La felicidad de la clase alcanza cotas increíbles.

—Benucci, cinco y medio. Salvetti, seis. —Ya pasó. Las alumnas que todavía no han retirado sus ejercicios exhalan un suspiro. De ahora en adelante, el aprobado es seguro. La Giacci entrega los deberes en orden creciente, primero da las notas peores para, a continuación, ascender progresivamente hasta el aprobado y hasta unos cuantos sietes y ochos. Ahí se detiene. Nunca ha puesto una nota más alta. Incluso el ocho es un acontecimiento nada desdeñable.

—Marini, seis. Ricci, seis y medio. —Algunas chicas esperan tranquilas su nota, acostumbradas a encontrarse en la parte alta de la clasificación. Pero para Pallina esto es un auténtico milagro. Apenas se lo puede creer. ¿Ricci seis y medio? Eso quiere decir que le ha puesto al menos aquella nota, puede que incluso más. Se imagina volviendo a casa a comer y diciéndole a su madre: «Mamá, me han puesto un siete en griego». Se desmayaría. La última vez que sacó un siete fue en historia, con Colón. Cristóbal le gusta muchísimo, desde que vio una foto suya en un libro que lo retrataba con un pañuelo rojo al cuello. Un verdadero líder. Viajero, decidido, un hombre de pocas palabras. Y además, mal que bien, el primero en haber ido a América. Fue él el que puso de moda Estados Unidos. Pensándolo bien, entre él y Pollo hay un ligero parecido.

—Gervasi, siete. —Pallina sonríe contenta por su amiga.

—Venga, Babi. —Babi se vuelve hacia ella y la saluda. Por una vez no tiene que lamentar haber sacado mejor nota que Pallina.

—Lombardi. —Pallina salta fuera del pupitre y se dirige con paso rápido hacia la mesa. Está eufórica. A esas alturas, tiene que haber sacado por lo menos un siete.

—Lombardi, cuatro. —Pallina se queda sin habla.

—Su ejercicio debe de haber acabado por error entre estos —se disculpa la Giacci sonriendo. Pallina lo recoge y regresa a su asiento. Por un momento, se lo había creído. Habría sido estupendo sacar un siete. Se sienta. La Giacci la mira sonriendo, luego se pone a leer de nuevo las notas de los últimos ejercicios. Lo ha hecho adrede, la muy cabrona. Pallina está segura. Los ojos se le anegan de lágrimas a causa de la rabia. Caramba, ¿cómo ha podido tragárselo? Siete en una traducción de griego, es imposible. Tenía que haberse imaginado que allí había gato encerrado. Oye un susurro a su derecha. Se vuelve. Es Babi. Pallina intenta sonreír con escasos resultados. Luego sorbe por la nariz. Babi le enseña un pañuelo. Pallina asiente. Babi lo anuda y se lo tira. Pallina lo coge al vuelo. Babi se inclina hacia ella.

—¡Llorona! Tendrías que hacer la camomila. Después de eso, el resto te parece una tontería.

Pallina se echa a reír bien a gusto. La Giacci la mira enojada. Pallina levanta la mano para disculparse, luego se suena y, aprovechando que tiene el pañuelo delante de la cara levanta el dedo del medio. Algunas compañeras que hay a su lado la ven y se echan a reír divertidas.

La Giacci da un puñetazo a la mesa.

—¡Silencio! Ahora pasaré a las preguntas.

Abre la lista.

—Salvetti y Ricci.

Las dos alumnas van hasta su mesa, entregan los cuadernos y esperan en la pared listas para ser fusiladas a preguntas. La Giacci mira de nuevo la lista. «Servanti.» Francesca Servanti se levanta de su pupitre aturdida. Ese día no le tocaba a ella. Tenía que preguntar a Salvetti, Ricci y Festa. Todas lo saben. Va en silencio hasta la mesa y entrega su cuaderno tratando de disimular su desesperación. En realidad, resulta bastante evidente. No se ha preparado mínimamente. La Giacci recoge los cuadernos y hace una pila con ellos, alineando sus bordes con ambas manos.

—Bien, con vosotras acabo la ronda de preguntas, luego

espero poder dar por concluido el griego. Estudiaremos más latín. Bueno, os lo quería decir... Lo más probable es que sea esta la materia que salga...

Menudo descubrimiento, piensa para sus adentros la mayoría de la clase. Solo una de las alumnas sigue dándole vueltas a otra cosa. Silvia Festa. ¿Por qué la Giacci no la ha llamado? ¿Por qué no le ha preguntado a ella en lugar de a Servanti, como habría sido lo justo? ¿Es posible que la Giacci esté planeando algo para ella? Y eso que su situación no es de las mejores. Tiene dos cincos y no es realmente el caso de empeorarla. Por otra parte, la profesora no se puede haber equivocado. La Giacci no se equivoca nunca. Esta es una de las reglas de oro del Falconieri.

Silvia Festa necesita su tercera interrogación que, además, le corresponde. Procurando que no la vean, trata de llamar la atención de Babi.

—Lo siento, no sé qué decirte. Yo también creo que debería preguntarte a ti.

—¿Qué quieres decir? ¿Que la Giacci se ha equivocado?

—Puede. Pero ya sabes cómo es. Mejor no decírselo.

—Sí, pero si no se lo decimos no me admitirán en los exámenes.

Babi abre los brazos.

—No sé qué hacer.

Lo siente de veras. Empieza el interrogatorio. Silvia se agita nerviosa en su pupitre. No sabe cómo comportarse. Al final, se decide a intervenir. La Giacci la ve.

—Sí, Festa, ¿qué pasa?

—Disculpe, profesora. No quiero molestarla. Pero creo que a mí me falta la tercera interrogación. —Festa sonríe intentando que pase inobservado el hecho de que, de este modo, la está acusando de haberse equivocado. La Giacci resopla.

—Veamos. —Coge dos cuadernos para comprobarlo. Casi parece que esté jugando a las batallas navales, solo que sobre la lista.

—Festa... Festa... Aquí está: le pregunté el dieciocho de marzo y, naturalmente, tiene una nota negativa. ¿Satisfecha? Es más —controla las otras notas—, no sé si será admitida a los exámenes.

Un triste «gracias» sale de la boca de Silvia. Prácticamente, la han hundido. La Giacci retoma su interrogatorio con aire altanero. Babi controla su cuaderno. Dieciocho de marzo. De hecho, la fecha en la que interrogó a Servanti. No hay duda. La Giacci se debe de haber equivocado. Pero ¿cómo puede probarlo? Es su palabra contra la de la profesora. Significaría otra comunicación. Pobre Festa, qué mala suerte. De este modo se juega realmente el año. Abre las hojas de las otras materias. Dieciocho de marzo. Es un jueves. Controla también el resto de las lecciones. Qué extraño, aquel día a Festa no le preguntaron en las otras asignaturas. Puede que sea una casualidad, pero también es posible que no. Se inclina sobre el pupitre.

—Silvia.

—¿Qué pasa? —Festa parece destrozada. No es para menos, pobrecita.

—¿Me pasas tu cuaderno?

—¿Por qué?

—Quiero ver una cosa.

—¿El qué?

—Luego te lo digo... Pásamelo, venga.

Por un momento, una triste luz de esperanza se enciende en los ojos de Silvia. Le pasa el cuaderno. Babi lo abre. Va hasta las últimas páginas. Silvia la mira esperanzada. Babi sonríe. Se gira hacia ella y le devuelve el cuaderno.

—¡Tienes suerte! —Silvia esboza una sonrisa. No parece muy convencida.

Babi levanta repentinamente la mano.

—Perdone, profesora...

La Giacci se vuelve hacia ella.

—¿Qué pasa, Gervasi? ¿A ti tampoco te he preguntado? ¡Hoy estáis realmente pesadas, eh, muchachas...! Venga, ¿qué pasa?

Babi se levanta. Permanece por un instante en silencio. Los ojos de la clase están clavados en ella. Sobre todo los de Silvia. Babi mira a Pallina. También ella, como las otras, espera curiosa. Le sonríe. En el fondo, es justo hacerlo. La Giacci ha puesto adrede el ejercicio de Pallina entre aquellos que habían recibido un siete.

—Le quería decir, profesora, que se ha equivocado.

Un murmullo general recorre la clase. Las alumnas se revuelven. Babi mantiene la calma.

La Giacci enrojece de rabia pero no pierde el control.

—¡Silencio! ¿Ah, sí, Gervasi, y se puede saber en qué?

—Usted no puede haber preguntado a Silvia Festa el dieciocho de marzo.

—Cómo que no, está escrito aquí, en mi lista. ¿Lo quiere ver? Aquí está, dieciocho de marzo, un menos para Silvia Festa. Empiezo a pensar que a usted le gustan las comunicaciones.

—Esa nota es de Francesca Servanti. Se equivocó usted al escribirla y se la puso a Festa.

La Giacci parece explotar de rabia.

—¿Ah, sí? Bueno, ya sé que usted lo marca todo en su diario. Pero es su palabra contra la mía. Y si yo digo que ese día le pregunté a Festa, eso quiere decir que es así y basta.

—Yo, en cambio, le digo que no. Se ha equivocado usted. El dieciocho de marzo no puede haber interrogado a Silvia Festa.

—¿Ah, sí? ¿Y por qué?

—Porque ese día Silvia Festa estaba ausente.

La Giacci palidece. Coge la lista general y empieza a hojearlo hacia detrás, fuera de sí. Veinte, diecinueve, dieciocho de marzo. Controla frenética las ausencias. Benucci, Marini, ahí está. La Giacci se encoge en su silla. Apenas puede creer lo que ve. Festa. Ese apellido escrito por su propia mano, impreso con letras de fuego. Su vergüenza. Su error. Es suficiente. La Giacci mira a Babi. Está destrozada. Babi se sienta lentamente. El resto de sus compañeras se vuelve a turnos hacia ella. Un susurro general se va alzando poco a poco en la clase.

—¡Bien hecho, Babi, bien hecho! —Babi finge no oírlas. Pero aquel gradual murmullo llega a oídos de la Giacci; esas palabras se clavan en ella como terribles agujas de hielo, frías, punzantes, como el peso de aquella derrota. Hacer el ridículo de esa manera delante de la clase. Y, por si fuera poco, aquellas frases graves que apenas alcanza a pronunciar, que no hacen sino recalcar el error.

—Servanti vaya a su sitio. Venga, Festa. —Babi baja la mirada sobre el pupitre. Se ha hecho justicia. Luego levanta la cara poco a poco. Mira a Pallina. Sus miradas se cruzan y mil palabras vuelan silenciosas entre aquellos dos pupitres. A partir de hoy la Giacci se puede equivocar. La legendaria regla de oro hecha añicos. Cae, resquebrajándose en mil pedazos como un frágil cristal que se ha deslizado de las manos de una criada joven e inexperta. Pero Babi no ve a ninguna patrona enojada. Dondequiera que mire, solo ve los ojos felices de sus compañeras, orgullosas y divertidas por su valentía. Acto seguido mira más lejos. La Giacci no le quita ojo. Su mirada, carente de expresión, tiene la dureza de una piedra gris sobre la cual han esculpido con dificultad la palabra odio. Por un momento, Babi lamenta no haberse equivocado.

28

Mediodía. Step, vestido con un suéter y un par de pantalones cortos, entra en la cocina para desayunar.

—Buenos días, Maria.

—Buenos días. —Maria deja de inmediato de lavar los platos. Sabe que a Step le molesta el ruido recién levantado. Step saca del fuego la cafetera y el cacito de la leche y se sienta en la mesa justo en el momento en que empieza a sonar el timbre. Parece enloquecido. Step se lleva la mano a la frente.

—Pero quién co...

Maria corre hacia la puerta con pasitos veloces.

—¿Quién es?

—¡Soy Pollo! ¿Me abre, por favor?

Maria, recordando el día anterior, se vuelve hacia Step con aire interrogativo. Step asiente con la cabeza. Maria abre la puerta. Pollo entra corriendo. Se detiene delante de Step, mientras este se sirve un café.

—¡Oh, Step, no sabes qué mito! ¡Fabuloso, guay!

Step enarca las cejas.

—¿Me has traído los sándwiches?

—No, no te los traigo más, visto que no los sabes apreciar. Mira. —Le enseña *Il Messagero.*

—El periódico lo tengo ya —levanta de la mesa *La Reppublica*—, me lo ha traído Maria. Por cierto, ni siquiera la has saludado.

Pollo se vuelve hacia ella impaciente.

—Buenos días, Maria. —Acto seguido, abre el periódico y lo pone sobre la mesa—. ¿Has visto? ¡Mira qué foto tan impresionante! Un mito... Sales en el periódico...

Step pone la mano sobre la página de las noticias de Roma. Es cierto. Ahí está. En la moto, con Babi detrás, haciendo el caballito delante de los fotógrafos. Perfectamente reconocibles: menos mal que los han fotografiado por delante. La matrícula no se ve; de no ser así, estarían metidos en un buen lío. Todo un artículo. Las carreras, los nombres de algunos detenidos, la sorpresa de la policía, la descripción de su huida.

—¿Has leído? ¡Eres un mito, Step! ¡Ahora eres famoso! Coño, ojalá hubieran escrito sobre mí un artículo así.

Step le sonríe.

—Tú no sabes hacer el caballito como yo. La verdad es que es una bonita foto. ¿Has visto lo bien que ha salido Babi?

Pollo asiente a su pesar. Babi no es lo que se dice su ideal de mujer. Step levanta el periódico con las dos manos y contempla extasiado la fotografía.

—¡Desde luego, no se puede negar que mi moto es preciosa! —exclama mientras se pregunta si Babi habrá visto ya aquella foto. Seguro que no—. Pollo, me tienes que acompañar a un sitio. Ten, bebe un poco de café mientras me ducho. —Step se marcha. Pollo ocupa su asiento. Mira la foto. Empieza a releer el artículo. Coge la taza y se la lleva a la boca. ¡Qué asco! Es cierto: Step toma el café sin azúcar. La voz de su amigo le llega desde la ducha, atenuada por el ruido del agua.

—¿A qué hora cierran las tiendas? —Pollo echa la tercera cucharita de azúcar en el café. Después mira el reloj.

—En menos de una hora.

—Coño, tenemos que darnos prisa. —Pollo prueba el café. Ahora sí que está bueno. Se enciende un cigarrillo. Step aparece en la puerta. Lleva puesto un albornoz y se frota enérgicamente el pelo con una toalla pequeña. Se acerca a Pollo y mira de nuevo la foto.

—¿Qué efecto hace ser el amigo de un mito?

—Bah, no exageres.

Step le coge la taza de las manos y bebe un sorbo de café.

—¡Qué porquería! ¿Cómo puedes bebértelo tan dulce? ¡Es terrible! ¡Ahora entiendo por qué estás tan gordo! ¿Cuántas cucharitas has echado?

—Yo no estoy gordo. Solo lo parezco.

—Oh, Pollo, ahora que tienes novia tienes que volver al gimnasio, fumar menos, hacer dieta. ¡Mira que si no esa te deja! Las mujeres son tremendas, te abandonas un poco y estás acabado. Ahora, además, después de esta foto, como mínimo tendrás que salir también tú en el periódico.

—Mira que yo ya he salido en el periódico, y antes que tú, además. Con los irreductibles. Tengo un primer plano de miedo con una banda en la frente y los brazos en alto, como un auténtico «jefe de la curva».

—No entiendes nada, el hincha ya no está de moda. Lo que va hoy es el matón, el gamberro... Lo ves, de hecho han escrito el artículo sobre mí. ¿Crees que puedo pedir algo de dinero al *Messagero*? Abuso de imagen, ¿no? —Step va a vestirse. Pollo acaba de beberse el café. Luego se levanta y se pasa la mano por la barriga. Step tiene razón. A partir del lunes volverá al gimnasio. A saber por qué la gente dejará todo para los lunes.

Pollo está en la avenida Angelico, sentado sobre su moto parada y apoyada sobre el soporte lateral. Step monta al vuelo detrás de él.

—Vamos ya... Ve despacio, Pollo, que lo he puesto entre los dos.

—¿Cuánto te ha costado?

—Veintidós euros.

—Caramba. ¿Adónde tenemos que ir ahora?

—A la plaza Jacini.

—¿Para qué?

—Babi vive allí.

—¡Vaya! ¿Y no la habías visto nunca?

—Jamás.

—Qué extraña es la vida, ¿verdad?

—¿Por qué?

—Bueno, primero no la ves nunca y luego empiezas a toparte con ella todos los días.

—Sí, extraña.

—Aún más extraña si después de empezar a verla todos los días le haces incluso regalitos.

Step da una palmada fuerte en el cuello desnudo de Pollo.

—¡Ay!

—¿Has acabado? Pareces uno de esos taxistas coñazos que no dejan de hablar mientras te llevan a un sitio y te hacen un montón de preguntas. Solo te falta la radio emitiendo graznidos para ser idéntico.

Pollo se pone a conducir alegremente e imita la radio de los taxistas.

—Csss plaza Jacini para Pollo 40, plaza Jacini para Pollo 40. —Step le da otra palmada. Luego empieza a abofetearlo con la palma de la mano abierta en la cara, en las mejillas, en la frente. Pollo sigue imitando la radio del taxi a grito pelado.

—Plaza Jacini a Pollo 40, plaza Jacini a Pollo 40.

Sin dejar de reírse y gritar, avanzan en zigzag en medio del tráfico obligando a frenar a los coches con los que se van cruzando. Se aproximan a un verdadero taxi. Pollo chilla dentro de la ventanilla: «Plaza Jacini a Pollo 40». El taxista se sobresalta pero no dice nada. La moto se aleja. El taxista alza la mano señalándoles y sacudiendo la cabeza. Se entiende perfectamente que su ídolo, como mucho, puede ser Sordi, De Niro no, desde luego. Step y Pollo pasan junto a una policía. Casi llegan a rozarla, sonriéndole, tocándole el borde de la falda. Pollo le saca incluso la lengua. Ella ni siquiera hace ademán de anotar la matrícula. ¿Qué podría escribir sobre la multa? El código de la circulación no castiga los intentos de ligue, aunque sean tan groseros como aquellos.

—¡Plaza Jacini a Pollo 40, hemos llegado! —La moto de

Pollo frena con estruendo delante de la barra del edificio de Babi.

Step saluda al portero, quien le devuelve el saludo y lo deja pasar. La moto sube por la pendiente. El portero mira a aquellos dos energúmenos ligeramente perplejo. Pollo se vuelve hacia Step.

—Por lo visto ya has estado aquí, el portero te ha reconocido.

—Nunca. Los porteros son todos iguales, basta con que los saludes para que te dejen pasar. Párate y espera aquí. —Step baja de la moto.

Pollo da gas y la apaga.

—Date prisa, la cosa esa del pago sigue en marcha...

—El taxímetro.

—Vale, comoquiera que se llame. Muévete. Si no me voy.

Step encuentra el nombre en el telefonillo y llama.

—¿Quién es?

—Tengo que entregar un paquete para Babi.

—Primer piso.

Step sube. Una criada gorda lo espera en la puerta.

—Buenos días, tenga, he de dejar esto para Babi. Tenga cuidado, que se estropea. —Una voz llega hasta ellos desde el final del pasillo.

—¿Quién es, Rina?

—Un chico que trae una cosa para Babi. —Raffaella se acerca mirando al muchacho que hay en la puerta. Ancho de hombros, pelo corto, esa sonrisa. Lo ha visto antes, pero no recuerda dónde.

—Buenos días, señora. ¿Cómo está? He traído esto para Babi, es una tontería. ¿Se lo puede dar cuando vuelva del colegio?

Raffaella sigue sonriendo. Luego, de golpe, cae en la cuenta. Deja de sonreír.

—Tú eres el que golpeó al señor Accado. Eres Stefano Mancini.

Step se queda sorprendido.

—No sabía que fuera tan famoso.

—De hecho no lo eres. Eres solo un sinvergüenza. ¿Tus padres saben lo que ha pasado?

—¿Por qué, qué es lo que ha pasado?

—Te han denunciado.

—Oh, no importa. Estoy acostumbrado. —Sonríe—. Y, además, soy huérfano.

Raffaella se siente embarazada por un momento. No sabe si creérselo o no. Hace bien.

—Bueno, en cualquier caso, no quiero que vayas detrás de mi hija.

—A decir verdad, es ella la que viene siempre detrás de mí. Pero no importa, a mí no me molesta. Se lo ruego, no la riña, no se lo merece, yo la entiendo.

—Yo no. —Raffaella lo mira de arriba abajo tratando de hacerlo sentirse cohibido. No lo consigue. Step sonríe.

—No sé por qué, pero nunca les gusto a las madres. Bueno, perdone, señora, pero ahora tengo que marcharme. Me está esperando un taxi. Me estoy gastando un dineral. —Step baja por las escaleras, cuando salta los últimos escalones oye el portazo. Cuánto se parece a Babi, esa señora. Tienen los mismos ojos, la misma forma de la cara. Pero Babi es más guapa. Espera que no tenga tan mala leche. Recuerda la última vez que se vieron. No, también se parecen en eso. Le entran ganas de volverla a ver. Pollo toca con insistencia el claxon.

—Eh, ¿te quieres mover? ¿Qué coño haces, te has quedado alelado?

Step sube detrás de él.

—¿Es posible que incluso como taxista seas una porquería?

—Cierra el pico. Hace una hora que te espero. ¿Qué estabas haciendo?

—He hablado con su madre. —Step tiene un presentimiento. Levanta la cabeza. De hecho, justo lo que se imaginaba. Raffaella está allí, asomada a la ventana. Da un salto hacia atrás tratando de apartarse de ella. Demasiado tarde. Step la ha visto. Le sonríe saludándola. Raffaella cierra con fuerza la ventana mientras la moto desaparece tras la curva. Pollo se detiene delante de la barra. Step saluda al portero. Es mejor contar con algún amigo en aquella casa.

—¿Has hablado con su madre? ¿Y qué te ha dicho?

—Nada, hemos mantenido una pequeña conversación. En realidad me adora.

—Ten cuidado, Step.

—¿De qué?

—¡De todo! Esta es la clásica historia que acaba mal.

—¿Por qué?

—Tú llevando regalos... hablando con la madre. No lo has hecho nunca. ¿Te gusta tanto esa Babi?

—No está mal.

—¿Y Madda?

—Y qué tendrá que ver Madda. Esa es otra historia.

—¡Vaya! ¿Vas a salir con Babi?

—¡Pollo...!

—¿Qué pasa?

—¿Te has enterado de que ayer mataron a uno cerca de tu casa?

—Pero ¿qué dices? No sé nada. ¿Qué pasó?

—Le cortaron la garganta. —Step mete al vuelo el brazo alrededor del cuello de Pollo y aprieta.

»Era taxista y hacía demasiadas preguntas.

Pollo trata de liberarse. En vano. Entonces intenta hacerse el gracioso y remeda una vez más el graznido de la radio.

—Pollo 40, mensaje recibido. Csss. Pollo 40, mensaje recibido. —Pero ya no lo hace tan bien como antes. Ahora apenas le sale un hilo de voz.

29

Qué cara tan dura, ese muchacho. Raffaella abre aquel extraño tubo. Un póster. Reconoce a Stefano sobre una moto con la rueda levantada. Pero la que va detrás es su hija. Es Babi. ¿Quién habrá hecho esa foto? Está un poco desgranada. Parece la foto de un periódico. Sobre el lado izquierdo, en lo alto, han escrito algo a mano con un rotulador: «¡Pareja mítica!». Lo más probable es que lo haya hecho ese tipo. En cambio, abajo, a la derecha, hay una frase impresa: «La foto de los fugitivos». ¿Qué querrá decir?

—Señora, su marido al teléfono.

—¿Sí, Claudio?

—¡Raffaella! —Parece alteradísimo—. ¿Has visto la foto de *Il Messagero* de hoy? En las noticias de Roma está la foto de Babi...

—No, no lo he visto. Voy a comprarlo enseguida.

—¿Sí? ¿Raffaella? —Su mujer le ha colgado ya. Claudio mira el mudo auricular. Su mujer no le deja nunca acabar las frases. Raffaella baja corriendo hasta el quiosco que hay debajo de su casa. Coge *Il Messagero* y lo paga. Lo abre sin ni siquiera esperar la vuelta. Lo que quiere decir que está realmente alterada. Va directamente a las noticias de Roma. Ahí está. La misma foto. Lee el titular: «Los piratas de la carretera». Su hija. La redada, la policía municipal, la persecución. Las detenciones de la policía. ¿Qué tendrá que ver Babi con toda esta historia? Las líneas empiezan a bailarle ante los ojos. Cree que se va a desmayar. Respira profundamente. Poco a poco se va recuperando. Poco importa ya que le den las vueltas. El vendedor de periódicos, al ver la palidez de su rostro, se inquieta.

—¿Se siente mal, señora Gervasi? ¿Malas noticias?

Raffaella se vuelve hacia él sacudiendo la cabeza.

—No, no, no es nada.

Sale del quiosco. Por otra parte, ¿qué habría podido decirle? ¿Qué iba a decir ahora a sus amigas? ¿A los vecinos? ¿A los Accado? ¿Al mundo?

«No es nada, no os preocupéis. Mi hija es uno de los piratas de la carretera.» Iba a ser duro esperar hasta la salida del colegio.

La voz del interfono es cálida y sensual, justo como la del cuerpo al que pertenece.

—Señor Mancini, su padre por la uno.

—Gracias, señorita. —Paolo aprieta el botón—. ¿Sí, papá?

—¿Has visto *Il Messagero*?

—Sí, tengo la foto aquí delante.

—¿Has leído el artículo?

—Sí.

—¿Qué piensas?

—Bueno, no hay mucho que pensar. Creo que antes o después acabará mal.

—Sí, estoy de acuerdo. ¿Qué podemos hacer?

—No creo que haya mucho que hacer.

—¿Puedes hablar con él cuando vuelvas a casa?

—Sí, lo haré. Aunque no creo que sirva de mucho. Pero si eso te hace feliz, lo haré.

—Gracias, Paolo.

El padre cuelga el teléfono. Feliz. ¿Qué puede hacerme feliz? Desde luego no un artículo como aquel sobre mi hijo. Coge el periódico. Mira la foto. Dios mío, qué guapo es, igual que su madre. Una leve sonrisa se dibuja sobre su cara cansada, incapaz de borrar aquel viejo sufrimiento. Por un momento, es sincero consigo mismo.

—Sí. Yo sé lo que me podría hacer feliz de nuevo.

La secretaria de Paolo entra en el despacho con algunas hojas.

—Estas son para firmar, señor.

Las pone sobre el escritorio y se queda allí esperando. Paolo coge la pluma de oro del bolsillo de su chaqueta. Se la ha regalado Manuela, su novia. Pero, en ese momento, advierte el perfume de la secretaria. Es provocante. Todo en ella lo parece. Paolo escribe su nombre al final de cada folio. Tiene en la mano la pluma de Manuela, pero piensa en su secretaria. En su perfume, en sus caderas inocentes que rozan delicadamente su espalda. ¿O acaso no es así? Puede que, a fin de cuentas, no sean tan inocentes... La idea de aquella proximidad deseada empieza a excitarlo.

—Señor, ¿este del periódico no es su hermano?

Paolo firma sobre el último folio.

—Sí, es él.

La secretaria mira todavía por un instante la foto.

—¿Y esa que va detrás es su novia?

—No lo sé. Es posible.

—Su hermano resulta mucho mejor en persona.

Paolo mira salir a la secretaria. Su modo de andar y lo que acaba de decir no deja lugar a dudas. Es una mujer y como tal, piensa, es astuta. Lo ha rozado adrede, está seguro. Al menos tanto cuanto lo está de que, gracias a la estratagema que se le ha ocurrido, el señor Forte se ahorrará varios miles de euros. Mira el periódico. Por un momento se imagina que es él el que va sobre la moto y levanta la rueda con su secretaria detrás. Ella se aferra a él, sus piernas contra las suyas, sus brazos alrededor de su cintura. Sería estupendo. Cierra *Il Messagero*. Paolo tiene terror a las motos. ¿Saldrá alguna vez alguna foto suya en el periódico? Por descontado, no lo inmortalizarán mientras hace el caballito. Como mucho, algo que tenga que ver con el mundo de las finanzas. Inesperadamente, tiene un mal presentimiento. Ve una foto suya titulada: «Arrestado el asesor fiscal del conocido financiero». Coge de nuevo el dossier del señor Forte. Tal vez sea mejor controlar de nuevo que todo esté en orden.

A la salida del colegio, Pallina baja los escalones saltando al lado de Babi.

—¡Es genial! Menudo ridículo le has hecho hacer a la Giacci.

—Lo siento...

—¿Lo sientes? Le está bien merecido a esa vieja asquerosa... En serio, ¿crees de verdad que se equivocó al meter ahí mi ejercicio? Esa lo hizo adrede. Me odia porque estoy siempre contenta, porque tengo siempre ganas de bromear mientras que ella... Madre mía, menudo muermo.

—Ya lo sé, pero lo siento de todos modos. Y, además, ¿has notado cómo me mira? Ahora me odia, hará todo lo posible para que vaya mal.

Pallina le da una palmadita en el hombro.

—Imagínate, no te puede hacer nada. Con lo buena que eres, por mucho que te haga, llegar a los exámenes será un paseo para ti. Si yo tuviera tu media, ¿sabes la que organizaría...? —Pallina saca de la bolsa la cajetilla de Camel. Coge un cigarrillo y se lo mete en la boca. Mira dentro del paquete. Faltan tres para llegar al que está invertido, al del deseo.

—Eh, pero ¿no habías dicho que dejabas de fumar?

—Sí, lo dije. Lo dejo el lunes.

—¿Pero no era el lunes pasado?

—De hecho. El lunes lo dejé, pero volví a empezar ayer. Babi sacude la cabeza. Luego ve el coche de su madre aparcado al otro lado de la calle.

—¿Qué haces, Pallina, vienes con nosotras?

—No, espero a Pollo, dijo que vendría a recogerme. Tal vez

venga con Step. ¿Por qué no te quedas tú también? Venga, dile a tu madre que vienes a comer a mi casa.

Babi no ha vuelto a pensar en Step durante toda la mañana. Han sucedido demasiadas cosas. ¿Cómo se despidieron la noche anterior? Incoherente. Eso le dijo. Qué tontería. Ella no es una incoherente.

—Gracias, Pallina. Voy a casa y, además, ya te he dicho que no quiero ver a Step; no insistas demasiado con esa historia o acabaremos por reñir.

—Como quieras. Entonces a las cinco en el Parnaso... —Babi prueba a replicarle, pero Pallina es más rápida que ella.

—Sí, con mi Vespa. —Babi le sonríe y se aleja. ¿Por qué es tan arrogante?, piensa Pallina. Asunto suyo. Puede que sea una especie de táctica. Bueno, en cualquier caso, es demasiado simpática. Y, además, es una capaz de poner en su sitio a la Giacci como se debe. Es hora de difundir la noticia. Pallina se acerca a un grupito de chicas más pequeñas. Son de segundo.

—¿Os habéis enterado del ridículo que ha hecho la Giacci?

—No, ¿qué ha pasado?

—Estaba a punto suspender a Silvia Festa, una de mi clase. Pero luego resultó que se había equivocado y le había puesto la nota de otra.

—¿Lo juras?

—Sí, menos mal que Babi se dio cuenta.

—¿Quién, Gervasi?

—Justo ella.

Una muchacha se le acerca con *Il Messagero* en la mano.

—Oye, Pallina, ¿esta no es Babi?

Pallina le arranca el periódico de las manos. Lee deprisa el artículo. Mira a Babi. A esas alturas está ya a punto de llegar al coche de su madre. Prueba a llamarla. Grita con fuerza pero el ruido del tráfico cubre su voz. Demasiado tarde.

Babi levanta el asiento para entrar detrás en el coche.

—Hola, mamá. —Se inclina hacia delante para besarla. Una bofetada le da de lleno en la cara—. ¡Ay! —Babi cae sobre el asiento posterior. Se acaricia la mejilla dolorida, sin entender.

También Daniela entra en el coche.

—¡Eh, habéis visto qué estupendo! Babi ha salido en el periódico...

Mira a su alrededor. Ese silencio. La cara de Raffaella. La mano de Babi que se acaricia la mejilla dolorida. Lo entiende al vuelo.

—Olvidadlo. —Mientras esperan a Giovanna que, como siempre, se retrasa, Raffaella se pone a gritar como una loca. Babi trata de explicarle toda la historia. Daniela testimonia a su favor. Raffaella se pone aún más nerviosa. Pallina se convierte en la acusada principal. Pero no se le puede perseguir, está al otro lado de la frontera.

Finalmente llega Giovanna y con el acostumbrado «Disculpad» sube detrás. El coche arranca. Hacen todo el trayecto en silencio. Giovanna piensa que aquella se ha convertido ya en una situación insostenible. No es posible que estén siempre tan nerviosas.

—Bueno, perdonad, pero hoy no he llegado tan tarde, ¿no? —Daniela suelta una carcajada. Babi se controla un poco pero no tarda mucho en soltar también el trapo. Hasta Raffaella acaba por echarse a reír.

Giovanna, naturalmente, no entiende nada, es más, se ofende. Piensa que no solo son unas exageradas sino incluso unas arrogantes por tomarle el pelo de aquel modo. Se lo dirá a su madre. A partir de mañana, decide Giovanna, o me viene a recoger ella o vuelvo a casa en autobús.»

Al menos toda aquella historia ha servido para algo: ya no tendrán que esperar más a Giovanna.

30

El viejo bolso de piel apretado bajo el brazo. Una chaqueta de paño color mostaza. El pelo lánguido, al igual que su andar, corto y recogido, con algunas mechas. Las medias transparentes de color marrón le regalan todavía algunos años, como si le hicieran falta. Y los viejos zapatos de medio tacón con las puntas peladas le hacen daño. Pero todo esto no es nada comparado con lo que siente en su interior.

Su corazón debe de llevar puestos unos zapatos al menos dos números más pequeños. La Giacci abre el portón de cristal del viejo edificio. Chirría sin que ello le sorprenda. Se para delante del ascensor. Aprieta el botón. La Giacci mira los buzones del correo. Algunos carecen de nombre. Uno que ni siquiera tiene el cristal cuelga hacia abajo destartalado, justo como la casa de Nicolodi, el propietario. ¿Son las cosas las que acaban por parecerse a sus dueños o es al contrario? La Giacci desconoce la respuesta. Entra en el ascensor.

Algunas inscripciones en la madera. Se puede leer el nombre de un amor pasado. Algo más arriba, el símbolo de un partido perfectamente tallado por un iluso escultor. Abajo, a la derecha, un órgano masculino resulta ligeramente imperfecto, según sus vagos recuerdos.

Segundo piso. Saca las llaves del bolso. Introduce la más larga en la cerradura de en medio. Oye un ruido detrás de la puerta. Es él, su único amor. La razón de su vida.

«¡Pepito!» Un perro le sale al encuentro ladrando. La Giacci se inclina. «¿Cómo estás, tesoro mío?» El perro le salta en brazos moviendo la cola. Empieza a hacerle fiestas. «No sabes, Pepito, lo que le han hecho hoy a tu mami.» La Giacci cierra la puerta, coloca el bolso de piel sobre una fría repisa de mármol blanco y se quita la chaqueta.

«Una alumna estúpida se ha atrevido a regañarme, delante de todas, ¿entiendes...? Tendrías que haber oído en qué tono.» La Giacci se dirige a la cocina. El perro la sigue trotando. Parece sinceramente interesado.

«Ella, por un miserable error, me ha arruinado, ¿me entiendes? Me ha humillado delante de toda la clase.» Abre el viejo grifo que hay en un extremo del tubo de goma amarillento a causa de los años. El agua salpica irregularmente una rejilla de plástico blanco, de contorno irregular. La han cortado a mano para hacerla entrar en la pila.

«Ella lo tiene todo. Tiene una bonita casa, alguien que, en estos momentos, le está preparando la comida. Ella no se tiene que preocupar por nada. Ahora ni siquiera estará pensando en lo que ha hecho. Claro, a ella, ¿qué más le da?» De un armarito lleno de vasos diferentes entre ellos, la Giacci saca uno cualquiera y lo llena de agua. Hasta el cristal parece acusar el paso del tiempo. Bebe y regresa a la salita. El perro le sigue obediente.

«Tenías que haber visto también al resto de las alumnas. Estaban encantadas. Se reían a mis espaldas contentas de ver cómo me equivocaba...» La Giacci saca del cajón algunos ejercicios y se sienta a una mesa. Empieza a corregirlos. «Ella no debería haberlo hecho.» Y subraya en rojo repetidas veces el error de una pobre inocente. «No debería haberme puesto en ridículo delante de toda la clase.» El perro salta sobre un viejo sillón de terciopelo burdeos y se acurruca sobre el mullido almohadón, ya acostumbrado a su pequeño cuerpo.

«¿Lo entiendes? ¿Cómo puedo volver ahora a esa clase? Cada vez que ponga una nota correré el riesgo de que alguien me diga: "¿Está segura de que me la ha puesto a mí, maestra?".

Y se reirán de mí, estoy segura de que se reirán.» El perro cierra los ojos. La Giacci pone un cuatro al ejercicio que está corrigiendo. Puede que aquella pobre inocente se mereciera algo más. La Giacci sigue hablando sola. Pepito se duerme. Un nuevo ejercicio viene sacrificado. En un día más sereno, tal vez hubiera alcanzado el aprobado.

Mañana no será un buen día para la clase. Mientras tanto, en esa habitación, una mujer sentada a una mesa cubierta por un viejo hule ha encontrado prácticamente sola la respuesta. Son las personas las que hacen que se parezcan a ellas lo que poseen. Y, por un momento, todo en aquella casa resulta más gris y más viejo. E incluso la bonita Virgen que cuelga de la pared parece perder su bondad.

31

Parnaso. Grupos de atractivas muchachas con los ojos perfectamente pintados, con las pestañas largas y apenas un toque de color en los labios, charlan mientras se caldean con el tibio sol de aquella tarde primaveral, sentadas alrededor de unas mesitas redondas.

—¡Maldita sea, me he manchado! —Algunas de sus compañeras sentadas a la misma mesa se ríen, otras, más pesimistas, comprueban que su camiseta no haya acabado del mismo modo. La chica con la camiseta manchada introduce la punta de una servilleta de papel en el vaso lleno de agua. Restriega con fuerza la mancha de chocolate, extendiéndola. La camiseta color marfil adquiere una tonalidad beige. La muchacha se desespera.

—¡Vaya! Estos vasos de agua traen mala suerte. Es como si los camareros nos los dieran adrede, sabiendo ya que nos vamos a manchar. ¡Perdone!

Para al vuelo al camarero.

—¿Me puede traer el quitamanchas, por favor? —La chica sujeta con las dos manos la camiseta, mostrándole la mancha mojada. El camarero no se detiene en la superficie. Hace un análisis mucho más profundo. La camiseta, ahora transparente en aquel punto mojado, se apoya sobre el sostén y deja entrever el encaje.

El camarero sonríe.

—Se lo traigo enseguida, señorita.

Profesional y mentiroso, preferiría darle otra cosa, incluso a sabiendas, frustrado, de que aquel botón desabrochado de más no está, desde luego, dedicado a él. Ninguna chica del Parnaso saldría jamás con un camarero.

Pallina, Silvia Festa y alguna que otra alumna más del Falconieri están apoyadas sobre una cadena que se extiende, sufriendo bajo su peso, de un bajo pilón de mármol a otro gemelo.

—Aquí está. —Babi tiene las mejillas encendidas. Las saluda con una sonrisa divertida, ligeramente cansada de la caminata. Pallina corre a su encuentro—. Hola. —Se besan, afectuosas y sinceras. A diferencia de la mayor parte de los besos que circulan por las mesas del Parnaso—. ¡Qué cansancio! ¡No sabía que estuviera tan lejos!

—¿Has venido a pie? —Silvia Festa la mira sin poder dar crédito.

—Sí, me he quedado sin Vespa. —Babi mira intencionadamente a Pallina—. Y, además, tenía ganas de andar un poco. Pero me parece que he exagerado, estoy muerta. Imagino que no tendré que volver a casa del mismo modo, ¿verdad?

—No, ten. —Pallina le da un llavero—. Ahí tienes mi Vespa, a tu entera disposición. —Babi mira la gruesa P de goma azul claro que tiene entre las manos.

—¿Se sabe algo de lo que ha pasado con la mía?

—Pollo me ha dicho que nadie sabe nada. Debe de haberla cogido la policía. Dice que al cabo de un cierto tiempo te avisan.

—Imagínate si hablan con mis padres. —Babi mira al grupo de muchachos. Reconoce a Pollo y a algún que otro amigo más de Step. Un tipo con una banda en un ojo le sonríe. Babi desvía la mirada.

Algunas motos se paran por allí cerca. Babi mira esperanzada a los recién llegados. El corazón le late con fuerza. Inútilmente. Chicos anónimos, al menos para sus ojos, se encaminan hacia las mesitas saludando.

—¿A quién buscas? —El tono y la cara de Pallina no dejan lugar a dudas.

—A nadie, ¿por qué? —Babi se mete las llaves en el bolsillo sin mirarla. Está segura de que sus ojos sinceros la traicionarían.

—No, por nada, tenía la impresión de que buscabas a alguien —insiste Pallina.

—Bueno, hasta luego, chicas. —Una despedida apresurada. Sus mejillas se sonrojan de nuevo. Y esta vez no es solo a causa del cansancio. Pallina la acompaña hasta la Vespa.

—¿Sabes cómo funciona? —Babi sonríe. Quita el seguro de la dirección y la enciende.

—¿Qué hacéis esta noche?

—¡Eh! ¿Qué pasa? ¿Te dignas a salir con nosotros?

—Mira que te gusta discutir. ¡Solo te he preguntado qué hacéis!

—Bah, no lo sé. Si quieres te llamo o hago que te llamen.

Pallina la mira alusiva. Tras aquella sonrisa aparece inesperadamente su imagen: Step. Sus ojos oscuros, su piel morena, el pelo corto, las manos con marcas de sonrisas despedazadas, de narices, antes perfectas, destrozadas. «Me recuerdas a mi pececito.» La boca abierta... los ojos cerrados... «Ah, pero entonces eres una incoherente... incoherente... incoherente...» Como un eco. Babi siente un ramalazo de orgullo.

—No, gracias. Déjalo estar. Nos vemos mañana en el colegio. Era solo por curiosidad.

—Como quieras... —La Vespa se la lleva rápidamente de allí antes de que aquel débil dique de orgullo sea arrasado por ese mar peligroso todavía en calma. Pallina saca el teléfono móvil del bolsillo y sonríe.

Babi mete la Vespa de Pallina en el garaje. Perfecta. Su padre jamás se dará cuenta de la diferencia. La acerca un poco más a la pared, así no podrá decirle nada. Mira el reloj. Las siete menos cuarto. ¡Caramba! Sube corriendo las escaleras. Abre apresuradamente la puerta.

—Dani, ¿ha vuelto mamá?

—No, todavía no.

—Menos mal. —Raffaella la ha castigado, Babi no puede salir en una semana y fallar justo el primer día sería pasarse un poco. Dani la mira impaciente.

—Entonces, ¿no sabes nada de la Vespa?

—Nada. Debe de tenerla la policía.

—¿Qué? ¡Estupendo! ¿Y para qué les sirve, para perseguir a la gente?

—Me han dicho que, tarde o temprano, la policía llamará para devolvérnosla. Solo tenemos que procurar interceptar la llamada antes de que mamá y papá...

—Ah, sencillísimo. ¿Y si llaman por la mañana?

—Estamos acabadas. Por el momento, Pallina nos ha prestado su Vespa. La he metido en el garaje para que papá no se dé cuenta cuando vuelva.

—Ah, por cierto, te ha llamado Pallina.

—¿Cuándo?

—Hace poco, mientras estabas fuera. Me ha pedido que te dijera que esta noche salen y van a Vetrine.[1] Que te espera, que no te des tantos aires y que vayas, que se ha enterado de todo. Luego me ha dicho algo así como el nombre de un animal. Perrito, ratoncito... Ah, sí, ha dicho que saludara al pececito. ¿A quién se refiere?

Babi se vuelve hacia Daniela. Se siente herida, descubierta, traicionada. Pallina lo sabe.

—Nada, es solo una broma.

Sería demasiado largo de explicar. Demasiado humillante. La rabia se apodera de ella momentáneamente, la conduce silenciosa hasta su habitación. En el atardecer que hay pintado sobre los cristales de su ventana contempla el transcurrir de aquella historia. La boca de Step, su sonrisa burlona, el momento en el que se lo cuenta todo a Pollo, su carcajada y luego la repetición de la misma historia a Pallina y quién sabe a

1. Escaparate, en italiano. El nombre hace alusión al hecho de que la discoteca esté toda acristalada. *(N. de la T.)*

quién más. Se ha comportado como una estúpida, tendría que habérselo contado todo a su mejor amiga. La habría entendido, consolado. Se habría puesto de su parte, como siempre. Después, mira el póster sobre el armario. Y siente odio por un instante. Pero es solo un instante. Lentamente, abandona las armas. «Mítica pareja.» Orgullo, dignidad, rabia, indignación. Caen deslizándose como un camisón de seda sin tirantes, por su cuerpo liso y dorado. Y ella, finalmente liberada, sale de él con facilidad, con un simple paso. Desnuda de amor se acerca a él, a su imagen.

Por un momento, parecen sonreírse. Abrazados en el sol del atardecer, cercanos, aunque diferentes. Él, de papel plastificado, ella rebosante de lúcidas emociones, finalmente claras y sinceras. Ella baja tímidamente los ojos y, sin querer, se encuentra frente al espejo. No se reconoce. Esos ojos tan sonrientes, esa piel luminosa... También la cara parece distinta. Se tira hacia atrás el pelo. Es otra. Sonríe feliz a esa que no ha sido nunca. Una muchacha enamorada. No solo. Una muchacha indecisa y preocupada por lo que se pondrá esa noche.

Más tarde, después de que sus padres la hayan reñido de nuevo y hayan salido a una de sus cenas, Babi entra en la habitación de Daniela.

—Dani, yo salgo.

—¿Adónde vas? —Daniela aparece en la puerta.

—A Vetrine. —Babi saca de los cajones algunos suéteres y abre el armario de su hermana—. Oye, ¿dónde has puesto la falda negra... la nueva...?

—¡No te la dejo! ¡Si no, me tiras también esta! Ni lo sueñes.

—Venga, fue una casualidad, ¿no?

—Sí, pero puede que esta noche se produzca otra. Puede que esta vez acabes en el barro. No, no te la presto. Es la única que me sienta bien. No te la puedo dejar, en serio.

—Vale pero luego, cuando hago la camomila y salgo en el periódico, tú te pavoneas con tus amigas y les dices a todas que eres mi hermana. ¡A que no les dices que no me prestas la falda!

—¿Y eso qué tiene que ver?

—Ya lo creo que tiene que ver, cuando me tengas que pedir un favor...

—Está bien, en ese caso, cógela...

—No, ahora ya no la quiero...

—Ah, no, ahora la coges...

—No, no la quiero...

—¿Ah, no? Pues si no te pones mi falda para salir llamo a mamá y le digo lo que vas a hacer.

Babi se vuelve enojada hacia su hermana.

—¿Qué es lo que haces?

—Lo que has oído.

—Verás entonces lo rojas que se te ponen las mejillas...

Daniela hace una mueca divertida y las dos sueltan finalmente una carcajada.

—Ten. —Daniela pone la falda sobre la cama—. Toda tuya. Puedes revolcarte con ella en el estiércol, si te parece.

Babi coge la falda con ambas manos y la apoya sobre su tripa. Empieza a considerar lo que podría ponerse encima. Suena el teléfono. Daniela va a responder.

En su habitación, Babi sube el volumen de la radio. La música inunda la casa. Daniela aparta el auricular.

—Espera un momento, Andrea.

Cierra la puerta del pasillo, luego se pone a hablar de nuevo tranquilamente. Babi lo saca todo. El armario abierto, los cajones en el suelo. La ropa tirada sobre la cama. Indecisión. Va a la habitación de su madre. Abre el armario grande. Empieza a hurgar en él. De vez en cuando se acuerda de algo. ¿Quedará bien con la falda negra? Abre los cajones. Tiene mucho cuidado de dónde mete las manos. Las cosas tienen que volver a su sitio. Las madres siempre se dan cuenta de todo, o casi. Tampoco Raffaella ha notado lo de la Vespa. Las madres se dan cuenta de todo pero no entienden nada de motos o de Sony.

No hay que enviar nunca a una madre a comprar los vaqueros que has visto puestos a una amiga. Te traerá siempre los que lleva el último mono de la clase.

Sonríe. ¿Un suéter de angora azul? Demasiado abrigado. ¿La blusa de seda? Demasiado elegante. ¿La chaqueta negra con el body debajo? Demasiado lúgubre. El body, sin embargo, no está mal. ¿Y si se lo pusiera debajo de la camisa? Se puede probar. Vuelve a cerrar los cajones. Se dispone a volver a su habitación. Se ha dejado el suéter rojo sobre la cama. La habrían pillado. Lo pone en su sitio. ¿Se dará cuenta? El entusiasmo es más fuerte que el miedo.

¡Qué más da! El castigo desaparece desintegrándose en el espejo. Babi se mira perpleja. El body bajo la camisa no. La falda de Dani no le pega nada. Mejor así. Pobre. La verdad es que es lo único que le sienta bien. Decide llevársela a correr con ella. Mañana. Pero ¿y ahora? Ahora, ¿qué me pongo? Se le ocurre de repente. Abre corriendo el último cajón. ¡El peto vaquero! Lo saca. Descolorido, corto y arrugado, justo como lo odia su madre. Se sienta sobre la cama, coge los calcetines y se los pone. Después los cubre con las All Star, altas hasta el tobillo, azul oscuro, del mismo color de la cinta elástica que encuentra en el baño. Se peina tirándose el pelo hacia detrás. Dos pendientes de colores en forma de pez de los Mares del Sur. La música a todo volumen. Una línea negra le alarga los ojos. El lápiz gris los difumina intentando embellecerlos aún más. Los dientes blancos saben a menta. Un delicado brillo cubre sus labios carnosos haciendo que resulten aún más deseables. Las mejillas, sonrosadas de por sí, no necesitan que les añada nada.

Daniela sigue al teléfono. Repentinamente, la música se interrumpe. La puerta del pasillo se abre poco a poco. Daniela enmudece.

—¡Caramba, estás guapísima!

Babi se pone la cazadora vaquera Levi's oscura.

—¿De verdad que estoy bien?

—¡Super guay!

—Gracias, Dani..., ¿sabes...?, tu falda resultaba demasiado seria.

Le da un beso. Luego sale apresuradamente. Saca la Vespa

de Pallina del garaje. La enciende, mete la primera. Baja por la cuesta, deslizándose en el fresco de la noche. Su Caronne francés se mezcla con el perfume de los jazmines italianos en un delicado hermanamiento. Saluda a Fiore, el portero. Después se adentra en el tráfico. Sonríe. ¿Qué pensará Step de todo aquello? ¿Le gustará? ¿Qué dirá del peto? ¿Del maquillaje? ¿Y la camisa? ¿Notará que se ha pintado los ojos? Su pequeño corazón se acelera. Inútilmente preocupado. No sabe que, muy pronto, tendrá todas las respuestas.

32

Vetrine. Delante de la puerta, un tipo robusto con un diminuto pendiente a la izquierda y la nariz aplastada hace esperar a un grupo de personas. Babi se pone en la fila. Junto a ella, dos chicas demasiado pintadas con una especie de abrigos ligeros de paño y sus acompañantes, con chaquetas imitación de pelo de camello. Uno de ellos lleva en el ojal un broche dorado en forma de saxofón, tan dudoso como la posibilidad de que sepa tocarlo. Al otro lo traicionan los mocasines con una pequeña franja de piel. El Marlboro que llevan en la boca no los salvará. No entrarán.

El gorila ve a Babi.

—Tú.

Babi pasa por delante de las chicas del pelo cardado, de una pareja demasiado como es debido y de dos alelados venidos desde lejos. Alguno protesta, pero lo hace en voz baja. Babi sonríe al gorila y entra. Este vuelve a mirar con hosquedad a su pequeño rebaño, con determinación en la cara, con el ceño fruncido, listo para aplastar cualquier posible conato de rebelión. Pero no hace falta. Todos siguen esperando en silencio, mirándose entre ellos, con esa sonrisa a medias que equivale, sin embargo, a una frase completa: «Somos los últimos monos».

Dos enormes altavoces retumban en lo alto lanzando bajos aterradores. En la barra, grupos de chicos y chicas gritan tratando de hablar entre ellos, riéndose. Babi se apoya en el cristal. Mira la gran pista que hay a sus pies. Todos bailan como locos. Incluso en el borde de la misma la gente se deja arrastrar por el *house*.

Vetrine le gusta mucho: nada más entrar puedes ver a través de aquel cristal a la gente que baila en el piso de abajo, luego, si quieres, bajas tú también allí y te mezclas en el bullicio, observada por el resto, pequeño espectáculo multicolor. Algunas muchachas agitan los brazos, una salta divertida bromeando con una amiga. Con sus minúsculos tops elásticos blancos y negros, con sus pantalones ajustados a la cintura y un poco cortos. Y ombligos al aire y vaqueros de colores, con la pernera ligeramente ancha, envueltos por un largo pañuelo atado a la cintura. La solitaria sobre el cubo, la convencida con los ojos cerrados, el atildado que intenta ligar. Un macarra estilo John Travolta con una diadema en la cabeza y una amplia camisa. Una pareja trata de decirse algo. Puede que él le esté proponiendo un baile algo más sensual en casa, a solas, con una música más melodiosa. Ella se ríe. Tal vez acepte. Nada, ni rastro de Pallina, de Pollo, del resto de sus amigos y, sobre todo, de Step. ¿Y si no hubieran venido? Imposible. Pallina la habría avisado. Inesperadamente, Babi percibe algo: una extraña sensación. Está mirando en la dirección equivocada. Y, como guiada por una mano divina, por el dulce impulso del destino, se vuelve. Ahí están. En la misma sala, en un rincón al fondo de Vetrine, junto al último cristal.

El grupo está al completo: Pollo, Pallina, el de la banda, otros muchachos de pelo corto y bíceps abultados acompañados de muchachas más o menos agraciadas. Está también Maddalena con su amiga de la cara redonda. Y él. Step bebe una cerveza y, de vez en cuando, echa un vistazo abajo. Parece estar buscando a algo o a alguien. Babi se sobresalta. ¿La estará buscando a ella? Puede que Pallina le haya dicho que acudiría. Vuelve a mirar abajo. La pista parece desenfocada tras el cristal. No, Pallina no puede habérselo dicho. Poco a poco, lo mira de nuevo. Sonríe para sus adentros. Qué raro.

Es tan fuerte, con esa pinta de duro, el pelo al ras por detrás, la cazadora abrochada y ese modo de sentarse tan imponente, tan sereno. Y, sin embargo, algo en él es dulce y bueno. Quizá su mirada. Step se vuelve hacia ella. Babi se da la vuelta asustada. No quiere que la vea, se mezcla entre la gente y se aleja del cristal. Va hasta el fondo del local y paga a un tipo que le entrega una entrada amarilla y la deja pasar. Desciende veloz por las escaleras. Abajo, la música es mucho más fuerte. Babi pide un Bellini en la barra. Le gusta el melocotón. Step se ha levantado. Se apoya sobre el cristal con ambas manos. Mueve arriba y abajo la cabeza al compás de la música. Babi sonríe. Desde allí no puede verla. Llega el Bellini y se lo bebe en un abrir y cerrar de ojos.

Babi, sin ser vista, da la vuelta por detrás alrededor de la pista, se coloca justo bajo ellos. Se siente extrañamente eufórica. El Bellini le está haciendo efecto. La música se apodera de ella. Se deja llevar. Cierra los ojos y, poco a poco, bailando, atraviesa la pista. Mueve la cabeza siguiendo el ritmo. Feliz y algo borracha, en medio de todos aquellos desconocidos. Su pelo vuela. Sube a un borde algo más alto de la pista. Junta las manos y empieza a bailar balanceando los hombros, con la boca cerrada y transportada por la música abre los ojos y mira hacia arriba. Sus miradas se encuentran a través del cristal. Step la está mirando. Por un instante, no la reconoce. También Pallina la ve. Step se vuelve hacia Pallina y le pregunta algo. Desde abajo, Babi no puede oír lo que dicen pero lo intuye fácilmente. Pallina asiente. Step mira de nuevo hacia abajo. Babi le sonríe antes de bajar los ojos y de ponerse a bailar de nuevo, arrebatada por la música.

Step se aleja rápidamente sin preocuparse de nada y de nadie. Pollo sacude la cabeza. Pallina se arroja sobre él, lo abraza impulsivamente y le da un beso en la boca. El tipo rudo y bajo de la escalera deja pasar a Step sin pagar. Es más, lo saluda con respeto. Step se detiene. Babi está delante de él. Un macarra de melena cuadrada baila en torno a ella interesado en la adquisición. Al ver a Step se aleja del mismo modo que había llegado, como quien no quiere la cosa. Babi sigue bailando mirándole a los ojos y, en ese preciso instante, él se pierde en aquel azul. Mudos y sonrientes bailan el uno junto al otro. Al ritmo de sus miradas, de sus ojos, de sus corazones. Babi se balancea. Step se le acerca. Puede oler su perfume. Ella alza las manos, se las pone delante de la cara y baila tras ellas, sonriente. Se ha rendido. Él la mira encantado. Es guapísima. No ha visto nunca unos ojos tan ingenuos. Esa boca suave, color pastel, esa piel aterciopelada. Todo en ella parece frágil pero perfecto. En sintonía con su sonrisa, el pelo suelto bajo la cinta baila alegremente saltando de un lado a otro. Step le coge la mano, la atrae hacia él. Le acaricia la cara. Están muy próximos. Step se detiene. Tiembla ante la idea. Un leve movimiento quizá podría causar que ella, quebradizo sueño de cristal, se rompiera en mil pedazos. Entonces le sonríe y se la lleva de allí. Arrancándola de toda aquella confusión, de toda aquella gente desenfrenada, de esos tipos que se mueven frenéticos, que parecen enloquecer cuando pasan junto a ellos. Step la conduce a través de aquella maraña de brazos agitados, protegiéndola de cantos humanos, de peligrosos codos afilados de ritmo, de pasos convulsos de inocente alegría. Más arriba, tras el cristal. Alegría y dolor. Pallina mira a Babi desaparecer con él, finalmente inocente y sincera. Maddalena mira a Step desaparecer con ella, culpable únicamente de no haberla amado y de no habérselo hecho creer nunca. Y en tanto que los dos, frescos de amor, salen a la calle, Maddalena se deja caer sobre un sofá. Se desengaña sola, al igual que, sola, se había engañado. Con un vaso vacío entre las manos y algo más difícil de rellenar dentro. Ella, simple abono de esa planta que a menudo florece sobre la tumba de un amor marchito. Esa rara planta llamada felicidad.

33

Guapos y vestidos de vaquero, mejor que una publicidad en vivo. Sobre la moto azul oscura como la noche, se confunden en la ciudad, riéndose. Hablando de esto y lo otro, sonriéndose en los espejitos intencionadamente doblados hacia dentro. Ella se apoya sobre su hombro, se deja llevar así, acariciada por el viento y por aquella nueva fuerza, la rendición. Calle Quattro Fontane. Plaza Santa Maria Maggiore. La esquina de la derecha. Un pequeño pub. Un tipo inglés en la puerta reconoce a Step. Lo deja pasar. Babi sonríe. Con él se entra en todas partes. Es su salvoconducto. El salvoconducto para la felicidad. Se siente tan feliz que ni siquiera se da cuenta de que pide una cerveza roja, ella que odia incluso las claras, tan encantada que comparte con él un plato de pasta olvidando la pesadilla de la dieta. Como un río en crecida se da cuenta de que le habla de todo, de no tener secretos para él. Lo encuentra inteligente y fuerte, guapo y dulce.

Y ella que no se había dado cuenta antes, estúpida y ciega, ella que lo ha ofendido, ruda y malvada. Pero luego se disculpa. Tenía miedo. Juegan a los dardos. Ella da en lo alto de la diana. Se vuelve exultante hacia él. «No está mal como resultado, ¿no?» Él le sonríe. Hace un gesto afirmativo. Babi lanza divertida otro dardo, sin que sus ojos se hayan dado cuenta de que ya han dado en el blanco.

De nuevo secuestrada. Calle Cavour. La Pirámide. Testaccio. A toda velocidad. Saboreando el viento fresco de aquella noche de finales de abril. Step mete la tercera, luego la cuarta. El semáforo del cruce está en naranja. Step sigue adelante. Repentinamente, oye el chirrido de unos frenos. Neumáticos que queman el asfalto. Grava. Un Jaguar Sovereign viene por su izquierda a toda velocidad, prueba a frenar en seco. Step, cogido por sorpresa, frena quedándose plantado en medio del cruce. La moto se apaga. Babi lo abraza con fuerza. En sus ojos asustados los faros potentes del coche que se acerca.

El morro de la pantera salvaje se rebela ante el brusco frenazo. El coche da un bandazo. Babi cierra los ojos. Oye el rugido del motor al frenar, el perfecto ABS controlar las ruedas, los neumáticos maltratados por los frenos. Eso es todo. Abre los ojos. El Jaguar está allí, a pocos centímetros de la moto, inmóvil. Babi exhala un suspiro de alivio y libera la cazadora de Step de su abrazo aterrorizado.

Step, impasible, mira al conductor del coche.

—¿Adónde crees que vas, gilipollas? —El tipo, un hombre de unos treinta y cinco años, con el pelo bien cortado, abundante y rizado, baja la ventanilla eléctrica.

—Perdona, niño, ¿qué has dicho? —Step sonríe mientras baja de la moto. Conoce a esos tipos. Debe de llevar a una mujer al lado y no quiere hacer el ridículo. Se acerca al coche. En efecto, a través del cristal ve unas piernas femeninas al lado del tipo. Unas bonitas manos cruzadas sobre un bolso de fiesta negro, sobre un vestido elegante. Trata de ver la cara de la mujer, pero la luz de una farola se refleja en el cristal, ocultándola. Niño. Ahora verás lo que te hace este niño. Step abre la puerta del tipo con educación.

—Sal de ahí, gilipollas, así me oirás mejor. —El hombre de unos treinta y cinco años hace ademán de salir. Step lo agarra de la chaqueta y lo saca violentamente del coche. Lo tira sobre el Jaguar. El puño de Step se alza, listo para golpearlo.

—¡Step, no! —Es Babi. La ve de pie junto a la moto. Su mirada expresa disgusto y preocupación. Los brazos dejados caer a ambos lados de su cuerpo—. ¡No lo hagas! —Step lo suelta ligeramente. El tipo se aprovecha de inmediato. Libre y canalla le da un puñetazo en la cara. Step echa la cabeza hacia detrás. Pero solo por un instante. Sorprendido, se lleva la mano a la boca. Le sangra el labio.

—Hijo de... —Step se abalanza sobre él. El tipo extiende los brazos, inclina la cabeza tratando de protegerse, asustado. Step lo agarra por los rizos, empuja hacia abajo su cabeza listo para darle con la rodilla cuando, repentinamente, es golpeado de nuevo. Esta vez, sin embargo, de modo distinto, más fuerte, directamente en el corazón. Un golpe seco. Una simple palabra. Su nombre.

—Stefano...

La mujer ha bajado del coche. Ha apoyado el bolso sobre el capó y está a su lado de pie. Step la mira. Mira el bolso, no lo reconoce. A saber quién se lo habrá regalado. Qué extraño pensamiento. Lentamente, abre la mano. El tipo de los rizos tiene suerte y se ve liberado. Step la mira en silencio. Sigue siendo tan guapa como siempre. Un débil «Ciao» sale de sus labios. El tipo lo empuja a un lado. Step retrocede abandonando la pelea. El tipo sube al Jaguar y arranca.

—Vámonos, venga.

Step y la mujer se miran por última vez. Entre aquellos ojos tan similares, un extraño hechizo, una larga historia de amor y tristeza, sufrimiento y pasado. Luego ella vuelve a subir al coche, guapa y elegante, igual que ha aparecido. Lo deja allí, en la calle, con el labio sangrando y el corazón destrozado. Babi se acerca a él. Preocupada por la única herida que puede ver, le acaricia delicadamente el labio con la mano. Step se aparta y sube en silencio a la moto. Espera a que ella suba detrás para arrancar con rabia. Avanza, reduce, da gas. La moto se desliza por el asfalto, aumenta de revoluciones. Lungotevere.

Step, sin pensar, empieza a correr. Dejando a sus espaldas viejos recuerdos. Ciento treinta, ciento cuarenta. Cada vez más rápido. El aire frío le pincha en la cara y ese fresco sufrimiento parece aliviarlo. Ciento cincuenta, ciento sesenta.

Aún más rápido. Pasa como un rayo entre dos coches muy próximos. Ciento setenta, ciento ochenta. Una suave cuneta y la moto casi vuela atravesando un cruce. Un semáforo que acaba de ponerse rojo. Los coches a su izquierda tocan el claxon, frenando nada más arrancar. Sometidos a esa moto arrogante, a ese bólido nocturno débilmente iluminado, peligroso y raudo como un proyectil esmaltado de azul. Ciento noventa, doscientos. El viento silba. La calle, difuminada a ambos lados, se une en el centro. Otro cruce. Una luz a lo lejos. El verde desaparece. Ahora llega el naranja. Step aprieta el pequeño botón que hay a su izquierda. Su claxon se alza en la noche. Como el aullido de un animal herido que corre a encontrarse con la muerte, como la sirena de una ambulancia, desgarradora como el grito del herido que transporta. El semáforo cambia de nuevo. Rojo.

Babi empieza a aporrearle la espalda.

—Párate, párate. —En el cruce, los coches se ponen en marcha. Un muro de metal de ladrillos costosos y multicolores se alza retumbando ante ellos—. ¡Párate!

Aquel último grito, aquella llamada a la vida. Step parece despertarse de golpe. La empuñadura del gas, libre, vuelve rápidamente al cero. El motor reduce bajo su pie arrogante. Cuarta, tercera, segunda. Step aprieta con fuerza el freno de acero, casi doblándolo. La moto tiembla al frenar, mientras que las revoluciones descienden veloces. Las ruedas dejan dos líneas rectas y profundas sobre el asfalto. Un olor a quemado envuelve los pistones humeantes. Los coches avanzan tranquilos a pocos centímetros de la rueda delantera de la moto. No se han dado cuenta de nada. Solo entonces, Step se acuerda de ella, de Babi. Ha bajado. La ve allí, apoyada contra un muro al borde la carretera.

Unos sollozos quedos le salen del pecho, incontenibles, al igual que las pequeñas lágrimas que rayan su pálida cara. Step no sabe qué hacer. De pie, frente a ella, con los brazos abiertos, temeroso incluso de acariciarla, asustado ante la idea de que esos leves sollozos nerviosos se transformen en auténtico llanto con solo tocarla. Lo intenta igualmente. Pero la reacción es inesperada. Babi le aparta con rudeza la mano, sus palabras son más bien gritos, quebrados por el llanto.

—¿Por qué? ¿Por qué eres así? ¿Estás loco? ¿Crees que es normal correr de ese modo? —Step no sabe qué contestarle. Mira aquellos ojos húmedos y grandes, anegados en lágrimas.

¿Cómo puede explicarle? ¿Cómo puede decirle lo que hay detrás? El corazón se le encoge. Babi lo mira. Sus ojos azules sufren e, inquisitivos, buscan en él una respuesta. Step sacude la cabeza. No puedo, parece repetir para sus adentros. No puedo. Babi alza la nariz y casi como si reuniera fuerzas, ataca de nuevo.

—¿Quién era esa mujer? ¿Por qué has cambiado tan repentinamente? Me lo tienes que decir, Step. ¿Qué ha pasado entre vosotros?

Y aquella última frase, aquel gran error, aquel equívoco imposible, parece golpearlo de lleno. En un abrir y cerrar de ojos, todas sus defensas se desvanecen. La guardia que había montado a su alrededor, constante, irreductible, entrenada en silencio un día tras otro, cede inesperadamente. Su corazón se abre, en calma por primera vez. Sonríe a aquella muchacha ingenua.

—¿Quieres saber quién es esa mujer?

Babi asiente.

—Es mi madre.

34

Apenas dos años antes.

Step, encerrado en su habitación, pasea intentando repasar la lección de química. Se apoya con ambas manos sobre la mesa. Hojea el cuaderno con los apuntes. Es inútil. Esas fórmulas se niegan a entrar en su cabeza.

De repente, oye cantar a Battisti en el último piso del edificio de enfrente «*Mi ritorna in mente, bella come sei...*».[1] Qué suerte tiene Battisti, yo no me acuerdo de nada y odio la química. Luego, constatando que le quieren proponer todo el disco, se levanta y abre la ventana.

—¡Eh! ¿Queréis apagar la música?

El volumen baja lentamente. «Menudos imbéciles.» Step vuelve a sentarse y se concentra de nuevo en la química.

—Stefano... —Step se da la vuelta. Su madre está frente a él. Lleva puesto un abrigo de pieles marrón con manchas salvajes, claras y doradas. Debajo, una falda burdeos deja al descubierto sus espléndidas piernas cubiertas por unas medias transparentes que, tirantes y perfectas, desaparecen en un par de elegantes zapatos marrón oscuro—. Voy a salir, ¿necesitas algo?

—No, gracias, mamá.

—Bueno, en ese caso, nos vemos esta noche. Si llama papá

1. «Te recuerdo, tan hermosa como eres...» *(N. de la T.)*

dile que he tenido que salir para llevar las cartas que él ya sabe al asesor fiscal.

—Está bien.

Su madre se acerca a él y le da un suave beso sobre la mejilla. El perfume que emana de los rizos de su melena negra llega hasta él, acariciándolo. Step piensa que se ha puesto demasiado pero prefiere no decírselo. Luego, al verla salir, comprende que ha hecho lo que debía. Es perfecta. Su madre no se puede equivocar. Ni siquiera cuando se perfuma. Lleva bajo el brazo el bolso que le regalaron él y su hermano. Paolo puso casi todo el dinero pero fue él el que lo eligió, en esa tienda de la calle Cola di Rienzo donde había visto a su madre detenerse muchas veces indecisa.

—Tú sí que eres un entendido —le susurró ella al oído colocándoselo bajo el brazo y, moviendo las caderas al andar, simuló una especie de desfile—. Bueno, ¿cómo me queda?

Todos respondieron divertidos. Pero lo que ella quería oír en realidad era la opinión del «verdadero entendido».

—Estás guapísima, mamá.

Step vuelve a su habitación. Oye cerrarse la puerta de la cocina. ¿Cuándo le regalaron aquel bolso? ¿Fue por Navidad o por su cumpleaños? Decide que, en ese momento, es mejor tratar de recordar la fórmula de química.

Más tarde. Son casi las siete. Le faltan tres páginas para acabar el programa. Entonces sucede. Battisti empieza a cantar de nuevo. En la ventana entornada del último piso del edificio de enfrente. Más alto que antes. Insistente. Provocador. Sin respeto por nada ni por nadie. Por él que está estudiando, por él que no puede ir al gimnasio. Se ha pasado.

Step coge las llaves de casa y sale corriendo dando un portazo. Cruza la calle y entra en el portal del edificio de enfrente. El ascensor está ocupado. Sube las escaleras de dos en dos. Basta, es insoportable. No tiene nada contra Battisti, al contrario. Pero oírlo de ese modo. Llega al último piso. Justo en ese momento se abre el ascensor. Sale un empleado con un paquete en la mano. Es más rápido que Step. Controla el apellido sobre la etiqueta de la puerta y llama. Step recupera el aliento a su lado. El empleado lo mira curioso. Step le devuelve la mirada sonriendo, luego observa el paquete que lleva en la mano. Sobre él está escrito: Antonini. Deben de ser los famosos pastelitos. Ellos también los compran todos los domingos. Hay de todas clases. De salmón, caviar, marisco. A su madre le encantan.

—¿Quién es?

—Antonini. Traigo los pastelitos que ha pedido, señor.

Step sonríe para sus adentros. Ha adivinado, puede que ese, para disculparse, le ofrezca uno. La puerta se abre. Aparece un chico de unos treinta años. Tiene la camisa medio desabrochada y debajo solo lleva puestos los calzoncillos. El empleado hace ademán de entregarle el paquete pero cuando el muchacho ve a Step se tira contra la puerta tratando de cerrarla. Step no lo entiende pero, instintivamente, se arroja hacia delante. Mete el pie en medio de la puerta, bloqueándola. El empleado retrocede para mantener en equilibrio la bandeja de cartón. Al permanecer allí, con la cara apoyada contra la fría madera oscura, lo ve a través de la abertura de la puerta. Está sobre un sillón junto al abrigo de pieles. De repente, se acuerda. Su hermano y él le regalaron aquel bolso por Navidad. Y la rabia, la desesperación, el deseo de no estar allí, de no tener que dar crédito a lo que ve, redoblan sus fuerzas. Abre la puerta de golpe tirándolo al suelo. Entra en el salón furibundo. Preferiría estar ciego para no tener que ver lo que le muestran sus ojos. La puerta del dormitorio está abierta. Allí, entre las sábanas en desorden, con una cara distinta, irreconocible para él que la ha visto tantas veces, está ella. Se está encendiendo un cigarrillo con aire inocente. Sus miradas se encuentran y, en un instante, algo se rompe, se apaga para siempre. Aquel último cordón umbilical de amor que los unía se corta y ambos, sin dejar de mirarse, gritan en silencio, llorando a lágrima viva. Después él se aleja mientras ella permanece inmóvil sobre la cama, muda, consumiéndose como el cigarrillo que acaba de encenderse. Ardiendo de amor por él, de odio hacia sí misma, hacia el otro, hacia aquella situación. Step se encamina lentamente a la puerta, se detiene. Ve al empleado en el rellano, junto al ascensor, con los pastelitos en la mano, mirándolo sin articular palabra. Inesperadamente, unas manos se apoyan sobre sus hombros.

—Escucha...

Es ese tipo. ¿Qué se supone que debería escuchar? Ya no siente nada. Se ríe. El muchacho no lo entiende. Lo mira estupefacto. Step le da un puñetazo en plena cara. Y, en ese preciso momento, las palabras de Battisti, inocente culpable de aquel descubrimiento, se escuchan en el rellano, o puede que solo sea que Step las recuerda: «*Scusami tanto se puoi, signore chiedo scusa anche a lei*».[1] Pero ¿de qué tengo que pedir disculpas?

Giovanni Ambrosini se lleva las manos a la cara, llenándola de sangre. Step lo coge por la camisa y, arrancándosela, lo saca de aquella casa sucia de amor ilegal.

Lo golpea varias veces en la cabeza. El muchacho trata de escapar. Empieza a bajar las escaleras. Step lo alcanza de inmediato. Con una patada precisa lo empuja con fuerza, haciéndole tropezar. Giovanni Ambrosini rueda por las escaleras. Apenas se para, Step se abalanza de nuevo sobre él. Le da patadas en la espalda, en las piernas, mientras él se aferra dolorido a la barandilla, intentando levantarse, huir de él. Lo está destrozando. Step le tira del pelo, intentando que se suelte, pero mientras sus manos se llenan de mechones de pelo, Giovanni Ambrosini sigue allí, aferrado a la barra de hierro, gritando aterrorizado. Las puertas de los otros apartamentos se abren. Step da patadas a las manos de Giovanni y estas empiezan a sangrar. Pero no se suelta, consciente de que aquello es su única salvación. Entonces Step lo hace. Lleva la pierna hacia atrás y, con toda su fuerza, golpea su cabeza por detrás. Una patada violenta y precisa. La cara de Ambrosini se es-

1. «Perdóname si puedes, también a usted le pido disculpas, señor». *(N. de la T.)*

tampa contra la barandilla. Con un ruido sordo. Le destroza los pómulos. Empieza a chorrear sangre. Los huesos de la boca se rompen. Se le cae un diente y rebota en el mármol. La barandilla vibra y aquel ruido de hierro desciende las escaleras acompañado del último grito de Ambrosini que se desmaya. Step escapa, bajando apresuradamente, pasando veloz entre las caras terribles de los inquilinos curiosos, tropezando con aquellos cuerpos fláccidos que tratan en vano de detenerlo. Vaga por la ciudad. Aquella noche no vuelve a casa. Va a dormir a casa de Pollo. Su amigo no le pregunta nada. Menos mal que su padre está fuera aquella noche, así pueden compartir la cama. Pollo siente a Step agitarse mientras duerme, sufrir incluso durante un sueño. A la mañana siguiente, Pollo hace como si nada, a pesar de que uno de los almohadones está empapado de lágrimas. Desayunan sonriendo, charlando de sus cosas, compartiendo un cigarrillo. Luego Step va al colegio y saca hasta un diez en química. Pero aun así, a partir de aquel día, su vida cambiará. Sin que nadie haya sabido nunca la razón, nada ha vuelto a ser igual.

Algo malévolo anida en él. Una bestia, un terrible animal ha hecho su guarida en lo más profundo de su corazón, listo para salir en cualquier momento, para golpear, con rabia, con maldad, hijo del sufrimiento y de un amor hecho añicos. Desde entonces, la vida en casa dejó de ser posible. Silencios y miradas furtivas. No volvió a dedicar ni siquiera una sonrisa a la persona que antes idolatraba. Luego vino el proceso. La condena. Su madre no testimonió a su favor. Su padre lo riñó. Su hermano no se enteró de nada. Y nadie supo nunca lo que había pasado, aparte de ellos dos. Guardianes forzados de aquel terrible secreto. Aquel mismo año, sus padres se separaron. Step se fue a vivir con Paolo. El primer día que entró en aquella casa miró por la ventana de su habitación. Fuera había solo un prado tranquilo. Empezó a colocar sus cosas. Sacó de la bolsa algunos suéteres y los puso al fondo del armario. De repente, tocó una sudadera. Mientras la sacaba, se le abrió entre las manos. Por un instante tuvo la impresión de que su madre estaba allí. Recordaba cuando se la prestó, el día en que se fueron a correr juntos por una arboleda. Cuando él había aminorado el paso para estar a su lado. Y ahora, en cambio, se encontraba en aquella casa, tan lejos de ella, en todos los sentidos. Apretando con fuerza la sudadera entre las manos, se la llevó a la cara. Al oler su perfume, se echó a llorar. Luego, estúpidamente, se preguntó si aquel día debería haberle dicho que se había puesto demasiado.

35

De nuevo ahora. Por la noche.

La moto corre tranquila por la orilla. Pequeñas olas rompen lentas en ella. Van y vienen, respiración regular del mar profundo y oscuro que los observa a una cierta distancia. La luna, alta en el cielo, ilumina la larga Feniglia. A lo lejos, la playa se pierde entre las manchas más oscuras de las montañas. Step apaga los faros. Siguen corriendo envueltos en la oscuridad, sobre aquella mullida alfombra mojada. Al llegar a mitad de Feniglia se paran. Caminan el uno junto al otro, rodeados por aquella paz. Babi se acerca hasta la orilla. Pequeñas olas de bordes plateados rompen antes de mojar sus All Star azules. Una ola algo más caprichosa que las demás prueba a cogerla. Babi retrocede deprisa tratando de escapar. Tropieza con Step. Sus fuertes brazos le ofrecen un refugio seguro. Ella no lo esquiva. Su sonrisa se asoma en aquella luz nocturna. Sus ojos azules, rebosantes de amor, lo miran divertidos. Él se inclina sobre ella lentamente y, estrechando su abrazo, la besa. Labios suaves y cálidos, frescos y salados, acariciados por el viento del mar. Step le pasa una mano por el pelo. Lo aparta dejando su cara al descubierto. En la mejilla teñida de plata, diminuto espejo de aquella luna que está en lo alto, se dibuja una sonrisa. Otro beso. Las nubes se pasean sosegadamente en el cielo azul nocturno. Step y Babi se han tumbado sobre la arena fría, abrazados. Sus manos, cubiertas por minúsculos granos de arena, se persiguen divertidas.

Otro beso. Luego Babi se incorpora apoyándose en los brazos. Lo mira, está bajo ella. Sus ojos ahora en calma la miran fijamente. Su piel es de color ébano, lisa y suave. Su pelo corto no teme ensuciarse. Parece pertenecer a aquella playa, tumbado en ella, con los brazos extendidos, dueño de la arena, de todo. Step, sonriendo, la atrae hacia él, dueño también de ella, acogiéndola con un beso más largo y profundo. La abraza estrechamente, respirando su dulce sabor. Ella se abandona, transportada por aquella fuerza, y, en ese momento, comprende que hasta entonces no había besado a nadie de verdad.

Ahora está sentado detrás de ella, la tiene abrazada, alojada entre sus piernas. Él, sólido respaldo, interrumpe de vez en cuando sus pensamientos para darle un beso en el cuello.

—¿En qué piensas?

Babi se vuelve hacia él mirándolo por el rabillo del ojo.

—Sabía que me lo preguntarías. —Vuelve a apoyar la cabeza contra su pecho—. ¿Ves la casa que está allí, sobre las rocas?

Step mira en la dirección que indica la mano de ella. Antes de perderse en la lejanía se detiene por un momento en aquel índice menudo y lo encuentra también maravilloso. Sonríe, dueño exclusivo de sus pensamientos.

—Sí, la veo.

—¡Es mi sueño! Cuánto me gustaría vivir en esa casa. Imagínate la vista que debe de tener. Un ventanal sobre el mar. Un salón en el que poder contemplar el atardecer mientras nos abrazamos.

Step la estrecha con más fuerza entre sus brazos. Babi sigue mirando por un instante a lo lejos, arrobada. Él se acerca apoyando su mejilla contra la de ella. Babi, juguetona y caprichosa, trata de apartarlo, sonriendo a la luna, fingiendo querer escapar. Step coge la cara de ella entre sus manos y ella, pálida perla, sonríe, prisionera en aquella concha humana.

—¿Quieres darte un baño?

—¿Estás loco, con este frío? Además, no tengo bañador.

—Venga, no hace frío y, entre otras cosas, ¿para qué necesita un bañador un pececito como tú?

Babi hace una mueca de rabia y lo empuja hacia atrás con las manos.

—Por cierto, le has contado a Pollo la historia de la otra noche, ¿verdad?

Step se levanta y trata de abrazarla.

—¿Qué, bromeas?

—¿Cómo es posible entonces que Pallina se haya enterado? ¡Se lo habrá contado Pollo!

—Te juro que no le he dicho nada. Puede que haya hablado en sueños...

—Hablado en sueños, claro... además, ya te he dicho que no creo en tus juramentos.

—Es verdad que de vez en cuando hablo en sueños, tú misma no tardarás en comprobarlo.

Step se dirige a la moto mirando hacia atrás divertido.

—¿Lo comprobaré? Estás bromeando, ¿verdad?

Babi le da alcance un poco preocupada.

Step se ríe. Su frase ha conseguido el resultado que pretendía.

—¿Por qué, acaso no dormimos juntos esta noche? Para el caso, no tardará mucho en amanecer.

Babi mira preocupada el reloj.

—Las dos y media. Caramba, si mis padres llegan antes que yo estoy acabada. Rápido, tengo que volver a casa.

—Entonces, ¿no duermes conmigo?

—¿Estás loco? A lo mejor no te has enterado de con quién estás saliendo. Y, además, ¿cuándo se ha visto a un pececito dormir acompañado?

Step enciende la moto, aprieta el freno delantero dando gas. La moto, obediente entre sus piernas, gira sobre sí misma y se para delante de ella. Babi sube detrás. Step mete la primera. Se alejan poco a poco, aumentando gradualmente la velocidad, dejando a sus espaldas una línea precisa de anchos neumáticos. Algo más lejos, entre la arena removida por aquellos besos inocentes, hay un pequeño corazón. Lo ha dibujado ella a escondidas, con el mismo índice que a él le ha gustado tanto. Una ola pérfida y solitaria cancela su contorno. Pero, usando un poco la imaginación, todavía se pueden leer la S y la B. Un perro ladra a lo lejos a la luna. La moto sigue con su carrera enamorada y se desvanece en la noche. Una ola más decidida que las demás acaba de borrar aquel corazón. Nadie podrá, sin embargo, cancelar aquel momento de sus corazones.

36

Delante de Vetrine, parada en medio de la calle desierta, queda ya solo su Vespa. Babi baja de la moto, desbloquea la rueda delantera y la enciende. Monta sobre el sillín y la empuja haciéndola bajar del soporte. Luego, parece acordarse de él.

—Adiós. —Le sonríe con ternura.

—Te acompaño, te escolto hasta casa. —Llegados a la avenida de Francia, Step se acerca a la Vespa y apoya el pie derecho bajo el faro, sobre la pequeña matrícula.

—Tengo miedo.

—Mantén derecho el manillar...

Babi mira de nuevo hacia delante sujetándolo bien. La Vespa de Pallina va más rápida que la suya pero jamás habría alcanzado por sí sola esos niveles. Dejan atrás la avenida de Francia y luego suben por la calle Jacini, hasta la plaza. Step le da un último empujón justo delante de su casa. La suelta. Poco a poco, la Vespa va perdiendo velocidad. Babi frena y se vuelve hacia él. Está parado, erguido sobre la moto, a pocos pasos de ella. Step la mira por un momento. Luego le sonríe, mete la primera y se aleja. Ella lo sigue con la mirada hasta verlo desaparecer en la curva. Lo oye acelerar cada vez más, un cambio rápido de marchas, silenciadores que rugen mientras se alejan corriendo a toda velocidad. Babi espera que Fiore, medio dormido, levante la barra. Luego sube por la pendiente que hay frente al edificio. Cuando dobla la curva, una triste sorpresa. Su casa está toda iluminada y su madre está allí, asomada a la ventana de su dormitorio.

—¡Aquí está, Claudio!

Babi sonríe desesperada. No sirve de nada. Su madre cierra bruscamente la ventana. Babi mete la Vespa en el garaje, pasando con dificultad entre la pared y el Mercedes. Mientras cierra la puerta metálica piensa en la bofetada de aquella mañana. Inconscientemente, se lleva la mano a la mejilla. Trata de recordar el daño que le hizo. Sin esforzarse demasiado. De todos modos, no tardará en comprobarlo. Sube parsimoniosamente las escaleras intentando retrasar lo más posible el momento de aquel descubrimiento. La puerta está abierta. Pasa resignada bajo aquel patíbulo. Condenada a la guillotina, sin confiar demasiado en un posible indulto, ella, moderna Robespierre con pantalón de peto, perderá su cabeza. Cierra la puerta. Una bofetada le da en plena cara.

—¡Ay! —«Siempre en el mismo lado», piensa, acariciándose la mejilla.

—Vete de inmediato a la cama pero antes dale las llaves de la Vespa a tu padre.

Babi cruza el pasillo. Claudio está junto a la puerta. Babi le entrega el llavero de Pallina.

—¿Babi?

Ella se vuelve, inquieta.

—¿Qué pasa?

—¿Por qué una P?

La P de goma del llavero de Pallina cuelga inquisitiva de las manos de Claudio. Babi lo mira momentáneamente perpleja, pero a renglón seguido, despabilada por la bofetada y fresca creadora del instante, improvisa.

—Pero cómo, papá, ¿no te acuerdas? Por el apodo que me pusiste tú. ¡De pequeña me llamabas siempre Puffina!

Claudio parece momentáneamente indeciso, luego sonríe.

—¡Ah, es verdad! Puffina. Ya no me acordaba. —Acto seguido, vuelve a ponerse serio—. Ahora vete a la cama. Mañana hablaremos de toda esta historia. ¡No me ha gustado nada, Babi!

Las puertas de los dormitorios se cierran. Claudio y Raffaella, ya más tranquilos, hablan sobre aquella hija que antes era pacífica y tranquila y que ahora se rebela, irreconocible. Vuelve a altas horas de la noche, participa en carreras de motos, aparece fotografiada en todos los periódicos. ¿Qué ha sucedido? ¿Qué le ha pasado a su Puffina?

En una de las habitaciones cercanas, Babi se desnuda y se mete en la cama. Su mejilla enrojecida encuentra un fresco consuelo en el almohadón. Durante un rato, sueña con los ojos abiertos. Le parece escuchar todavía el ruido de las olas, sentir el viento que le acaricia el pelo y ese beso, fuerte y tierno al mismo tiempo. Se gira en la cama. Piensa en él mientras mete las manos bajo el almohadón soñando que lo abraza. Entre las sábanas lisas, unos diminutos granos de arena le hacen sonreír. En la oscuridad de su habitación, surge poco a poco la respuesta que sus padres buscan con afán. Es evidente lo que le ha pasado a su Puffina: se ha enamorado.

37

Pallina se precipita sobre Babi antes de que esta pueda acabar de subir las escaleras del colegio.

—Bueno, ¿cómo fue? Desapareciste...

—Estuvimos en Ansedonia.

—¿Fuisteis hasta allí?

Babi asiente.

—¿Y lo hicisteis?

—¡Pallina!

—Bueno, perdona, si fuisteis hasta allí se supone que bajaríais a la playa, ¿no?

—Sí.

—¿Y no hicisteis nada?

—Nos besamos.

—¡Yuhuuu! —Pallina le salta encima—. ¡Caramba! Menuda suerte, te has ligado al tío más bueno de la ciudad. —Luego advierte que Babi parece un poco triste—. ¿Qué pasa?

—Nada.

—Venga, no digas mentiras, suéltalo. Ánimo. Cuéntaselo a tu vieja y sabia amiga, Pallina. Lo hicisteis, ¿verdad?

—¡Noooo! Solo nos besamos, y fue precioso. Pero...

—Pero ¿qué...?

—Pues eso, que no sé cómo hemos quedado.

Pallina la mira perpleja.

—Pero intentó... —Mueve el puño hacia abajo dos veces en manera elocuente.

Babi hace un gesto negativo con la cabeza resoplando.

—No.

—En ese caso, la cosa es realmente preocupante.

—¿Por qué?

—Le interesas.

—¿Tú crees?

—Seguro. Normalmente, se las tira a todas la primera noche.

—Ah, gracias, es un consuelo.

—Quieres saber la verdad, ¿no? Bueno, perdona, tienes que ser feliz. No te preocupes, si el problema es solo ese lo único que tienes que hacer es esperar a la segunda noche, ¡ya verás!

Babi le da un empujón.

—Estúpida... Por cierto, Pallina, te han secuestrado la Vespa.

—¿Mi Vespa? —Pallina cambia de expresión—. ¿Quién ha sido?

—Mis padres.

—La simpática de Raffaella. Uno de estos días le voy a decir un par de cosas. ¿Sabes que el otro día lo intentó?

—¿Mi madre? ¿Con quién?

—¡Conmigo! ¡Me besó mientras dormía en tu cama pensando que eras tú!

—¿Me lo juras?

—¡Sí!

—Imagínate, mi padre ha cogido tu llavero pensando que era el mío.

—¿Y no le ha parecido extraño lo de la P?

—¡Sí! Le dije que, de pequeña, él me llamaba siempre Puffina.

—¿Y se lo creyó?

—Ahora solo me llama así.

—¡Qué lástima! Tu padre es un buen tipo, pero eso no quita que sea también bastante bobalicón.

De este modo, entran en clase. Una, rubia y esbelta, la otra, morena y más menuda. Guapa y estudiosa la primera, graciosa e ignorante la segunda, pero con algo muy grande en común: su amistad. Durante la lección, Babi mira distraída la pizarra, sin ver los números escritos sobre ella, sin oír las palabras de la profesora. Piensa en él, en lo que estará haciendo en ese momento. Se pregunta si estará pensando en ella. Trata de imaginárselo, sonríe enternecida, a continuación preocupada, al final anhelante. Tiene muchos modos de ser. A veces resulta tierno y dulce, pero también puede convertirse inesperadamente en alguien salvaje y violento. Suspira y mira la pizarra. Es mucho más fácil resolver aquella ecuación.

Step se acaba de levantar. Se mete en la ducha y deja que aquel chorro de agua potente y decidido le dé un masaje. Apoya las manos contra la pared mojada y, mientras el agua tamborilea sobre su espalda, empuja hacia abajo las piernas, levantándose de puntillas, primero el pie derecho, después el izquierdo. Mientras el agua resbala por su cara piensa en los ojos azules de Babi. Son grandes, límpidos y profundos. Sonríe y, a pesar de tener los ojos cerrados, puede verla a la perfección. Ahí está, inocente y serena frente a él, con el pelo despeinado por el viento y aquella nariz recta. Ve su mirada resuelta, temperamental. Mientras se seca, piensa en todo lo que se dijeron, en lo que él le contó. Ella, único oído dulce casi desconocido, oyente silencioso de su viejo sufrimiento, de su amor ahora convertido en odio, de su tristeza. Se pregunta si no se habrá vuelto loco. En cualquier caso, ya está hecho. Desayunando, piensa en la familia de Babi. En su hermana. En el padre que parece simpático. En esa madre de carácter firme y tajante, de rasgos parecidos a los de Babi, un poco ajados por la edad. ¿Llegará un día en el que ella sea también así? Las madres, a veces, no son sino la proyección futura de la muchacha con la que nos divertimos hoy. Le viene a la mente el recuerdo de una madre, más intenso que el de la hija. Apura el café sonriendo. Llaman a la puerta. Abre Maria. Es Pollo. Le tira sobre la mesa la habitual bolsa de papel, sus sándwiches al salmón.

—¿Entonces? Me tienes que contar lo que pasó. ¿Te la tiraste o no? Imagínate, esa... con el carácter que tiene a saber cuándo se dejará. ¡Nunca! ¿Adónde coño fuisteis? Os busqué por todas partes. Ah, no sabes cómo se puso Madda. ¡Está negra! ¡Como la pille la descuartiza!

Step se pone serio. Maddalena, es verdad, no había pensado en ella. Anoche no pensó en nada de eso. Decide que ahora tampoco quiere hacerlo. A fin de cuentas, nunca se comprometieron a nada.

—Ten. —Pollo se saca del bolsillo un trozo de papel blanco arrugado y se lo tira—. Es su número de teléfono. —Step lo coge al vuelo—. Se lo pedí ayer a Pallina, sabía que hoy lo querrías...

Step se lo mete en el bolsillo y sale de la cocina. Pollo va tras él.

—Pero bueno, Step, ¿me cuentas algo o no? ¿Te la tiraste?

—¿Por qué me preguntas siempre esas cosas, Pollo? Ya sabes que yo soy un caballero, ¿no?

Pollo se tira sobre la cama muerto de risa.

—Un caballero... ¿tú? Dios mío, me va a dar algo. Lo que tengo que oír. Joder... Un caballero.

Step lo mira sacudiendo la cabeza y luego, mientras se pone los vaqueros, también él se echa a reír. ¡La de veces que no se ha comportado, lo que se dice, como un caballero! Por un momento, le gustaría poder contarle algo más a su amigo.

38

A la salida del Falconieri ningún muchacho vende libros. Es un colegio demasiado «fino» como para que cualquiera de sus alumnas compre un libro usado. Babi baja las escaleras mirando en derredor esperanzada. Al fondo de ellas, varios grupos de muchachos acechan nuevas presas o esperan a viejas conquistas. Pero ninguno de ellos es el apropiado. Babi da los últimos pasos. El ruido de una moto veloz le hace levantar la mirada. Su corazón se acelera. En vano. Un depósito rojo pasa como un rayo entre los coches. Dos jóvenes abrazados se ladean al mismo tiempo hacia la izquierda. Babi los envidia por un momento. Después sube al coche. Su madre la espera dentro, todavía enojada por lo que pasó el día anterior.

—Hola, mamá.

—Hola —es la seca respuesta de Raffaella. Babi no recibe ninguna bofetada ese día, no hay motivo. Pero casi lo lamenta.

Step y Pollo están pegados a la red. Presencian en el borde del campo el entrenamiento de su equipo. Junto a ellos Schello, Hook y algún que otro amigo más, la pasión por el Lazio. Hinchas descontrolados con tal de armar un poco de alboroto. Step, procurando que no lo vean, se sube un poco la manga izquierda de la cazadora, dejando al descubierto el reloj. La una y media. Acabará de salir. Se la imagina en el coche de su madre, en la avenida de Francia, volviendo a casa. Más bonita que un gol de Mancini. Pollo no le quita ojo.

—¿Qué pasa?

Pollo abre los brazos.

—Nada, ¿por qué?

—Entonces, ¿se puede saber qué coño estás mirando?

—¿Por qué, acaso no puedo mirar?

—Pareces marica... Mira el partido, ¿no? Te traigo hasta aquí y ¿qué haces? ¿Te dedicas a mirarme la cara?

Step se vuelve hacia el campo. Algunos jugadores con chaquetas de entrenamiento sobre las camisetas del equipo se pasan rápidos la pelota mientras un desgraciado que hay en medio de ellos trata de arrebatársela. Step se vuelve de nuevo hacia Pollo. Sigue sin quitarle ojo.

—¡Todavía! Pero ¿es que no lo entiendes? —Step se abalanza sobre él. Le coge la cabeza con ambas manos y, riéndose, golpea con ella la red—. Tienes que mirar ahí. —Lo empuja varias veces—. ¡Ahí, ahí!

Schello, Hook y el resto del grupo se lanzan sobre ellos con el único objetivo de organizar un poco de follón. Otros hinchas se empujan entre ellos contra la red, armando alboroto. Uno de ellos, con un periódico enrollado y un silbato en la boca finge ser uno de la policía antidisturbios y aporrea a todos. Al poco tiempo, el grupo se disgrega, los hinchas corren en todas direcciones divertidos. Step sube a la moto. Pollo salta tras él y ambos escapan de allí deslizándose sobre la grava. Step se pregunta si Pollo habrá adivinado lo que estaba pensando antes.

—Oh, Step, qué lástima...

—¿Por qué?

—Se ha hecho muy tarde, si no, podríamos haber pasado a recogerlas al colegio.

Step no le contesta. Siente que Pollo sonríe a sus espaldas. Luego recibe un puñetazo en el costado.

—Eh, no te hagas el listo conmigo, ¿está claro? —Step se inclina hacia delante dolorido. Sí, Pollo lo ha adivinado y, por si fuera poco, da unos golpes terribles.

La tarde resulta interminable para los dos, aunque no lo sepan.

Babi trata de estudiar. Se dedica a ojear el diario, a cambiar las emisoras de la radio, a abrir y cerrar la nevera intentando resistir la tentación de saltarse la dieta. Acaba delante de la tele mirando un estúpido programa infantil y comiéndose un Danone al chocolate, lo que hace que poco después se sienta todavía peor. Quién sabe si habrá conseguido el número de mi móvil. De todos modos, aquí no hay cobertura. Esperemos que le hayan dado el de casa. En la duda, se apresura a responder a todas las llamadas. Pero la mayor parte de las veces le toca escribir sobre la agenda el apellido de alguna amiga de su madre. Andrea Palombi llama a Daniela al menos tres veces. La envidia. El teléfono suena de nuevo. El corazón le da un vuelco. Corre por el pasillo, levanta el auricular, solo puede tratarse de Step. En cambio, es Palombi, por cuarta vez. Llama a Daniela rogándole que no se demore. Injusticias del mundo. A Daniela cuatro llamadas, a ella ninguna. Luego se anima. Con todas las carreras que ha hecho debe de haber quemado al menos la mitad de las calorías.

Step come en casa con su amigo. Pollo le vacía prácticamente la nevera. Le gusta mucho la cocina de Maria. Ella se muestra encantada de ver cómo su torta de manzana desaparece entre las fauces del joven invitado. Step un poco menos ya que tendrá que soportar las quejas de Paolo, cuando vuelva a casa. La torta de manzana, en realidad, era para él. Poco después, Maria se marcha y los dos descansan un poco. Step relee todos sus cómics de *Pazienza*.[1] Controla las ilustraciones originales, de las que se siente muy orgulloso. Luego despierta a Pollo para enseñárselas. A pesar de que las ha visto ya un sinfín de veces, las contempla como si no

1. Andrea Pazienza (1956-1988), famoso dibujante de cómics italiano. *(N. de la T.)*

las hubiera visto nunca. Son de verdad muy buenos amigos, tanto que Step no puede negarle una llamada por teléfono. Aunque esté al tanto del vicio de Pollo. Como era de prever, se pasa una hora al teléfono. Vaya a donde vaya, tiene que llamar al menos una vez. Se tira horas hablando, con quien sea, aunque no tenga nada que decir. Ahora, encima, que se ha echado novia, es incontenible. Su sueño, confiesa a Step al salir, es robar un móvil.

—Mi hermano tiene uno nuevísimo —le responde divertido Step. Paolo adquiere de inmediato un nuevo valor para Pollo. Quién sabe si después de la torta de manzana no conseguirá birlarle también el teléfono.

Llueve. Babi y Daniela están sentadas en el sofá junto a sus padres. Miran una película divertida y familiar en el primer canal. La atmósfera parece más distendida.

Suena el teléfono. Daniela enciende el inalámbrico que tiene junto a ella sobre el almohadón del sofá.

—¿Sí? —Mira a Babi asombrada. Incapaz de dar crédito a sus oídos—. Ahora te la paso. —Babi se vuelve tranquila hacia la hermana—. Es para ti, Babi.

Basta ese instante, su mirada, su cara, para comprender. Es él.

Daniela le pasa el teléfono tratando de disimular delante de sus padres. Su hermana lo coge con delicadeza, casi temerosa de tocarlo, de apretarlo, como si una vibración de más pudiera cortar la comunicación, hacerlo desaparecer para siempre. Se lo lleva lentamente a la cara de mejillas encendidas, a los labios emocionados incluso por aquel simple...

—¿Sí?

—Hola, ¿cómo estás? —La voz cálida de Step le llega directamente al corazón. Babi mira a su alrededor consternada, preocupada porque alguien se haya dado cuenta de lo que siente, de su corazón que late enloquecido, de la felicidad que trata desesperadamente de disimular.

—Bien, ¿y tú?

—Bien. ¿Puedes hablar?

—Espera un momento, no oigo nada. —Se levanta del sofá con el teléfono en la mano mientras su bata hace una especie de revoloteo. A saber por qué, ciertos teléfonos no funcionan nunca delante de los padres. Su madre la mira salir del salón y luego se vuelve curiosa hacia Daniela.

—¿Quién es?

Daniela es rápida.

—Oh, Chicco Brandelli, uno de sus pretendientes.

Raffaella la mira por un momento. Luego se tranquiliza. Se concentra de nuevo en la película. También Daniela se vuelve hacia el televisor con un pequeño suspiro. Ha colado. Si su madre hubiera seguido mirándola se habría derrumbado. Es difícil sostener su mirada, uno tiene siempre la impresión de que lo sabe todo. Se felicita por la idea de Brandelli. Al menos ese estúpido ha servido para algo.

La habitación a oscuras. Ella apoyada contra el cristal, mojado por la lluvia, con el teléfono en la mano.

—Hola, Step, ¿eres tú?

—¿Quién si no?

Babi se echa a reír.

—¿Dónde estás?

—Bajo la lluvia. ¿Puedo venir a tu casa?

—Imposible. Están mis padres.

—Entonces ven tú.

—No, no puedo. Estoy castigada. Ayer me pillaron al volver a casa. Estaban esperándome en la ventana.

Step sonríe y tira el cigarrillo.

—¡Entonces es cierto! Todavía se castiga a ciertas chicas.

—Eh, sí, y tú estás saliendo con una de ellas. —Babi cierra los ojos aterrorizada por la bomba que acaba de lanzar. Se queda esperando la respuesta. Sea como sea, ahora ya no tiene remedio. Pero no oye ningún estallido. Lentamente, abre los ojos. Al otro lado del cristal, el resplandor de un rayo permite ver mejor la lluvia. Está amainando—. ¿Sigues ahí?

—Sí. Estaba tratando de entender qué efecto produce caer en las redes de una mosquita muerta.

—Si fuera realmente una mosquita muerta habría elegido otro que enredar.

Step se echa a reír.

—Está bien, hagamos las paces. Tratemos de resistir al menos un día. ¿Qué haces mañana?

—Ir al colegio, estudiar y luego, sigo castigada.

—Bueno, puedo ir a buscarte.

—Yo diría que esa no es precisamente una idea brillante...

—Me vestiré bien.

Babi se ríe.

—No, no es por eso. Es una cuestión algo más general. ¿A qué hora te levantas mañana?

—Bah, a las diez, a las once. Cuando Pollo venga a despertarme.

Babi sacude la cabeza.

—¿Y si no va?

—A las doce, a la una...

—¿Puedes venir a recogerme al colegio?

—¿A la una? Sí, creo que sí.

—Me refería a la entrada.

Silencio.

—¿A qué hora sería eso?

—A las ocho y diez.

—Pero ¿por qué hay que ir al colegio de madrugada? Y luego, ¿qué hacemos?

—Bueno, no sé, nos escapamos... —Babi apenas puede creer lo que está diciendo. Nos escapamos. Debe de haberse vuelto loca.

—Está bien, cometamos esa locura. A las ocho a la entrada de tu colegio. Espero poder despertarme a esa hora.

—Será difícil, ¿verdad?

—Bastante.

Se quedan por un momento en silencio. Sin saber muy bien qué decir, cómo despedirse.

—Bueno, entonces, hasta mañana.

Step mira afuera. Ha dejado de llover. Las nubes se mueven veloces. Es feliz. Mira el móvil. En ese momento, ella está al otro lado.

—Adiós, Babi. —Cuelgan. Step alza la mirada. Ahí arriba, en el cielo, han aparecido algunas estrellas, tímidas y mojadas. Mañana será un buen día. Pasará la mañana con ella.

Ocho y diez. Debe de haberse vuelto loco. Trata de recordar cuándo se levantó por última vez tan temprano. No se acuerda. Sonríe. Hace apenas tres días, volvió a casa justo a esa hora.

En la oscuridad de su habitación, con el teléfono portátil en la mano, Babi sigue con la mirada clavada en el cristal durante un buen rato. Se lo imagina en la calle. Fuera debe de hacer frío. Se estremece por él. Regresa al salón. Devuelve el teléfono a su hermana y luego se sienta junto a ella en el sofá. Sin que se dé cuenta, Daniela observa su cara con curiosidad. Le gustaría acribillarla a preguntas. Tiene que conformarse con aquellos ojos que, de repente, parecen extasiados. Babi se concentra de nuevo en la televisión. Por un instante, tiene la impresión de estar viendo a colores aquella vieja película en blanco y negro. No entiende mínimamente de qué están hablando y sus pensamientos la transportan muy lejos de allí. Poco después, vuelve inesperadamente a la realidad. Mira a los demás inquieta, pero ninguno da muestras de haberlo notado. Mañana hará novillos por primera vez en su vida.

39

Paolo está sentado a la mesa hojeando distraído el periódico. Mira a su alrededor. Qué extraño. Le había dicho a Maria que hiciera la torta de manzana. Se habrá olvidado. Ingenuo. Recuerda el roscón que compró para las situaciones de emergencia. Decide que aquella es una de ellas. Abre algunos armarios. Al final lo encuentra. Lo escondió a conciencia para salvarlo del apetito insaciable de Step y sus amigos.

Mientras se corta un trozo, entra Step.

—Hola, hermano.

—¿Te parece que esta es hora de volver a casa...? Ahora te pasarás todo el día en la cama, luego, si se tercia, irás al gimnasio y por la noche de nuevo por ahí con Pollo y con esos cuatro delincuentes con los que sales. Desde luego, te pegas una vida...

—Estupenda. —Step se sirve café, luego le añade un poco de leche—. En cualquier caso, da la casualidad de que no vuelvo ahora, salgo.

—Dios mío, ¿qué hora es?

Paolo mira preocupado el reloj. Las siete y media. Exhala un suspiro de alivio. Todo está bajo control. Algo no encaja, de todos modos. Step jamás ha salido a esta hora.

—¿Adónde vas?

—Al colegio.

—Ah. —Paolo se tranquiliza pero, de repente, recuerda que Step acabó el año pasado—. ¿Qué vas a hacer allí?

—Coño, ¿se puede saber a qué vienen todas estas preguntas? Y de madrugada, por si fuera poco...

—Haz lo que quieras, basta con que no te metas en líos. A propósito, ¿Maria no hizo ayer la torta de manzana?

Step lo mira con aire inocente.

—¿Torta de manzana? No, no creo.

—¿Seguro? ¿No será que tú, Pollo y esos muertos de hambre de tus amigos os la habéis acabado?

—Paolo, deja de insultar siempre a mis amigos. No me gusta. ¿Acaso ofendo yo a los tuyos?

Paolo se calla. No los ofende. Por otra parte, ¿cómo podría hacerlo? Paolo no tiene amigos. De vez en cuando le llama un colega o algún viejo compañero de la universidad, pero Step no podría ofenderlos. La vida se ha encargado ya de castigarlos. Tristes, grises, con físicos de poeta.

—Hasta luego, Pa', nos vemos esta noche.

Paolo mira la puerta cerrada. Su hermano consigue siempre sorprenderlo. A saber adónde va a esa hora de la mañana. Bebe un sorbo de café. Luego se dispone a coger el trozo de roscón que ha dejado sobre el plato. Ha desaparecido: con Step sale siempre perdiendo.

—Hola, papá. —Babi y Daniela bajan del Mercedes. Claudio mira a sus hijas mientras se encaminan hacia el colegio. Un último saludo y luego se marcha. Babi sube todavía algunos escalones. Se da la vuelta. El Mercedes está ya lejos. Baja deprisa y, justo en ese momento, se cruza con Pallina.

—Hola, ¿adónde vas?

—Me voy con Step.

—¿De verdad? ¿Y adónde vais?

—No lo sé. A dar una vuelta. Antes de nada, a desayunar. Esta mañana estaba demasiado emocionada como para poder comer algo. Imagínate. Es la primera vez que hago novillos...

—Yo también estaba emocionada la primera vez. Pero a

estas alturas... ¡Hago yo mejor la firma de mi madre que ella misma! —Babi se ríe. La moto de Step se detiene con un zumbido delante de la acera.

—¿Vamos?

Babi se despide de Pallina con un beso apresurado y luego sube emocionada detrás de él. El corazón le late a mil por hora.

—Te lo ruego, Pallina... Trata de no recibir ninguna mala nota y anota a quién preguntan.

—¡OK, jefa!

—¿Otra vez? ¡Mira que me trae mala suerte! Ah, y ni una palabra a nadie, ¿eh?

Pallina asiente. Babi mira a su alrededor preocupada porque alguien la vea. Luego se abraza a Step. Ahora ya está. La moto arranca, huyendo del colegio, de las horas aburridas de clase, de la Giacci, de los deberes y de aquel timbre que a veces da la impresión de que nunca va a sonar.

Pallina mira alejarse con envidia a su amiga. Se alegra por ella. Sube las escaleras charlando, sin advertir que alguien la está observando. Algo más arriba, una mano ajada por el tiempo y el odio, adornada con un viejo anillo con una piedra morada en el centro, tan dura como su dueña, deja caer una cortina. Alguien lo ha visto todo. Las alumnas de la III B entran preocupadas en el aula. A primera hora toca italiano y la profesora Giacci va a preguntar. Es una de las asignaturas que saldrán sin duda en el examen de selectividad. Las alumnas toman asiento saludándose. Una rezagada entra a toda prisa. Llega tarde, como siempre. Charlan nerviosas. Inesperadamente, un mudo y respetuoso silencio. La Giacci está en la puerta. Todas se cuadran. La maestra examina la clase.

—Sentaos.

Extrañamente, esa mañana parece contenta. Lo que no presagia nada bueno. Pasa lista. Algunas muchachas levantan la mano respondiendo con un respetuoso «presente». Una chica, cuyo nombre empieza por C, no está. Llegadas a la F, otra alumna, en un tentativo de ser original, suelta un «aquí estoy» de escaso valor. La Giacci no deja escapar la ocasión y le toma el pelo delante de toda la clase. Catinelli, como de costumbre, parece apreciar el fino sentido del humor de la maestra. Tan fino que la mayor parte de las alumnas no alcanza a verle la gracia.

—¿Gervasi?

—Ausente —responde alguien al fondo de la clase. La Giacci escribe una «a» junto al nombre de Babi. Luego levanta lentamente la mirada.

—Lombardi.

—¿Sí, maestra? —Pallina se pone de pie de un salto.

—¿Sabe usted por qué Gervasi no ha venido hoy a clase? —Pallina está algo nerviosa.

—No lo sé. Ayer por la noche me llamó por teléfono y me dijo que no se encontraba muy bien. Puede que esta mañana estuviera peor y haya preferido no venir. —La Giacci la mira. Pallina se encoge de hombros. La Giacci entorna los ojos. Estos se convierten en dos fisuras impenetrables. Pallina siente un escalofrío en la espalda.

—Gracias, Lombardi, ya se puede sentar. —La Giacci vuelve a pasar lista. Su mirada se cruza de nuevo con la de Pallina. La profesora esboza una sonrisa burlona. Pallina enrojece. Se vuelve enseguida hacia otro lado, incómoda. ¿Y si supiera algo? Sobre el pupitre, la frase que ella misma ha grabado con la pluma: «Pallina e Pollo forever». Sonríe. No, es imposible.

—Marini.

—¡Presente!

Pallina se calma. A saber dónde estará Babi en ese momento. Lo más probable es que ya haya desayunado. Un buen buñuelo con nata en Euclide y uno de esos capuchinos cubiertos de espuma. Daría lo que fuera por estar en su lugar con Pollo, en lugar de Step. Sobre gustos no hay nada escrito, es su proverbio preferido. La Giacci cierra la lista y empieza a explicar. Explica la lección contenta, particularmente serena. Un rayo de sol ilumina sus manos. Alrededor del dedo con el que juega, el viejo anillo brilla con luz morada.

Se alejan de los ruidos de la ciudad recién levantada, con los labios embadurnados de café y la boca dulcificada por la nata de un buñuelo. Fácil de prever, el desayuno en el Euclide de la Flaminia, más apartado y lejano, donde es menos probable que alguien los pueda reconocer. Se dirigen hacia la torre. Por la Flaminia, envueltos en el sol mientras, a su alrededor, prados circulares, difuminados de verde, se pierden dulcemente entre los confines de bosques más oscuros. Dejan atrás la carretera. La moto dobla al pasar las altas espigas que, en un abrir y cerrar de ojos, vuelven a erguirse impertérritas e insolentes. Se detiene tras la colina, no muy lejos de la torre. Algo más abajo, a la derecha, un perro somnoliento vigila algunas ovejas peladas. Un pastor en vaqueros escucha una pequeña radio desvencijada mientras se fuma un canuto bien alejado de sus colegas de pesebre. Van un poco más allá. Solos. Babi abre la bolsa. Una enorme bandera inglesa hace su aparición.

—La compré en Portobello cuando estuve en Londres. Ayúdame a extenderla. ¿Has ido alguna vez?

—No, nunca. ¿Es bonito?

—Mucho. Me divertí como una loca. Estuve un Brighton un mes y luego algunos días en Londres. Fui con la EF.[1]

Se tumban sobre la bandera caldeados por el sol. Step escucha la historia sobre Londres y sobre algún que otro viaje más. Parece haber estado en un montón de sitios y, además, se acuerda de todo. Pero él, poco interesado en sus aventuras y en absoluto acostumbrado a madrugar, se duerme.

Cuando Step abre los ojos, Babi ya no está a su lado. Se levanta mirando preocupado a su alrededor. Luego la ve. Un poco más abajo, sobre la colina. El suave contorno de sus hombros. Está sentada entre el trigo. La llama. Ella parece no

1. Agencia de viajes especializada en el aprendizaje de idiomas. *(N. de la T.)*

oírlo. Cuando se acerca a ella, entiende el motivo. Está escuchando el Sony. Babi se gira hacia él. Su mirada no promete nada bueno. Luego, sus ojos se pierden de nuevo en los prados que hay a lo lejos. Step se sienta a su lado. Sin decir nada. Hasta que Babi no puede resistirlo más y se quita los auriculares.

—¿Te parece bonito dormirte mientras te estoy hablando? —Está realmente enfadada—. ¡Eso significa que no me tienes respeto!

—Venga, no te enfades. Solo significa que no he dormido bastante.

Ella resopla y se da de nuevo la vuelta. Step no puede por menos que advertir lo guapa que es. Puede que incluso más cuando se enfada. Ha alzado el rostro y todo en él adquiere un aire cómico, la barbilla, la nariz, la frente. Su pelo refleja los rayos del sol, parece respirar el olor del trigo. Tiene la belleza de una playa abandonada cuyos confines remotos se ven rodeados por un mar embravecido. Algunos mechones de pelo, semejantes a olas de espuma, le rodean la cara, la cubren rebeldes en algunos puntos, sin que ella haga nada por evitarlo.

Step se inclina y recoge con la mano su delicada belleza. Babi trata de esquivarlo.

—¡Déjame!

—No puedo. Es más fuerte que yo. Tengo que darte un beso.

—He dicho que me dejes. Estoy enfadada.

Step se aproxima a sus labios.

—Te prometo que después te escucho: Inglaterra, tus viajes, ¡todo lo que quieras!

—¡Tenías que haberme escuchado antes!

Step se aprovecha y la besa al vuelo, sorprendiendo sus labios desprevenidos, apenas entreabiertos. Pero Babi cierra la boca decidida. Se produce entre ellos un simulacro de lucha. Ella finalmente se rinde, se abandona paulatinamente a su beso.

—Eres violento y maleducado.

Palabras susurradas entre labios que casi se pueden tocar.

—Es cierto. —Palabras que casi se confunden.

—No me gusta que hagas eso.

—No lo volveré a hacer, te lo prometo.

—Ya te he dicho que no creo en tus promesas.

—Entonces te lo juro...

—Figúrate si creo entonces en tus juramentos...

—Está bien, de acuerdo, lo juro por ti.

Babi le da un puñetazo. Él acusa el golpe bromeando. Luego la abraza y se hunde con ella entre las suaves espigas. En lo alto, el sol y el cielo azul, mudos espectadores. Más allá, una bandera inglesa abandonada. Algo más cerca, dos sonrisas llenas de frescura. Step se entretiene con los botones de su camisa. Se detiene por un instante, temeroso. Babi ha cerrado los ojos y parece tranquila. Desabrocha un botón, después otro, con delicadeza, como si un contacto algo más brusco pudiera romper en mil pedazos la magia de aquel momento. Acto seguido desliza su mano por el interior de la camisa, recorriendo el costado, sobre la piel blanda y tibia. La acaricia. Babi se lo permite y, besándolo, lo abraza con más intensidad. Step, embriagado por su perfume, cierra los ojos. Por primera vez todo le parece distinto. No tiene prisa, está tranquilo. Siente una extraña paz. Su palma resbala por la espalda, recorriendo aquel foso suave hasta llegar a la cintura de la falda. Una ligera pendiente en ascenso, el inicio de una dulce promesa. Por allí cerca, dos diminutos agujeros lo hacen sonreír, como los besos algo más apasionados de ella. Dulcemente, sigue acariciándola. Asciende de nuevo, hasta llegar a aquel débil elástico almenado. Se detiene en el cierre, intentando desvelar el misterio, y algo más. ¿Dos ganchos? ¿Dos pequeñas medialunas que encajan una dentro de otra? ¿Una «s» metálica que se introduce desde arriba? Se demora un poco. Ella lo mira curiosa. Step empieza a ponerse nervioso.

—¿Cómo coño se abre?

Babi sacude la cabeza.

—¿Por qué has de ser siempre tan mal hablado? No me gusta que digas esas cosas cuando estás conmigo.

En ese preciso momento, el misterio se resuelve. Dos pequeñas medialunas se separan tiradas por un elástico finalmente liberado. La mano de Step deambula por toda la espalda, subiendo hasta el cuello, finalmente sin obstáculos.

—Perdona...

Step apenas puede creer lo que oye. Le ha pedido perdón. Perdona. Vuelve a oír aquella palabra. Él, Step, se ha disculpado. Pero luego, sin querer pensar más en ello, se abandona como arrebatado por aquella nueva conquista. Le acaricia el pecho, la besa delicadamente en el cuello, pasa al otro seno y encuentra también allí aquella frágil señal de deseo y pasión. Entonces se desliza algo más lentamente hacia abajo, hacia su vientre liso, hacia la cintura de la falda. La mano de ella lo detiene. Step abre los ojos. Babi está frente a él, negando con la cabeza.

—No.

—No, ¿qué?

—No, eso... —Le sonríe.

—¿Por qué? —Él no sonríe en absoluto.

—¡Porque no!

—¿Y por qué no?

—¡Porque no y basta!

—Pero hay alguna razón, tipo... —Step esboza una leve sonrisa alusiva.

—No, cretino... ninguna razón. Simplemente que no quiero. Cuando aprendas a soltar menos tacos, entonces puede que...

Step se gira sobre un costado y empieza a hacer flexiones. Una tras otra, cada vez más rápido, sin parar.

—No me lo puedo creer, no puede ser verdad. La he encontrado.

Sonríe, hablando entre una flexión y otra, jadeando ligeramente. Babi se abrocha el sostén y la camisa.

—¿Qué has encontrado? Y deja ya de hacer flexiones mientras hablamos...

Step hace las dos últimas con una sola mano. Luego se tumba de lado y se pone a mirarla sin dejar de sonreír.

—No has estado nunca con nadie.

—Si lo que insinúas es que soy virgen la respuesta es sí. —Aquella palabra le cuesta muchísimo. Babi se pone de pie. Se limpia la falda con la mano. Algunos trozos de espiga caen al suelo—. ¡Y ahora llévame al colegio!

—¿Qué pasa? ¿Te has enfadado?

Step la rodea con sus brazos.

—Sí, tienes un modo de comportarte que me exaspera. No estoy acostumbrada a que me traten así. Y déjame...

Se escabulle de su abrazo y camina a paso ligero hacia la bandera inglesa. Step va tras ella.

—Venga, Babi... No quería ofenderte. Perdóname, en serio.

—No te he oído.

—Sí que me has oído.

—No, repite.

Step vuelve la cabeza, molesto. Luego la mira otra vez.

—Perdóname, ¿vale? Mira que yo estoy encantado de que no hayas estado nunca con nadie.

Babi se inclina para recoger la bandera inglesa y se pone a doblarla.

—¿Ah, sí? ¿Y por qué?

—Bueno, porque.. porque sí. Me gusta y basta.

—¿Porque piensas acaso que tú vas a ser el primero?

—Oye, te he pedido ya perdón. Ahora basta, déjalo estar ya. Mira que eres difícil.

—Tienes razón. Tregua. —Le pasa un borde de la bandera—. Ten, ayúdame a doblarla. —Se alejan. La extienden y después se vuelven a acercar. Babi toma de sus manos el otro borde y le da un beso—. Es que ese tema me pone nerviosa.

Vuelven en silencio a la moto. Babi sube detrás de él. Se alejan por la colina, dejando a sus espaldas espigas deshechas y una conversación a la mitad. Es el primer día que salen juntos y Step le ha pedido perdón dos veces. Caramba... No va nada mal. Ella lo abraza feliz. Sí, vamos de maravilla. Babi se ha calmado, ahora no piensa en nada. No sabe que un día no muy lejano volverá a afrontar con él ese tema que le pone tan nerviosa.

40

—Para. —Babi grita y se sujeta con fuerza a la cintura de Step. La moto la obedece y casi frena en seco.

—¿Qué pasa?

—Ahí está mi madre.

Babi indica el Peugeot de Raffaella aparcado un poco más allá, frente a la escalinata del Falconieri. Faltan apenas unos minutos para la una y media. Tiene que intentarlo. Besa a Step en los labios.

—Hasta luego, te llamo esta tarde.

Se aleja agachándose por detrás de la fila de coches aparcados. Al llegar delante del colegio, se yergue lentamente. Su madre está allí, a pocos metros de ella, la puede ver perfectamente a través del cristal de un Mini. Entretenida con algo que tiene en su regazo. Raffaella alza la mano derecha y la observa. Babi comprende. Se está arreglando las uñas. Babi se acuclilla junto al coche, vuelve a mirar el reloj. No puede faltar mucho. Mira a su derecha, al final de la calle. Step se ha marchado. A saber lo que pensará de mí. Lo llamaré más tarde. De repente cae en la cuenta de que no puede hacerlo. No tiene su número de móvil. Ni siquiera sabe dónde vive. Suena el timbre de salida. Las alumnas más pequeñas empiezan a bajar las escaleras. Otro timbre. Es el turno de las de segundo y luego de las de tercero. Chicas más mayores. Una la mira con curiosidad. Babi se lleva el dedo a los labios, pidiéndole que guarde silencio. La chica mira hacia otro lado. Están habituadas a todo tipo de secretos. Finalmente le llega el turno a su clase. Su madre sigue distraída, puede que ocupada con una uña rota. Es el momento de ir hasta el coche. Babi sale de su escondite y se mezcla con el resto de las alumnas. Saluda a algunas y luego, procurando no ser vista, echa una ojeada al coche. Raffaella no se ha dado cuenta de nada. Lo ha conseguido.

—¡Babi!

Pallina corre hacia ella. Las dos amigas se abrazan.

Babi la mira preocupada.

—¿Cómo ha ido? ¿Han descubierto algo?

—No, todo está bajo control. Ten, son los deberes que han puesto para hoy. Están también las interrogaciones. No falta detalle, podrías contratarme como secretaria. Bueno, ¿te has divertido?

—Muchísimo. —Babi mete la hoja en su bolsa y sonríe a su amiga.

—Déjame adivinar... —Pallina la observa por un momento—. Desayuno en Euclide de Vigna Stelluti. Capuccino y buñuelo con nata.

—Casi, casi. Lo mismo pero en el de la Flaminia.

—¡Claro! Mucho más discreto. Preciso. Luego fuga a Fregene y sexo desenfrenado en la playa, ¿me equivoco?

—¡Has acertado! —Babi se aleja sonriéndole.

—¿Fregene o el resto?

—Solo te digo que has adivinado una cosa.

Sube al coche mintiendo a su amiga y dejándola allí, frente al colegio, muerta de curiosidad. En realidad se ha equivocado sobre las dos.

—Hola, mamá.

—Hola. —Raffaella deja que Babi le dé un beso en la mejilla. La situación parece tranquila—. ¿Cómo ha ido el colegio?

—Bien, no me han preguntado.

Llega también Daniela.

—Podemos irnos. Giovanna ha dicho que de ahora en

adelante volverá a casa por su cuenta. —El Peugeot arranca. Aquella noticia las ha llenado a todas de felicidad. No tendrán que volver a esperarla. Mientras están paradas en el semáforo de plaza Euclide, Babi siente de repente que algo le pincha. Sin que la vean se mete la mano por la camiseta. Aprisionada en el sostén hay una pequeña espiga dorada. La suelta y la mete en el diario. Luego la contempla por un momento. Aquel pequeño gran secreto. Step le ha acariciado el pecho. Sonríe y justo cuando se pone verde lo ve. Está allí, parado a la derecha de la plaza. Hace ondear, riéndose, una bandera inglesa, su bandera. ¿Cuándo se la habrá robado? Entonces cae en la cuenta de la cosa más importante. Step es igual que Pollo, los dos roban. Hasta ahora no lo había pensado. Sale con un ladrón.

41

La primera «a» es demasiado redonda, la segunda tiene el rabito demasiado largo, luego demasiado bajo, después la caligrafía es demasiado fina. Babi intenta de nuevo imitar la firma de su madre. Llena algunas hojas del cuaderno de matemáticas.

—¿Dani? ¿Crees que esta puede pasar por la firma de mamá?

Daniela mira el último de sus intentos. Se queda un tanto pensativa.

—Mamá hace el apellido más largo. No, no lo sé. Hay algo extraño. Eso es. La «g» resulta demasiado delgada, le has hecho el redondel demasiado pequeño. Mamá empieza siempre el apellido con una G mucho más gruesa. Mira. —Abre su diario y enseña a su hermana una firma auténtica—. ¿Lo ves?

Babi la observa por un momento comparándola con la que ha hecho ella.

—A mí me parecen idénticas. Eso es porque lo sabes. —Se marcha más tranquila a su habitación.

—Haz lo que quieras pero creo que la «g» es demasiado pequeña. Además, no entiendo por qué me preguntas lo que pienso si luego haces siempre lo que te da la gana.

Cierra la puerta.

Babi coge el diario en la página de la justificación. Donde figura el motivo de la ausencia escribe: «Razones de salud».

En el fondo, es cierto. La idea de no poder escapar con Step la habría hecho estar mal. Luego llega el momento de la firma. Vuelve a ponerse seria. Prueba una vez más sobre una hoja que hay junto a ella. Debajo de decenas de Raffaella Gervasi. Esta última le sale aún mejor. Es perfecta. Vaya, podría falsificar incluso los cheques, comprarse la SH 50. Se da cuenta de que está exagerando. En realidad, no necesita dinero, solo una justificación. Coge la pluma y se lanza sin vacilar. Comienza por la R y prosigue, deslizándose con la mayor naturalidad posible hasta llegar al último puntito sobre la «i». Acto seguido, aún temblorosa a causa de la concentración, de la dificultad de copiar, de escribir exactamente como su madre, mira lo que ha escrito. Ha salido todavía mejor. Increíble. Tal vez el apellido esté un poco movido. Lo compara con el resto de las firmas de su madre que tiene en el diario. No hay una gran diferencia. Tampoco ningún signo impreciso. Y otra cosa, además, juega a su favor. A primera hora tiene a la profesora de matemáticas, la Boi. Gafas gruesas, una cara alargada y risueña. Incluso aquella vez, cuando pidió disculpas a la clase por haber perdido los deberes, les rogó que no se lo dijeran a nadie. Ese día Pallina estaba convencida de haber sacado al menos un siete. Según ella, ese era el motivo de que la Boi los hubiera perdido. Lo hizo adrede para no darle el gusto. Pallina está convencida de que todos los profesores se la tienen jurada a ella y a sus notas. Babi cierra el diario. Ahora está más tranquila. Solo la Boi controlará aquella firma y es imposible que note que aquella firma es falsa. Se pone a estudiar. De repente, experimenta una extraña sensación. Mira en derredor pero no nota nada. Sigue con los deberes. Si hubiera mirado el horario con más atención habría entendido el motivo de su inquietud. A segunda hora tiene clase con la Giacci.

42

Más tarde, después de que sus padres hayan salido, Step la pasa a recoger. El grupo al completo los espera: Schello, Lucone, Dario y Gloria, el Siciliano, Hook, Pollo y Pallina y otros tipos en un Golf con un par de chicas. Van con las motos hasta Prima Porta, luego se desvían a la derecha en dirección a Fiano. Cuando llegan, Babi está ya muerta de frío. El sitio se llama Il Colonnello y está muy lejos. Babi no puede entender por qué han elegido un sitio como ese para comer. Dos salas enormes con el horno a la vista y unas mesas corrientes y molientes. «Puede que sea barato», piensa. Un camarero joven llega para tomar nota. Son quince y todos cambian de opinión menos ella que, desde un principio, ha elegido una ensalada mixta con poco aceite. El pobre camarero está hecho un lío. De cuando en cuando trata de recapitular los primeros para poder pasar al segundo, pero cuando llega el momento de elegir la guarnición alguien ha vuelto otra vez a cambiar de idea.

—Oye, jefe, prepara dos lasañas con jabalí.

—Para mí también. —Unos cuantos se adhieren de inmediato. Y acto seguido otros dos deciden pedir polenta o carbonara. Es el grupo más indeciso que Babi ha visto en su vida. Por si fuera poco, Pollo trata de echarle una mano repitiendo cada vez todo lo que piden, lo que crea aún más confusión. Al final todos acaban riéndose divertidos. Se ha convertido en una especie de juego. El pobre camarero se aleja aturdido. Lo único que ha sacado en claro es que tiene que llevarles catorce jarras de cerveza clara y una... ¿qué es lo que ha pedido esa rubia tan guapa de ojos azules? Repasa de nuevo el bloc de notas lleno de tachones y entra en la cocina recordando que tiene que servir también una Coca-Cola Light.

La cena prosigue en medio de un total alboroto. Cada vez que les traen un plato, ya sea jamón, mozzarella o pan tostado, se produce un auténtico abordaje, todos se abalanzan sobre la comida y en un dos por tres los platos se vacían.

Unas chicas con los ojos pintarrajeados se ríen divertidas. Babi mira a Pallina en búsqueda de un poco de comprensión. Pero, a esas alturas, su amiga parece haberse integrado ya perfectamente en el grupo. Ha llegado su ensalada mixta con poco aceite. La situación no es, desde luego, de las más alegres. Luego llega el momento de la historia del Siciliano. Su protagonista es un tal Francesco Costanzi. Tuvo la mala idea de molestar a su antigua novia. Ni siquiera su novia, piensa Babi. Su ex. Qué locura.

Pero todos lo escuchan interesados y ninguno parece compartir su objeción. Así que, piensa Babi, puede que tenga razón él. La loca soy yo.

—Entonces, ¿sabéis lo que hice? —El Siciliano da un sorbo a su cerveza—. Fui con Hook a casa de Marina, que estaba sola.

Al otro lado de la mesa, Hook, con el parche en el ojo, sonríe. Es el centro de la atención y está recibiendo, como corresponde, su parte de gloria. El Siciliano prosigue.

—Entonces le hice llamar a ese gilipollas de Costanzi. Así que va y lo llama y le pide que pase a verla. ¿Y sabéis lo que hizo ese canalla?

Babi mira al grupo estupefacta. Da la impresión de que realmente no lo saben. Prueba a adivinar la respuesta.

—Fue. —El Siciliano se vuelve hacia ella. Parece ligeramente molesto.

—Muy bien, Babi. Precisamente. ¡Ese canalla vino! —Ella

sonríe. Al advertir la mirada de fastidio que le lanza Step, abre los brazos. El Siciliano, sin darse cuenta de nada, prosigue divertido con su relato—. Ahora viene la parte mejor. Cuando el tipo llegó, Marina lo hizo subir. Apenas metió el pie en la casa, Hook y yo nos abalanzamos sobre él y lo inmovilizamos. Luego, qué risa, lo desvestimos y lo atamos a una silla. ¡Oh! Teníais que haberle visto la cara. Desnudo como un gusano. Después cogí un cuchillo de cocina y se lo metí entre las piernas. El tipo se puso a gritar. ¡Hook dice que porque el cuchillo estaba helado! Luego entró Marina. La habíamos obligado a vestirse de pies a cabeza de encaje transparente. Bueno, pues entonces yo puse algo de música y ella empezó a hacer un *strip tease*. Y yo le digo al tipo: si veo que esa cosa da alguna señal de vida te juro que te la corto. Marina se queda en sostén y bragas y el tipo ni se inmuta, ¿lo entendéis?, esa cosa estaba como muerta.

Todos se ríen como locos. Una muchacha al fondo de la mesa casi se atraganta. También Step parece divertirse. Babi no da crédito a sus oídos.

—Silencio, silencio —dice el Siciliano—. Llegado un momento, oímos un ruido en la puerta. ¿Podéis creer que eran los padres de Marina? Hook y yo nos precipitamos fuera y esos va y pillan *in fraganti* al tipo desnudo sentado en la silla y a Marina medio en pelotas. Os lo juro, una escena increíble, para morirse. Teníais que haber visto sus caras.

—¿Y qué le hicieron al tipo?

Babi mira a Pallina. Hasta es capaz de hacer preguntas como esa.

—Bah, no lo sé. Nosotros salimos pitando de allí. Solo sé que ese canalla ahora está con una y tiene serios problemas para tirársela... Después de lo que le hicimos ha perdido la costumbre. Ve a una desnuda y la cosa no se le levanta.

Es la apoteosis. Se produce un estallido de carcajadas. Acto seguido sucede, sin que se sepa muy bien por qué. Un trozo de pan sale volando. No tarda en convertirse en una lluvia, en una auténtica batalla de restos de carne, patatas y cerveza. Se tiran de todo. Las chicas son las primeras en abandonar sus puestos. Babi y Pallina se alejan rápidamente de la mesa seguidas de las otras. Ellos siguen tirándose unos a otros comida, con fuerza, con rabia, sin importarles las otras mesas, dar a los clientes más próximos. El colmo tiene lugar cuando el pobre camarero trata de detenerlos. Un trozo de pan mojado le da en plena cara. Se produce una especie de ovación. Es la primera vez que aquel desgraciado conoce un éxito semejante. Luego llega la cuenta. Pollo se ofrece a recoger el dinero. Step agarra a Babi del brazo y la conduce fuera del restaurante. Uno tras otro, los demás salen también. Babi saca la cartera.

—¿Cuánto te debo?

Step le sonríe.

—¿Bromeas? Déjalo estar.

—Gracias.

—No es a mí a quien tienes que dar las gracias. Sube.

Step enciende la moto. Babi sube detrás de él.

—Entonces, ¿a quién tengo que darle las gracias? Pollo está recogiendo el dinero.

—No, esa es la frase que hemos acordado. —Justo en ese momento, Pollo sale como una flecha del restaurante y salta sobre su moto—. ¡Vamos, tíos! —Todos arrancan derrapando a toda velocidad. Las motos inician la marcha con los faros apagados. Del restaurante sale corriendo el camarero y alguno más. Gritan mientras tratan en vano de leer las matrículas.

El estruendo de las motos retumba en los angostos callejones de Fiano. Uno tras otro, inclinados a toda velocidad, salen del pueblo atravesando sus calles, gritando y riéndose, tocando el claxon. Luego, casi volando, entran en la Tiberina, envueltos en el frío de la carretera, en el verde húmedo de los bosques cercanos. Solo entonces vuelven a encender los faros. Pollo alcanza a Step y se pone a su lado.

—Vaya, hay que reconocer que no se come mal en el Colonnello ese...

—No, la comida es buena.

—En cualquier caso, querían cuarenta euros por cabeza...

—¡Entonces has hecho lo que debías!

Pollo da gas y riéndose groseramente se aleja con Pallina. Babi se inclina hacia delante.

—¿Eso quiere decir que no hemos pagado?

—¿Te parece mal?

—¿Mal? ¿Te das cuenta que nos pueden denunciar? Pueden haber leído alguna de las matrículas.

—Con los faros apagados es imposible. Oye, lo hacemos siempre y nunca nos han pillado. ¡Así que no seas gafe!

—Yo no soy gafe. Solo estoy tratando de hacerte razonar. A mí también me parece muy difícil pero ¿por qué no piensas en los del restaurante? Esa es gente que trabaja, que se pasa todo el día en la cocina sudando delante de los hornillos, que te pone la mesa, que te sirve la comida, que quita la mesa, que limpia, ¡y tú no tienes por ellos la más mínima consideración!

—¡Cómo que no la tengo! ¡Hasta te he dicho que me ha gustado mucho cómo se come en ese sitio!

Babi enmudece. Es inútil. Se impulsa hacia atrás en el sillín apartándose un poco de él. A su alrededor, el viento de la noche y la humedad de los bosques le rozan produciéndole escalofríos. Pero no es solo eso. Está con uno que no entiende, que no puede entender. Alza la mirada. El cielo está despejado. Las estrellas brillan a lo lejos. Pequeñas nubes transparentes acarician la luna. Todo podría ser maravilloso si solo...

—Eh, Step. —Hook se pone a su lado—. ¿Apuestas cincuenta euros por el que sea capaz de llegar hasta el centro sobre una sola rueda?

Step no se lo hace repetir dos veces.

—Hecho. —Reduce y da gas. La moto se levanta. Babi apenas tiene tiempo de sujetarse. ¡De nuevo! No lo soporto más. ¡Al menos esta vez no está girada boca abajo!

—¡Step! ¡Step! —grita descargando fuertes puñetazos sobre su espalda—. ¡Para! Baja. —Step frena paulatinamente. La moto toca tierra con las dos ruedas. Hook canta victoria todavía durante un buen rato.

—Pero ¿qué te pasa? ¿Te has vuelto loca?

—Basta de hacer el caballito, de vapulear a la gente, de salir corriendo, no lo soporto más, ¿lo entiendes? —Babi está gritando—. Quiero una vida normal, tranquila. De gente que va en moto como los demás. No quiero escapar de los restaurantes, quiero pagar como todos. No quiero que pegues a la gente. No quiero oír que uno de tus amigos ha metido un cuchillo entre las piernas de uno solo porque el tipo en cuestión ha llamado a su ex novia, ¡no querría oírlo aunque saliera con él! Odio la violencia, los matones, los arrogantes, la gente que no sabe vivir, hablar, discutir, que no tiene respeto por los demás. ¡La odio!

Permanecen durante un rato en silencio, dejándose mecer por la velocidad constante de la moto, por el viento que parece irla calmando poco a poco. Step se echa a reír de repente.

—¿Se puede saber qué es lo que encuentras tan divertido?

—¿Sabes en cambio lo que odio yo?

—No, ¿qué?

—Perder cincuenta euros.

43

Frente a la gasolinera de la plaza Euclide un grupo de jóvenes está escuchando a un tipo muy divertido. Tendría éxito en un pequeño teatro de cabaret. En cambio, se ha obstinado en hacer economía y comercio a pesar de que delante de sus profesores no dice ni pío. Un poco más allá, delante de Pandemonium, se han citado unos chicos algo más mayores. Llega un BMW Z3. Del coche baja una morena con las medias tan perfectas como sus piernas. Lleva una chaqueta negra y unas bermudas plisadas de seda opaca. El coche es azul celeste y un publicista no sería capaz de idear nada mejor. Al bajar él, sin embargo, la magia se desvanece. Tiene cuatro pelos en la cabeza y una barriga incipiente. Un creador como es debido no lo elegiría nunca. Algo más allá, frente al quiosco, hay parada una camioneta. Dos policías controlan sin demasiada convicción la documentación de algunos de los muchachos que hay por allí, luego se marchan.

Un coche pasa veloz tocando el claxon. Una chica rubia se asoma a la ventanilla, saluda a alguien y desaparece derrapando a la derecha, por la calle Siacci. Una morena entra en el café Shop a comprar tabaco.

Luego van llegando todos, paulatinamente. Tocando el claxon y reduciendo gas. Algunos suben a la acera con la moto, otros la aparcan enfrente de la puerta metálica cerrada del Euclide. Babi baja de la moto de Step, se tira el pelo hacia atrás con la mano. En ese momento llega a su lado Pallina.

—Genial, ¿no?

—¿El qué?

—Bueno, que nos hayamos escapado así, en medio de la noche, sin pagar. Yo no lo había hecho nunca. Vamos, es demasiado divertido. Y, además, son simpáticos, ¿no?

—No. Yo no me he divertido para nada.

—Venga, por una vez...

—No es solo una vez, lo sabes de sobra. Para ellos es una costumbre. No lo entiendes, Pallina. Es como si robaras. Comiendo sin pagar, tú has robado.

—¡Pues sí que...! Un plato de pasta y una cerveza. ¡El robo del siglo!

—Pallina, cuando no quieres entender algo no hay nada que hacer, ¿eh?

Repentinamente, una mano le da dos golpes no precisamente ligeros sobre el hombro: es Maddalena. Mastica chicle y la mira sonriendo.

—Mira que tú aquí no puedes venir.

—¿Por qué?

—Porque yo no quiero.

—No me parece que este sitio sea tuyo, así que no puedes prohibírmelo.

Babi se vuelve hacia Pallina dando por zanjada la discusión. Trata de iniciar una conversación cualquiera. Pero esta vez un violento tirón le obliga a darse la vuelta.

—A lo mejor no me has entendido. Tienes que irte. —Maddalena da una palmada sobre el hombro de Babi—. ¿Lo entiendes?

Babi suspira.

—Pero ¿se puede saber qué es lo que quieres de mí? ¿Quién te conoce? ¿Quién eres?

Maddalena alza el tono. Enrojece.

—Soy una que te va a partir la cara. —Luego se acerca y le grita a un palmo de la cara—. ¿Lo has entendido?

Babi hace una mueca de desprecio. A su alrededor, alguno se ha vuelto para mirar lo que está pasando. Poco a poco, la gente deja de hablar y les hace corro. Todos saben lo que está a punto de suceder. También Babi lo sabe. Intenta zafarse de ella. Maddalena está cerca, demasiado.

—Oye, déjalo ya. No me gustan los escándalos.

—Ah, no te gustan, ¿eh? Entonces es mejor que te quedes en casa...

Maddalena avanza amenazadora. Babi extiende las manos y se las pone sobre los hombros tratando de mantenerla a una cierta distancia.

—Oye, ya te he dicho que no quiero discutir...

—¿Qué haces? —Maddalena mira la mano de Babi sobre su hombro—. ¿Me pones las manos encima? ¡Aparta enseguida esa mano de ahí! —Y asesta un fuerte golpe en el brazo de Babi.

—Está bien, me voy. ¿Step?

Babi se da la vuelta para buscarlo. Pero en ese preciso momento siente arder el pómulo derecho. Algo le ha golpeado. Se da la vuelta. Maddalena está frente a ella. Tiene los puños en alto, cerrados y desafiantes, y sonríe. Ha sido ella la que le ha pegado. Babi se lleva la mano a la mejilla. El pómulo está ardiendo y le hace daño. Maddalena le da una patada en la tripa. Babi retrocede. Maddalena le alcanza de refilón pero le hace igualmente daño. Babi se da la vuelta para marcharse.

—¿Adónde crees que vas, gilipollas?

Una patada desde detrás le da de lleno en el culo, empujándola hacia delante. Babi logra mantener el equilibrio. Tiene los ojos anegados en lágrimas. Sigue andando lentamente. A su alrededor siente el jaleo, caras que se ríen, otras que la miran en silencio, alguno la señala.

Unas chicas la miran preocupadas. El ruido del tráfico lejano. Luego ve a Step. Delante de ella. Inesperadamente, oye correr a sus espaldas. Es Maddalena. Cierra los ojos y agacha levemente la cabeza. Le va a pegar de nuevo. Siente que le tiran del pelo desde detrás, que casi la arrastran. Gira sobre sí misma para no caerse. Acaba corriendo con la cabeza gacha, tirada por Maddalena, por aquella furia que no deja de chillar y le llena de puñetazos la cabeza, el cuello, la espalda. Parece que le vaya a arrancar el pelo y un dolor atroz le llega hasta el cerebro haciéndole enloquecer. Trata de desasirse. Pero cada tirón es un pinchazo agudo más, un dolor desgarrador. Entonces se pone a correr hacia ella como si la estuviera persiguiendo. Babi extiende las manos y agarra su cazadora, empujándola con todas sus fuerzas, cada vez más cerca, más rápido, sin ver adónde va, sin entender. Se produce un fuerte ruido de hierro, de metal que retumba. Se ve repentinamente liberada. Maddalena ha ido a parar contra unas motos, se ha caído al suelo, arrastrando al hacerlo una SH 50 y un viejo Free. Y ahora está ahí parada mientras una rueda sucia, con los rayos oxidados, sigue girando, y un pesado chasis y un manillar le impiden moverse. Babi siente que la rabia se apodera de ella, como una marea, como una enorme ola de odio. Siente su cara congestionada, su respiración entrecortada, el dolor en el pómulo, su cabeza dolorida y, en un visto y no visto, se abalanza sobre ella. Empieza a golpearla dando patadas como un animal, irreconocible. Maddalena prueba a levantarse. Babi se inclina sobre ella y le asesta puñetazos, dándole en todas partes, chillando, arañándola, tirándole del pelo, dibujando sobre su cuello largas líneas irregulares de sangre. Dos manos fuertes la levantan por detrás. Babi se encuentra de repente dando patadas al aire, forcejeando para poder desasirse y poder volver a pegar, morder, hacer daño. Al alejarse, una última patada precisa, aunque no del todo intencionada, da de lleno en otra moto. Una SH 50 cae lenta junto a Maddalena, ya exhausta.

—Oh, mi moto —protesta un inocente.

Mientras la arrastran fuera de allí, Babi mira a la multitud. Ya no se ríen. La observan en silencio. Le abren paso. Se echa hacia atrás abandonándose a la persona que se la lleva. Y una risa nerviosa sale de su interior en dirección al cielo. Recuerda a aquella maleducada que presidía la mesa. Sigue riéndose cada vez más fuerte, pero no oye salir nada más de su boca.

El viento fresco le acaricia la cara. Cierra los ojos. La cabeza le da vueltas. El corazón le late con fuerza. Su respiración es entrecortada y arranques violentos de rabia, aún sin aplacar, la sacuden de cuando en cuando. Algo bajo ella se detiene. Está sobre la moto. Step la ayuda a bajar.

—Ven aquí.

Están sobre el puente de la avenida de Francia. Sube las escaleras. Se acerca a la fuente. Step moja su bandana y se la pasa por la cara.

—¿Va mejor?

Babi asiente con la cabeza. Step se sienta sobre el muro que hay allí cerca, con las piernas colgando abiertas. La mira risueño.

—¿Quién eras tú? ¿La que odia a los matones? ¿A los violentos? ¡Menos mal! Mira que si no te llego a apartar, habrías acabado por matar a esa desgraciada.

Babi da un paso hacia él, luego se echa a llorar. Repentinamente, de manera convulsiva. Como si algo se hubiera roto, un dique, una barrera, liberando aquel torrente de lágrimas y sollozos. La mira, abriendo las manos, sin saber muy bien qué hacer. Luego abraza aquellos pequeños hombros temblorosos.

—Venga, no llores. No es culpa tuya. Ella te provocó.

—Yo no quería pegarle, no quería hacerle daño. En serio... No quería.

—Sí, lo sé.

Step le pone una mano bajo la barbilla. Recoge una diminuta lágrima salada, luego le levanta la cara. Babi abre los ojos, sorbiendo por la nariz, parpadeando, sonriendo y riéndose, aún nerviosa. Step se acerca lentamente a sus labios y la besa. Bajo la suya, su boca le parece más blanda de lo habitual, cálida y dócil, ligeramente salada. Ella se abandona buscando consuelo en aquel beso, dulcemente al principio, más y más fuerte después hasta que, desesperada, se esconde en su cuello. Y él siente entonces cómo se refugian en él sus mejillas mojadas, su piel fresca, sus pequeños sollozos.

—Ahora basta. —La aparta—. Venga, deja ya de llorar. —Step sube al muro—. Si no dejas de llorar me tiro. En serio... —Da algunos pasos vacilantes sobre el borde de mármol. Abre los brazos tratando de mantener el equilibrio—. Entonces qué haces, paras o me tiro...

Muchos metros más abajo, el río tranquilo y oscuro, el agua teñida de negro por la noche, las orillas llenas de matorrales. Babi lo mira preocupada, sin dejar de sollozar.

—No hagas eso... por favor.

—¡Deja de llorar!

—No depende de mí...

—Entonces adiós...

Step da un salto y, gritando, se arroja al vacío. Babi corre hacia el borde del muro.

—¡Step! —No se ve nada, solo el lento fluir del río arrastrado por su corriente.

—¡Buuu!

Step se asoma desde debajo del muro y la agarra al vuelo por la cazadora. Babi grita.

—Te lo habías creído, ¿eh? —La besa.

—Solo me faltaba esto. Me ves así y me gastas incluso estas bromas.

—Lo he hecho adrede. Necesitabas un buen susto para olvidarlo todo.

—Eso es para el hipo.

—¿Y qué, acaso tú no tenías hipo? Venga, ven aquí.

—La ayuda a saltar el muro. Están fuera del puente, sobre una pequeña cornisa. Bajo ellos, el río, un poco más allá, la Olimpica iluminada. Envueltos en la oscuridad y en el lento fluir de la corriente, se vuelven a besar. Apasionados, embargados de deseo. Él le levanta la camiseta y lleva las manos hasta sus senos, liberándolos. Luego se desabrocha la camisa y apoya su piel suave contra su pecho. Permanecen así, respirando su mutuo calor, escuchando sus corazones, sintiendo cómo el viento fresco de la noche acaricia la piel de ambos.

Más tarde, sentados sobre el borde del muro, contemplan el cielo y las estrellas. Babi está tumbada, ya serena, con la cabeza apoyada sobre las piernas de Step. Él le acaricia el pelo. En silencio. Babi ve una pintada.

—Tú no harías nunca algo así por mí.

Step mira en derredor. Un espray romántico ha salpicado una frase de amor: «Cervatilla, te amo».

—Es verdad. Yo no sé escribir, lo dices tú.

—Bueno, podrías pedirle a alguien que lo hiciera por ti. —Babi echa hacia atrás la cabeza, sonriéndole al revés.

—Ja, ja... bueno, si yo lo hiciera, escribiría algo de ese tipo, me parece mucho más apropiado para ti.

Sobre una de las columnas que hay justo frente a ellos hay otra pintada: «Cathia tiene el segundo culo más bonito de Europa». «Segundo» ha sido añadido entre paréntesis. Step sonríe.

—Es una pintada mucho más sincera. Entre otras cosas, porque el tuyo es el primero.

Babi baja rápidamente del muro y le da un pequeño puñetazo.

—¡Cerdo!

—¿Qué haces? ¿Me pegas también a mí? Por lo visto tienes ese vicio...

—No me gusta esa broma...

—Está bien, olvídala. —Step trata de abrazarla. Babi se escabulle—. ¿No me crees? Te lo prometo...

—Claro... ¡porque si no te pego!

44

—¿Alessandri?

—Presente.

—¿Bandini?

—Presente.

La Boi está pasando lista. Babi, sentada en su pupitre, controla preocupada su justificación. Ya no le parece tan perfecta. La Boi se salta un apellido. Una alumna que está en el aula y que tiene a gala su propia identidad se lo hace notar. La Boi se disculpa y después inicia de nuevo a pasar lista desde donde se ha equivocado. Babi se tranquiliza un poco. Con una maestra así es probable que su justificación pase inobservada. Cuando llega el momento, lleva el diario a la mesa junto a las otras dos alumnas que han faltado el día anterior. Se queda allí, de pie, con el corazón a mil por hora. Pero todo sale a pedir de boca.

Babi vuelve a su asiento y sigue el resto de la lección relajada. Le llega una nota. Pallina le sonríe desde su pupitre. La ha lanzado ella. Es un dibujo. Una muchacha tirada en el suelo y otra en pose de boxear. Arriba del dibujo, un gran título: «Babi III». Es la parodia de Rocky. Arriba está también el nombre de Maddalena con la palabra hortera entre paréntesis. Junto a la otra muchacha, en cambio, figura una frase: «Babi, sus puños son de granito, sus músculos de acero. Cuando llega ella toda la plaza Euclide tiembla y las horteras, finalmente, ponen pies en polvorosa». Babi no puede por menos que echarse a reír.

Justo en ese momento suena el timbre. La Boi, después de haber recogido sus cosas con cierta dificultad, sale de la clase. La Giacci entra en ella antes de que a sus alumnas les dé tiempo a salir. Todas vuelven silenciosas a sus asientos. La profesora se dirige a su mesa. Babi tiene la sensación de que la Giacci, al entrar, mira a su alrededor como si estuviera buscando algo. Luego, al verla a ella, parece aliviada y esboza una sonrisa. Mientras se sienta, Babi piensa que se trata solo de una sensación. Tiene que dejar de pensar en ello, se está obsesionando. En el fondo, la Giacci no tiene nada contra ella.

—¡Gervasi! —Babi se levanta. La Giacci la mira risueña—. Venga, venga, Gervasi. —Babi abandona su pupitre. Por lo visto era algo más que una mera sensación. En historia ya le han preguntado. La Giacci tiene algo contra ella—. Traiga también su cuaderno. —Al oír esa frase, el corazón le da un vuelco. Cree que se va a desmayar. La clase parece empezar a dar vueltas a su alrededor. Mira a Pallina. También ella ha palidecido. Babi, con el cuaderno en las manos, terriblemente pesado, insostenible casi, se acerca a la mesa. ¿Por qué quiere su libreta? Su mala conciencia parece no tener nada que sugerirle. De repente se enciende una pequeña luz. Puede que solo quiera volver a controlar la nota firmada. Se aferra a esa esperanza, a esa improbable ilusión. Pone el cuaderno sobre la mesa.

La Giacci lo abre, sin quitarle ojo.

—Ayer no vino al colegio, ¿verdad?

Aquel pequeño hilo de esperanza se desvanece también.

—¿Puedo saber por qué?

—No me encontraba bien. —En ese momento se encuentra fatal. La Giacci se aproxima peligrosamente a la página de las justificaciones. Encuentra la última, la culpable.

—Imagino que esta es la firma de su madre, ¿verdad? —La profesora le pone el cuaderno bajo los ojos. Babi mira su intento de imitación. Repentinamente, le parece terriblemente falso, increíblemente tembloroso, manifiestamente artificial. Un «sí» sale de sus labios, tan débil que apenas se puede oír.

—Qué extraño. Acabo de hablar con su madre por teléfono y no estaba al corriente de su ausencia. Menos aún de haber firmado algo. En estos momentos, viene hacia aquí. No parecía muy contenta. Usted ha acabado con este colegio, Gervasi. Será expulsada. Una firma falsa, en caso de ser denunciada a quien corresponde como tengo la intención de hacer, supone la expulsión definitiva. Qué lástima, Gervasi, podría haber sacado una buena nota en la selectividad. Tendrá que esperar al año que viene. Tenga.

Babi coge de nuevo el cuaderno. Ahora lo encuentra increíblemente ligero. De repente, todo le parece diferente, sus movimientos, sus pasos. Tiene la impresión de estar flotando en el aire. Al volver a su sitio advierte las miradas de sus compañeras, aquel extraño silencio.

—¡Esta vez, Gervasi, es usted la que se ha equivocado!

No consigue entender muy bien lo que sucede a continuación. Se encuentra en una habitación con unos bancos de madera. Su madre chilla. Llega la Giacci con la directora. La hacen salir. Discuten un buen rato mientras ella las espera en el pasillo. Una monja pasa por allí. Se intercambian una mirada que no va aparejada a ningún tipo de sonrisa o saludo. Finalmente, sale su madre. Se la lleva de allí tirándola del brazo. Está furibunda.

—¿Me expulsan, mamá?

—No, mañana por la mañana vuelves al colegio. Puede que haya una solución pero antes quiero saber lo que piensa tu padre, si también él está de acuerdo.

¿Qué solución será, que requiere el consentimiento de su padre? Después de comer, se entera. Es solo cuestión de dinero. Tendrán que pagar. Lo bueno de los colegios privados es que todo se puede resolver fácilmente. El único gran problema es «cuánto» fácilmente.

Daniela entra en la habitación de la hermana con el móvil en la mano.

—Ten, es para ti. —Babi, cansada de tanto acontecimiento, se ha quedado dormida.

—¿Sí?

—Hola, ¿salimos? —Es Step. Babi se incorpora en la cama. Completamente despierta.

—Me encantaría, pero no puedo.

—Venga, vamos al Parnaso, o al Pantheon si prefieres. Te invito a un granizado de café con nata en la Tazza de Oro. ¿Lo has probado ya? Está buenísimo.

—Estoy castigada.

—¿Otra vez? ¿No se había acabado?

—Sí, pero hoy la maestra ha pillado la firma falsa y se ha organizado un buen lío. Esa no me puede ver. Ha informado a la directora. Por poco repito todo el año. Pero mi madre, al final, lo ha resuelto.

—¡Bien por ella! Tiene un carácter tremendo... pero consigue siempre lo que quiere.

—Bueno, la cosa no se ha resuelto precisamente así. Ha tenido que pagar.

—¿Cuánto?

—Cinco mil euros. Para obras de caridad...

Step silba.

—¡Coño! Menuda demostración de bondad. —Sigue un silencio embarazoso—. ¿Babi?

—Sí, estoy aquí.

—Pensaba que se había cortado la línea.

—No, estaba pensando en la Giacci, mi profesora. Tengo miedo de que la historia no se acabe aquí. La puse en evidencia delante de toda la clase y me la quiere hacer pagar como sea.

—¿Más de cinco mil euros?

—Esos los ha desembolsado mi madre, claro... son algo así como una especie de donación. Ahora arremeterá contra mí. ¡Menudo coñazo! Con las buenas notas que tengo la selectividad habría sido pan comido.

—¿Entonces no puedes venir?

—No, ¿estás loco?, si llama mi madre y no me encuentra sucede una catástrofe.

—En ese caso, voy yo a tu casa. —Babi mira el reloj. Son casi las cinco. Raffaella no volverá hasta mucho más tarde.

—Está bien, ven. Te invito a un té.

—¿No podría ser una cerveza?

—¿A las cinco?

—No hay nada mejor que una cerveza a las cinco y, además, hay otra cosa: odio a los ingleses. —Cuelga.

—Dani, voy un momento a la tienda, ¿necesitas algo?

—No, nada, ¿quién viene? ¿Step?

—Vuelvo enseguida. —Compra dos tipos de cerveza, una lata de Heineken y otra de Peroni. Si se hubiera tratado de vino habría entendido algo más. De cerveza no tiene ni idea. Vuelve a subir a casa rápidamente y las mete en la nevera. Poco después suena el telefonillo.

—¿Sí?

—Soy yo, Babi.

—Primer piso. —Aprieta dos veces el botón y se encamina hacia la puerta. No puede evitar mirarse en el reflejo de un cuadro. Todo está bien. Abre la puerta. Lo ve subir corriendo por las escaleras. Se detiene solo en el último momento, justo para dedicarle esa sonrisa que a ella le gusta tanto.

—Hola. —Babi se aparta para dejarlo pasar. Él entra y a continuación saca de debajo de la cazadora una caja.

—Ten, son galletitas inglesas de mantequilla. Las he comprado aquí cerca, son estupendas.

—Galletitas inglesas de mantequilla... Entonces sí que hay algo que te gusta de los ingleses...

—La verdad es que no las he probado nunca. Pero a mi hermano le privan. Y él está obsesionado con tortas de manzana y cosas por el estilo así que tienen que estar buenísimas. A mí me gustan solo las cosas saladas. Hasta para desayunar como siempre un sándwich o un bocadillo. Dulces casi nunca.

Babi sonríe. Ligeramente preocupada por lo distintos que son, incluso en las cosas más insignificantes.

—Gracias, me las comeré enseguida.

En realidad, está a dieta y esos pequeños rectángulos de mantequilla desmenuzables deben de tener unas cien calorías cada uno. Step va tras ella, él también ligeramente preocupado. Las galletas no las ha comprado, las ha cogido en su casa. Pero luego lo piensa mejor y se tranquiliza. En el fondo, le está haciendo un favor a Paolo. Un poco de dieta no le vendrá mal. Daniela sale adrede de su habitación para verlo.

—Hola, Step.

—Hola. —Él le da la mano sonriente, parece no haber prestado demasiada importancia al hecho de que ella sepa su apodo. Babi fulmina con la mirada a su hermana. Daniela, pillando al vuelo sus intenciones, finge coger algo y regresa de inmediato a su habitación. Poco después, el agua empieza a hervir. Babi coge una caja de color rosa. Con una cucharita vierte diminutas hojas de té en el cacito. Lentamente, un perfume ligero inunda la cocina.

Luego van al salón. Ella con una taza de té a la cereza humeante entre las manos, él con las dos cervezas, resolviendo de este modo cualquier posible duda. Babi coge un álbum de fotografías de la librería y se las enseña. Puede que sea la Heineken, o también la Peroni, pero el caso es que se está divirtiendo. Escucha las historias entusiastas que vienen a continuación de cada fotografía, un viaje, un recuerdo, una fiesta.

Esta vez no se duerme. Foto a foto, la ve crecer, ojeando aquellas páginas con celofán. La contempla cuando le salen los primeros dientes, cuando apaga una velita, cuando va en bicicleta y luego, un poco más mayor, en el tiovivo con su hermana. Sobre el trineo con Papá Noel, en el zoo con un cachorro de león entre los brazos. Poco a poco, su rostro adelgaza, su pelo se aclara, su pequeño pecho aumenta de tamaño y, de repente, tras aquella página, se ha convertido ya en una mujer. Atrás queda el chicote enfurruñado en bañador con las manos sobre las caderas. Un pequeño biquini cubre el cuerpo moreno de una bonita muchacha, de piernas lisas, ahora delgadas y más largas. Sus ojos claros son ya capaces de entender, su inocencia una elección. Sentada sobre un patín, unos hombros delgados, puede que demasiado angulosos, se asoman dorados por entre los últimos mechones de pelo aclarado por el mar. Al fondo, unos bañistas desenfocados ignoran que han sido inmortalizados.

A medida que pasan las páginas, ella se va pareciendo cada vez más al original que está sentado a su lado. Step, interesado en aquellas historias, observa aquellas fotos, se bebe la segunda cerveza, hace de tanto en tanto alguna pregunta. Babi, de repente, sabiendo ya lo que viene a continuación, trata de saltar una página.

Step, divertido por aquel millar de pequeñas versiones suyas, se le adelanta.

—Eh, no, quiero verlo.

Simulan una lucha, solo para abrazarse un poco y sentirse más cerca. Luego él, después de haber ganado, suelta una carcajada. Ahí está, cómica y haciendo una mueca con los ojos torcidos, en medio de la página. A Babi nunca le ha gustado aquella foto.

—Extraño, es la que más se parece a ti. —Ella, fingiendo ofenderse, le pega. Luego pone el álbum en su sitio, coge su taza, las dos latas de cerveza ya vacías y va hasta la cocina. Step, a solas, da vueltas por el salón. Se para delante de algunos cuadros de autores que desconoce. Sobre una mesa ancha de patas cortas hay toda una serie de cajitas y ceniceros de plata, colocados al azar, que habrían hecho las delicias de sus amigos.

Babi lava su taza y tira las dos latas de cerveza vacías en la basura que hay bajo la pila, cubriéndolas con un brik de leche vacío y con unos pañuelos de papel arrugados. No debe dejar ningún rastro. Al volver al salón, Step ha desaparecido de verdad.

—¿Step? —No hay respuesta. Se dirige a su habitación—. ¿Step? —Lo ve. Está de pie junto a su escritorio ojeando su diario.

—No está bien leer las cosas de los demás sin su permiso.

—Babi le arranca el diario de las manos. Él la deja hacer. De todos modos, ya ha leído lo que le interesa. Lo memoriza.

—¿Por qué, acaso hay algo escrito que podría hacerme enfadar?

—Son cosas mías.

—Espero que no haya mensajes o partes dedicadas a ese memo del BMW.

—No, esa fue una historia un poco así, un pequeño *flirt*. —Se divierte pronunciando exageradamente la palabra extranjera.

—Un pequeño *flirt* —la imita Step.

—Por supuesto, nada que ver con la historia que hubo entre tú y esa loca furiosa.

—¿A quién te refieres? —Step finge no entenderla.

—¡Venga, sabes de sobra a quién me refiero! A esa morena, la bravucona que ayer puse en su sitio. No me digas que esa se me tiró encima solo para divertirse. Entre vosotros hay algo más que un *flirt*...

Step se ríe y se acerca a ella, la besa, arrastrándola hasta la cama. Luego empieza a subirle la camiseta.

—Quieto, venga. Si llegan mis padres y nos pillan se enfadarán, y si, además, nos encuentran en mi habitación, se organizará una buena.

—Tienes razón. —Step la coge y la levanta con facilidad, acostumbrado a barras mucho más pesadas que aquel delicado cuerpo—. Es mejor que vayamos allí. —Sin darle tiempo a responder, se mete en la habitación de los padres de Babi y cierra la puerta. Luego la coloca suavemente sobre la cama y, besándola en la penumbra del dormitorio, se extiende junto a ella.

—Estás loco, lo sabes, ¿verdad? —le susurra al oído. Él no responde. Un pequeño rayo del último sol se filtra a través de la persiana bajada e ilumina su boca. Puede ver aquellos dientes blancos y perfectos sonreírle y entreabrirse antes de perderse en un beso. Luego, sin saber cómo, se encuentra entre sus brazos desnuda de cintura para arriba. Siente su piel acariciarle, sus manos apoderarse dulcemente de su pequeño seno. Babi tiene los ojos cerrados, sus labios suaves se abren y se cierran con un ritmo constante, cambiando un poco de cuando en cuando, pequeña fantasía del beso. Inesperadamente, se siente más tranquila, más libre. La mano de Step se adueña en silencio de su cinturón.

Desabrocha el cierre. En la oscuridad de la habitación, Babi oye el crujido del cuero, el ruido de la hebilla metálica. Con los cinco sentidos puestos en ello, sin dejar de besarlo. La habitación parece suspendida en el vacío. Solo el lento tictac de un despertador lejano, su respiración cercana, ahora entrecortada por el amor. Un ligero apretón. El cinturón se cierra un poco más y el clavo abandona el tercer agujero de bordes oscuros, el más estropeado, el más gastado, fruto de su estricta dieta. En un abrir y cerrar de ojos, sus Levi's se abren. Los botones de plata, antes aprisionados, se ven liberados por el toque mágico de sus dedos. Uno tras otro, cada vez más abajo, mientras aumenta el peligro. Babi contiene la respiración y algo sucede de repente en medio del encanto de aquellos besos. Un leve cambio, casi imperceptible. Aquel suave hechizo parece desvanecerse. A pesar de que siguen besándose, entre ellos se produce algo parecido a una silenciosa espera. Step trata de percibir algo, una señal, una muestra de su deseo. Pero Babi permanece inmóvil, sin dejar traslucir nada. De hecho, todavía no ha tomado ninguna decisión. Nadie había llegado antes hasta aquel punto. Siente sus vaqueros abiertos y la mano de él sobre el borde de la pierna. Sigue besándolo, sin querer pensar, sin saber muy bien qué hacer. En ese momento, la mano de Step decide correr el riesgo. Se mueve lentamente, con delicadeza pero, a pesar de ello, ella puede sentirla de todos modos. Entorna los ojos exhalando un suspiro. Los dedos de Step sobre su piel, sobre aquel borde rosa fruncido, sus bragas. El elástico se aleja un poco de su vientre y casi de inmediato resbala de su mano para volver veloz a su sitio. Un segundo intento más decidido. Bajo sus vaqueros, la mano de Step aprisiona su cadera y allí, insolente y resuelta, pasa por debajo del elástico. Se desliza hacia abajo, hacia el centro, acariciándole la tripa, más y más abajo, hasta aquel contorno rizado, frontera aún inexplorada.

Pero entonces sucede algo. Babi le sujeta la mano. Step la mira en la penumbra.

—¿Qué pasa?

—Chss. —Babi se incorpora sobre un lado, aguzando los oídos para tratar de oír lo que pasa más allá de la habitación, del cierre metálico, abajo, en el patio. Un ruido repentino, una aceleración familiar. Esa marcha atrás.

—¡Mi madre! Rápido, tenemos que darnos prisa. —Se visten en menos que canta un gallo. Babi tira de la colcha. Step acaba de meterse la camisa en los pantalones. Alguien llama a la puerta de la habitación. Se quedan paralizados por un momento. Es Daniela.

—Babi, mira que mamá ha vuelto. —No le da tiempo a acabar la frase. La puerta se abre.

—Gracias, Dani, lo sé.

Babi sale arrastrando a sus espaldas a Step. Él se resiste un poco.

—No, quiero hablar, ¡quiero aclarar de una vez por todas esta situación!

De nuevo, en su cara, esa sonrisa insolente.

—Déjate de bromas. No sabes lo que mi madre sería capaz de hacerte si te encontrara aquí. —Se dirigen al salón—. Rápido, sal por ahí, así no te cruzarás con ellos. —Babi abre la cerradura de la puerta principal. Sale al rellano. El ascensor da directamente al patio. Lo llama. Se intercambian un beso apresurado.

—Quiero una cita con Raffaella.

Ella lo empuja dentro del ascensor.

—¡Desaparece!

Step aprieta el botón de la planta baja y, con una sonrisa, sigue el consejo de Babi. Justo en ese momento, la otra puerta, la de servicio, se abre. Entra Raffaella. Apoya algunas bolsas sobre la mesa de la cocina. Entonces tiene como una especie de presentimiento, siente que algo flota en el aire, puede que el golpe que da la otra puerta al cerrarse.

—¿Eres tú, Babi? —Va de inmediato al salón. Babi ha encendido la televisión.

—Sí, mamá, estoy mirando televisión. —Pero un leve enrojecimiento la traiciona. A Raffaella le basta simplemente eso. Se asoma sin perder tiempo a la ventana que da al patio. El ruido de una moto que se aleja, unas hojas de yedra que todavía se mueven en una esquina. Demasiado tarde. Cierra la ventana. Se cruza con Daniela en el pasillo.

—¿Ha venido alguien a casa?

—No sé, mamá, yo he estado todo el tiempo estudiando en mi habitación.

Raffaella decide dejarlo estar. Con Daniela no sirve de nada insistir. Va a la habitación de Babi, la recorre con la vista. Todo parece estar en su sitio. No hay nada extraño. Incluso la colcha está perfecta. Entonces, procurando que nadie la vea, pasa la mano por encima de ella. Está fría. Nadie se ha tumbado encima. Exhala un suspiro de alivio y va a su habitación. Se quita el traje de chaqueta, lo cuelga de una percha. Luego coge un suéter de angora y una cómoda falda. Se sienta en la cama y se la pone. Ignorante y tranquila, sin que ni siquiera se le pase por la cabeza que, justo allí, poco antes, estaba su hija. Abrazada a ese chico que ella no soporta. Ahí, donde ahora está sentada ella, sobre aquella colcha que aún conserva el calor de tempranas e inocentes emociones.

Claudio llega algo más tarde. Habla largo y tendido con Babi, sobre la firma falsa, los cinco mil euros que ha tenido que pagar, sobre su comportamiento de los últimos días. Luego se sienta delante del televisor, finalmente tranquilo, esperando a que la cena esté lista. Pero justo en ese momento Raffaella lo llama desde la cocina. Claudio se dirige allí sin perder tiempo.

—¿Qué pasa ahora?

—Mira... —Raffaella le señala las dos latas de cerveza que se ha bebido Step.

—Cerveza, ¿qué pasa?
—Estaba escondida en el cubo de la basura debajo de unos Scottex.
—¿Y qué?, habrán bebido un poco de cerveza. ¿Qué hay de malo?
—Ese chico ha estado aquí esta tarde. Estoy segura...
—¿Qué chico?
—El que pegó a Accado, el mismo con el que tu hija se escapó del colegio. Stefano Mancini, Step, el novio de Babi.
—¿El novio de Babi?
—¿No ves cómo ha cambiado? ¿Es posible que no te des cuenta de nada...? Y todo por culpa suya. Va a hacer carreras de motos, firma justificaciones falsas... Y, además, ¿has visto la moradura que tiene bajo el ojo? Yo creo que incluso le pega.
Claudio se queda sin saber qué decir. Nuevos problemas. ¿Será posible que haya pegado a Babi? Tiene que hacer algo, intervenir. Se enfrentará a él, sí, lo hará.
—Ten. —Raffaella le tiende un trozo de papel.
—¿Qué es?
—La matrícula de ese chico. Llama a nuestro amigo Davoni, se la dices, consigues su dirección y vas a hablar con él.
Ahora sí que no le queda más remedio que hacerlo. Se agarra a un clavo ardiendo.
—¿Estás segura de que es la suya?
—La leí el otro día delante del colegio de Babi. La recuerdo perfectamente.
Claudio se mete el trozo de papel en la cartera.
—¡No la pierdas! —Aquellas palabras de Raffaella son más una amenaza que un consejo. Claudio vuelve al salón y se deja caer sobre el sofá delante de la tele. Una pareja habla de sus asuntos delante de una mujer de maneras quizá demasiado masculinas. ¿Cómo pueden tener ganas de ir a discutir delante de todos en televisión? Él apenas si puede soportarlo en su casa, entre las cuatro paredes de su cocina. Y ahora le toca ir a hablar con ese muchacho. Le atizará también a él. Piensa

en Accado. Puede que acabe en la misma habitación de hospital. Se harán compañía. Tampoco esto lo anima. Accado no le cae demasiado bien. Claudio saca la cartera y se dirige al teléfono. Stefano Mancini, Step. Ese chico le ha costado ya cinco mil euros y dos cervezas. Coge la nota con la matrícula de la moto y marca el número de su amigo Davoni. Luego, mientras espera a que alguien le conteste al otro lado de la línea, piensa en su mujer. Raffaella es increíble. Apenas ha visto una o dos veces la moto de ese chico y recuerda perfectamente la matrícula. Él hace un año que tiene el Mercedes y todavía no se sabe de memoria la suya.

—¿Sí, Enrico?

—Sí.

—Hola, soy Claudio Gervasi.

—¿Cómo estás?

—Bien, ¿y tú?

—Estupendamente... me alegro de oírte.

—Oye, perdona que te moleste, pero necesito un favor. —Por un momento, Claudio espera que Enrico no sea excesivamente amable.

—¡Claro! Cuéntamelo todo.

No hay duda, cuando menos necesitas un favor, más gente encuentras dispuesta a hacértelo.

45

No alcanza a comprender si aquel leve repiqueteo sobre la persiana es sueño o realidad. Podría tratarse del viento. Se mueve en la cama. Lo oye de nuevo. Un poco más fuerte, preciso, casi una señal. Babi baja de la cama. Se acerca a la ventana. Mira a través de las rendijas. Lo ve, iluminado por la luz de la luna llena. Es él. Levanta sorprendida la persiana tratando de hacer el menor ruido posible.

—Step, ¿qué haces aquí? ¿Cómo has hecho para subir?

—Facilísimo. He saltado el muro y luego he trepado por las cañerías. Venga, vamos.

—¿Dónde?

—Nos esperan.

—¿Quién?

—Los demás. Mis amigos. Venga, no te hagas la remolona, ¡vamos! Que esta vez, si nos pillan tus padres, se organizará una buena.

—Espera, me pongo algo.

—No, vamos aquí cerca.

—Pero no llevo nada debajo del camisón.

—Mejor.

—Venga, cretino. Espera un momento. —Entorna la ventana, se sienta en la cama y se viste rápidamente. Sostén, bragas, una sudadera, un par de vaqueros, las Nike y de nuevo a la ventana.

—Vamos, pero por la puerta.

—No, bajemos por aquí, es mejor.

—Pues sí, ¿estás de broma? Tengo miedo. Si me caigo desde aquí me mato. Si mis padres se despiertan con un grito y el golpe, ¿qué hacemos? Venga, ven conmigo... pero ¡con cuidado!

Lo guía en la oscuridad de aquella casa dormida, dando pequeños pasos sobre la moqueta mullida y procurando que los picaportes de las puertas se doblen sin hacer ruido. Quita la alarma, coge las llaves y sale. Un pequeño tirón a la puerta que se cierra tras ellos, acompañada hasta el último momento, para no hacer ruido. Luego, por las escaleras, hasta el patio, sobre la moto, cuesta abajo, con el motor apagado para que no los oigan. Superada la verja, Step arranca, mete la segunda y da gas. Se alejan a toda velocidad, ya seguros, libres de ir juntos a donde quieran, mientras todos piensan que están durmiendo en la cama.

—¿Qué hay aquí?

—Sígueme y verás. No hagas ruido, por favor. —Están en la calle Zandonai, sobre la iglesia. Entran por una pequeña puerta. Recorren un sendero a oscuras rodeado de algunos arbustos—. Aquí, pasa por debajo.

Step levanta un trozo de red que ha sido arrancada en la base. Babi se agacha teniendo mucho cuidado de no engancharse. Poco después caminan a oscuras sobre la hierba recién cortada. La luna ilumina todo cuanto hay a su alrededor. Están en el interior de una urbanización.

—Pero ¿adónde vamos?

—Chsss. —Step le hace una señal para que se calle.

Luego, tras saltar un muro bajo, Babi oye ruidos. Carcajadas a lo lejos. Step le sonríe y le coge la mano. Tras pasar un seto, aparece ante sus ojos. Está allí, bajo la luz de la luna, azul y transparente, en calma, bordada por la noche. Una gran piscina. Dentro hay algunos muchachos. Se mueven nadando sin hacer demasiado ruido. Unas olas pequeñas rebosan sus bordes yendo a morir sobre la hierba que la rodea. Se siente como una extraña respiración, el agua que va y viene, perdiéndose en el vacío de una pequeña rejilla.

—Ven. —Algunos de los presentes la saludan.

Babi reconoce sus caras mojadas. Los amigos de Step. Se sabe ya algunos nombres: el Siciliano, Hook, Bunny. Son más fáciles de recordar que los que suelen decirse en las presentaciones normales donde todos se llaman Guido, Fabio, Francesco. Están también Pollo y Pallina, quien se acerca hasta la orilla nadando.

—Caramba, estaba convencida de que no vendrías. He perdido la apuesta.

Pollo la aparta del bordillo.

—¿Has visto? ¿Qué te había dicho? —Se ríen.

Pallina prueba a hundirlo, sin conseguirlo.

—Ahora te toca pagar.

Se alejan salpicándose y besándose. Babi se pregunta lo que se habrán apostado y se le ocurre alguna que otra cosa.

—Step, pero yo no llevo el bañador.

—Yo tampoco. Solo los calzoncillos. Qué más te da, nadie lo lleva puesto.

—Pero hace frío...

—He traído unas toallas para luego, también una para ti. Venga, no le des tantas vueltas.

Step se quita la cazadora. Poco después, el resto de su ropa está en el suelo.

—Mira que si te tiro vestida es peor. Sabes que soy capaz de hacerlo. —Ella lo mira.

Es la primera vez que lo ve desnudo. El reflejo plateado de la luna sobre su cuerpo hace resaltar aún más su musculatura. Abdominales perfectos, pectorales cuadrados y compactos. Babi se quita la sudadera. Su apodo le va como anillo al dedo, piensa. Se merece, por lo menos, el 10 y la matrícula de honor. Pocos minutos después, los dos están ya en el agua. Nadan uno junto a otro. Un escalofrío la hace estremecerse.

—Brrr, hace frío.

—Ahora entrarás en calor. Procura no ir bajo el agua con

los ojos abiertos. Está llena de cloro. Es la primera piscina abierta de la zona, ¿lo sabías? Se trata de algo así como una especie de inauguración. Dentro de nada estaremos ya en verano. Bonita, ¿no?

—Magnífica.

—Ven aquí.

Se acercan al bordillo. Hay botellas flotando por doquier.

—Ten, bebe.

—Pero yo soy abstemia.

—Te quitará el frío. —Babi coge la botella y da un trago. Siente aquel líquido fresco, ligeramente ácido y burbujeante, bajarle por la garganta. Está bueno. Suelta la botella y se la pasa a Step.

—No está mal, me gusta.

—No lo dudo, es champán. —Step da un largo sorbo. Babi mira a su alrededor. ¿Champán? ¿De dónde lo habrán sacado? Lo más probable es que lo hayan robado también—. Ten. —Step le vuelve a pasar la botella. Ella decide que es mejor no pensar y da un nuevo sorbo. Casi se atraganta y el champán le sale con todas sus burbujitas por la nariz. Se echa a toser. Step suelta una carcajada. Espera a que se recupere. Luego nadan juntos hacia el otro lado. Un seto algo más grande los protege de los rayos de la luna. Tan solo deja pasar algunos reflejos plateados que no tardan en apagarse sobre su pelo mojado. Step la mira. Es guapísima. Besa sus labios y se abrazan. Sus cuerpos desnudos se rozan completamente por primera vez. Envueltos en aquella agua fría, buscan y encuentran en ellos el calor, se van conociendo, se emocionan, se separan de cuando en cuando para que la situación no llegue a ser demasiado comprometida. Step se aleja de ella, da una pequeña brazada lateral y vuelve al poco tiempo con una nueva presa.

—Esta está todavía llena.

Otra botella. Están rodeados. Babi sonríe y bebe, esta vez lentamente, con cuidado para no atragantarse. Le parece mejor. Después busca de nuevo sus labios. Siguen besándose en aquel modo, efervescentes, mientras ella se siente flotar sin entender muy bien la razón. ¿Será el efecto normal del agua o el del champán? Deja caer dulcemente la cabeza hacia atrás, la apoya en el agua y, por un momento, esta deja de darle vueltas. Oye y no oye los ruidos que hay a su alrededor. Sus oídos, acariciados por minúsculas olas, acaban de vez en cuando bajo el agua y extraños y agradables sonidos silenciosos la alcanzan aturdiéndola todavía más. Step la tiene entre sus brazos, la hace dar vueltas alrededor de él, arrastrándola. Ella abre los ojos. Breves encrespamientos de corriente le acarician las mejillas y diminutas y desdeñosas salpicaduras alcanzan de cuando en cuando su boca. Le entran ganas de reír. En lo alto, nubes plateadas se desplazan con parsimonia en el azul infinito. Se incorpora. Abraza sus hombros robustos y lo besa con pasión. Él la mira a los ojos. Posa una mano mojada sobre su frente y, acariciándola, le aparta el pelo hacia atrás, dejando al descubierto su rostro terso.

Luego desciende por la mejilla, hasta llegar al mentón, por el cuello y, después, aún más abajo, hasta llegar al sitio donde él ha sido el primero, él y solo él, que se ha atrevido a acariciarla. Ella lo abraza con mayor intensidad. Apoya la barbilla sobre su hombro y con los ojos entornados mira a lo lejos. Una botella medio vacía flota cerca de ellos. Sube y baja. Piensa en el mensaje enrollado que lleva en su interior: «Socorro. Aunque prefiero que nadie me salve». Cierra los ojos y empieza a temblar, no solo a causa del frío. Mil emociones se apoderan de ella. De repente, lo entiende. Sí, está naufragando.

—Babi, Babi. —Oye que la llaman de repente y que la sacuden con fuerza. Daniela está frente a ella.

—¿Qué pasa, no has oído el despertador? Venga, muévete que llegamos tarde. Papá está casi listo.

Su hermana sale de la habitación. Babi se da la vuelta en la cama. Piensa en la noche anterior. Step entrando en su casa a escondidas. La huida en la moto, el baño en la piscina con

Pallina y los demás. La borrachera. Él y ella dentro del agua. Su mano. Tal vez se haya imaginado todo. Se toca el pelo. Está completamente seco. Lástima, ha sido un sueño precioso, pero solo un sueño. Saca la mano de la colcha y busca a tientas la radio. La encuentra y la enciende. Animada por la nueva canción alegre de los Simply Red, *Fake*, baja de la cama. Todavía no se ha despertado del todo y le duele un poco la cabeza. Se acerca a la silla para vestirse. El uniforme está apoyado en ella pero no ha preparado el resto de las cosas. Qué extraño, piensa, me he olvidado. Es la primera vez. Mis padres tienen razón. Tal vez sea verdad que estoy cambiando. Acabaré siendo como Pallina. Es tan desordenada que se olvida de todo. Bueno, eso significa que seremos aún más amigas. Abre el primer cajón. Saca un sostén. Luego, mientras hurga en la ropa interior buscando un par de bragas, encuentra una dulce sorpresa. Escondidos al fondo, dentro de una pequeña bolsa de plástico, hay un sostén y un par de bragas mojados. Llega hasta ella un ligero olor a cloro. No ha sido un sueño. Anoche puso ese conjunto sobre la silla, como siempre, solo que luego lo usó como traje de baño. Sonríe. Recuerda entonces haber estado entre sus brazos. Es cierto, ha cambiado. Mucho. Se viste y, al final, mientras se pone los zapatos, toma una decisión. No le volverá a permitir que vaya más allá. Resueltas ya sus dudas, se mira al espejo. Su pelo es el de siempre, sus ojos los mismos que se pintó hace algunos días. Hasta la boca es la que es. Se peina sonriendo, pone el cepillo en su sitio y sale corriendo de la habitación para desayunar. No sabe que, muy pronto, volverá a cambiar de nuevo. Tanto que cuando pase delante de aquel espejo no será capaz de reconocerse.

46

La Giacci baja a la sala de visitas. Saluda a algunas madres que conoce y luego va hasta el fondo. Un chico con una cazadora oscura y un par de gafas negras está sentado de cualquier manera en un sillón. Tiene una pierna colgando sobre uno de los brazos y, por si fuera poco, fuma con aire insolente. Echando la cabeza hacia atrás, tira el humo de vez en cuando hacia lo alto.

La Giacci se para ante él.

—¿Perdone? —El chico parece no haberla oído. La Giacci levanta la voz—. ¿Perdone?

Step, finalmente, alza la cabeza.

—¿Sí?

—¿Acaso no sabe leer? —le pregunta indicando el letrero colgado en la pared, en un lugar bien visible, que prohíbe fumar.

—¿Dónde?

La Giacci decide no insistir.

—Aquí no se puede fumar.

—Ah, no me había dado cuenta. —Step tira el cigarrillo al suelo y lo apaga con un golpe decidido del talón. La Giacci se está poniendo nerviosa.

—¿Qué hace usted aquí?

—Estoy esperando a la profesora Giacci.

—Soy yo. ¿A qué debo su visita?

—Ah, es usted, profesora. Perdone por el cigarrillo.

Step se sienta mejor en el sillón. Por un momento parece lamentarlo sinceramente.

—Déjelo estar y dígame qué es lo que quiere.

—Mire, quería hablarle de Babi Gervasi. Usted no debe tratarla en ese modo. ¿Sabe, profesora? Esa chica es muy sensible. Y, además, sus padres son una auténtica lata, ¿lo entiende? De manera que si usted la toma con ella, ellos la castigarán y yo saldré perdiendo porque no podré salir con ella y eso no me gusta nada, profesora, ¿me entiende?

La Giacci está fuera de sí. ¿Cómo se permite ese chulo hablarle en ese tono?

—No lo entiendo en absoluto y, sobre todo, no entiendo lo que hace usted aquí. ¿Es acaso pariente suyo? ¿Su hermano?

—No, digamos que soy un amigo.

Repentinamente, la profesora recuerda haberlo visto ya. Sí, desde la ventana. Es el chico con el que Babi se escapó del colegio. Habló de él con su madre, largo y tendido. Pobre señora. Es un individuo peligroso.

—Usted no está autorizado a estar aquí. Márchese o llamo a la policía.

Step se levanta y pasa risueño por delante de ella.

—Yo solo he venido para hablar con usted. Quería encontrar con usted una solución, pero veo que es imposible. —La Giacci lo mira con aire de superioridad. Ese tipo no le da miedo. A pesar de todos esos músculos, no deja de ser un simple muchacho, una mente pequeña, insignificante. Step se le acerca como si quisiera hacerle una confidencia—. Veamos si entiende esta palabra, profesora. Atenta, ¿eh?: Pepito. —La Giacci palidece. No quiere dar crédito a lo que acaba de oír—. Veo que ha entendido el concepto. Así que procure portarse bien, profesora, y verá que se acaban los problemas. En la vida se trata de encontrar las palabras adecuadas, ¿no? Recuerde: Pepito.

La deja en medio de la sala, blanca como el papel, aún más

vieja de lo que ya es, con una única esperanza: que nada de todo aquello sea verdad. La Giacci va a ver a la directora, le pide permiso, corre a casa y cuando llega siente una especie de pánico al entrar. Abre la puerta. Ningún ruido. Nada. Entra en todas las habitaciones gritando, llamándolo por su nombre, a continuación se derrumba sobre una silla. Aún más cansada y sola, si cabe, de lo que se siente todos los días. El portero se asoma a la puerta.

—Profesora, ¿cómo va? Está usted muy pálida. Oiga, hoy vinieron dos chicos de su parte para sacar a pasear a Pepito. Yo mismo les abrí. Hice bien, ¿no? —La Giacci lo mira. Como si no lo viera. Luego, sin odio, resignada, llena de tristeza y melancolía, asiente. El portero se marcha, la Giacci se levanta como puede de la silla y va a cerrar la puerta. La esperan días de soledad, en aquella casa tan grande, sin los alegres ladridos de Pepito. Uno se puede equivocar sobre la gente. Babi le parecía una muchacha orgullosa e inteligente, puede que un poco sabihonda, pero incapaz de una crueldad semejante. Se encamina hacia la cocina para prepararse algo de comer. Abre la nevera. Al lado de su ensalada está la comida de Pepito ya preparada. Estalla en sollozos. Ahora sí que está realmente sola. Ahora ha perdido definitivamente.

47

Aquella tarde, Paolo acaba de trabajar temprano. Entra en casa muy contento. De repente, oye un ladrido. En el salón, un perro lulú de pelo blanco mueve la cola sobre su alfombra turca. Pollo está delante de él con una cuchara de madera en la mano.

—¿Listo? ¡Venga! —Pollo tira la cuchara sobre el sofá que tiene delante. El lulú ni siquiera se gira, no parece importarle lo más mínimo adónde pueda haber ido a parar el trozo de madera. Al contrario, empieza a ladrar.

—Coño, pero ¿por qué no va? ¡Este perro no funciona! ¡Nos hemos llevado un perro idiota! Solo sabe ladrar.

—Mira que no es un perdiguero. No está predispuesto, ¿no? ¿Qué pretendes?

Step ve a su hermano. Paolo está de pie en el umbral de la puerta con el sombrero todavía en la mano.

—Vaya, Pa', ¿cómo estás? No te he oído entrar. ¿Cómo es que llegas hoy tan temprano?

—He acabado antes. ¿Qué hace este perro en mi casa?

—Es nuevo. Pollo y yo lo hemos cogido a medias. ¿Te gusta?

—En absoluto. No lo quiero ver por aquí. Mira. —Va hasta le sofá—. Está todo lleno de pelos blancos, aquí.

—Venga, Pa', no seas tan dominante. Estará en mi parte de la casa.

—¿Qué?

El perro mueve la cola y empieza a ladrar.

—¿Lo ves? ¡Él está de acuerdo!

—Si ya me despiertas tú cuando vuelves a casa imagínate con este perro ladrando sin parar. Ni hablar.

Paolo se marcha furioso.

—Coño, se ha enfadado. —A Pollo se le ocurre algo, grita para que lo pueda oír desde la otra habitación.

—Paolo, por los doscientos euros que te debo... me lo llevo yo.

Step se echa a reír y empieza a leer Dago: Paolo aparece en la puerta.

—Hecho. En cualquier caso, había ya dado por perdido ese dinero, al menos así me quito de encima al perro. Por cierto, Step, ¿se puede saber adónde han ido a parar mis galletas de mantequilla? Las compré el otro día para desayunar y ya han desaparecido.

—Bah, se las habrá comido Maria. Yo no las he cogido, ya sabes que a mí no me gustan.

—No sé por qué, pero todo lo que sucede acaba siendo siempre culpa de Maria. Despidámosla, ¿no? Solo nos causa problemas...

—¿Estás loco? Maria es un mito. Hace unas tortas de manzana... La del otro día, por ejemplo... —interviene Pollo.

—¡Así que os la comisteis vosotros, estaba seguro!

Step mira el reloj.

—Coño, es tardísimo. Tengo que salir. —Pollo también se levanta.

—Yo también. —Paolo se queda solo en el salón.

—¿Y el perro?

A Pollo le da tiempo a contestarle antes de salir.

—Paso después por aquí.

—¡Mira que si no te lo llevas tendrás que devolverme los doscientos euros!

Paolo mira al lulú. Está en medio del salón, moviendo la cola. Qué extraño que todavía no haya hecho pipí sobre su alfombra. Abre su maletín de piel y saca una nueva caja de galletas inglesas de mantequilla. ¿Dónde puede esconderla? Elige el armarito que hay allí abajo, el de los sobres y las cartas. En esa casa no escribe nadie. Será difícil que las encuentren allí. Las esconde bajo un paquete aún cerrado de sobres.

Al incorporarse, advierte que el lulú lo está mirando. Ambos se observan por un instante. «Puede que me lo hayan dejado adrede. Hay perros capaces de encontrar las trufas. Puede que este sea un perro galletero.» Por un momento, estúpidamente, Paolo deja de estar tan seguro sobre su escondite.

48

Babi va subida a la moto detrás de Step. Con la mejilla apoyada sobre su cazadora mientras el viento le arrebata las puntas de sus cabellos.

—¿Cómo ha ido hoy el colegio?

—Estupendo. Hemos tenido dos horas libres. La Giacci no ha venido. Problemas familiares. Si con una como esa tenemos problemas nosotras imagínate su familia...

—Ya verás cómo de ahora en adelante las cosas irán mejor. Tengo como una especie de presentimiento.

Babi no acaba de entender el significado de aquellas palabras y cambia de tema.

—¿Estás seguro de que no me hará daño?

—¡Segurísimo! Todos se lo han hecho. Ya has visto lo grande que es el mío. Me habría muerto, ¿no? Tú te vas a hacer uno pequeñísimo. Ni siquiera te darás cuenta.

—No he dicho que me lo hago. Solo he dicho que voy a ver.

—Está bien, como quieras, si no te gusta, no te lo hagas, ¿de acuerdo?

—Bueno, hemos llegado. —Caminan por un sendero. En el suelo hay arena; el viento la ha llevado hasta allí tras habérsela robado a la playa vecina. Están en Fregene, en el pueblo de los pescadores. Babi se pregunta por un momento si no se habrá vuelto loca. Dios mío, estoy a punto de hacerme un tatuaje, piensa, tengo que hacérmelo en un sitio donde no se vea demasiado. Imagina lo que podría suceder si su madre la descubriera. Se echaría a gritar. Su madre grita siempre.

—¿Estás pensando dónde hacértelo?

—Todavía no sé si me lo voy a hacer o no.

—Venga, el mío te gustó mucho cuando lo viste. Y, además, Pallina también se ha hecho uno, ¿no?

—Sí, lo sé, pero ¿qué tiene que ver eso? Ella se lo hizo sola en casa con las agujas y la tinta.

—Bueno, esto es mucho mejor. Con la maquinita sale también a colores... es cojonudo.

—Pero ¿estás seguro de que la esterilizan?

—¡Claro, qué cosas se te ocurren!

Yo no me drogo, no he hecho nunca el amor. Sería el colmo coger el sida haciéndome un tatuaje.

—Es esta.

Se paran delante de una especie de cabaña. El viento agita las cañas que cubren el tejado como una plancha. La ventana está cubierta por unos cristales de colores. La puerta es de madera marrón oscuro. Casi parece de chocolate.

—¿Se puede, John?

—Vaya, Step, entra.

Babi lo sigue. Le impresiona el fuerte olor a alcohol que hay en su interior. Al menos de eso hay; ahora hay que asegurarse de que lo usen. John está sentado en una especie de taburete ocupado con el hombro de una chica rubia sentada delante de él en un banco. Se oye el ruido de un motor. A Babi le recuerda el del torno del dentista. Confía en que no haga tanto daño. La muchacha mira hacia delante. Si siente dolor, no lo demuestra. Un muchacho, apoyado contra la pared, deja de leer el *Corriere dello Sport*.

—¿Te hace daño?

—No.

—Venga, que sí que te hace.

—Te he dicho que no.

El muchacho se concentra de nuevo en el periódico. Casi parece molestarle que su amiga no sienta nada.

—Bueno, esto ya está. —John aparta el aparato y se inclina sobre el hombro para ver mejor su trabajo—. ¡Perfecta!

La chica exhala un suspiro de alivio. Alarga el cuello para ver si el entusiasmo que demuestra John está justificado. Babi y Step se acercan curiosos. El chico deja de leer y se inclina hacia delante. Todos miran en silencio. La muchacha busca a su alrededor un poco de aprobación.

—Es bonita, ¿eh? —Una mariposa multicolor resplandece lívida sobre su hombro. La piel está un poco hinchada. El color todavía fresco, mezclado con el rojo de la sangre, resulta particularmente brillante.

—Preciosa —le responde sonriendo el que, por lo visto, debe de ser su novio.

—Mucho. —También Babi se decide a darle un poco de satisfacción.

—Ten, ponte esto. —John le pone una venda adherente sobre el hombro—. Tienes que lavarlo cada mañana durante algunos días. ¡Verás que así no se infecta!

La chica inspira por la boca con los dientes apretados.

Algo es seguro. Una vez acabado, al menos, John usa el alcohol. El tipo saca cincuenta euros y le paga. Luego sonríe y abraza a su chica recién tatuada.

—¡Ay! Me haces daño.

—Oh, perdona, cariño. —La coge delicadamente algo más abajo y sale con ella de aquella seudocabaña.

—Bueno, Step, enséñame cómo va tu tatuaje...

Step se sube la manga derecha de su cazadora. Sobre su musculoso antebrazo aparece un águila con una lengua roja llameante. Step mueve la mano como un pianista. Sus tendones se deslizan bajo la piel dando vida a aquellas grandes alas.

—Es precioso. —John mira orgulloso su trabajo—. Habría que repasarla un poco...

—Un día de estos, tal vez. Hoy hemos venido por ella.

—Ah, ¿por esta señorita tan guapa? Y dime, ¿qué te gustaría hacerte?

—Para empezar, espero que no me haga daño y además... usted esteriliza cada vez el aparato, ¿verdad?

John la tranquiliza. Desmonta las agujas y las limpia con alcohol delante de ella.

—¿Has decidido ya dónde te lo quieres hacer?

—Mmm, preferiría en un sitio donde no se vea. Si mis padres se dan cuenta las pasaré canutas.

Se arrepiente de la frase. Puede que las pase canutas de todos modos.

—Bueno —John le sonríe—, he hecho algunos sobre las nalgas y también en la cabeza. Una vez vino una americana que insistió en hacérselo, sí, vaya, ¿entiendes dónde...? ¡Antes tuve incluso que depilarla!

John suelta una carcajada delante de ella dejando al descubierto unos terribles dientes amarillentos. Babi lo mira preocupada. Dios mío, es un maníaco.

—John. —Oye el tono un tanto duro de Step a sus espaldas.

John cambia de inmediato de expresión.

—Sí, perdona, Step. Entonces, no sé, podríamos hacerlo sobre el cuello, bajo el pelo, sobre el tobillo o incluso en un costado.

—Vale, en un costado me parece perfecto.

—Ten, elige uno de estos. —John saca de debajo de una mesa un voluminoso libro. Babi empieza a ojearlo. Hay calaveras, espadas, cruces, revólveres, dibujos espantosos. John se levanta y se enciende un Marlboro. Intuye que va para largo. Step se sienta a su lado.

—¿Este? —Le indica una esvástica nazi con una bandera de fondo blanco.

—¡Pues sí que...!

—Bueno, no está mal...

—¿Este? —Le señala una gruesa serpiente en tonos morados y con la boca abierta en ademán de atacar. Babi ni siquiera le responde. Sigue ojeando el grueso libro. Mira rápidamente las figuras que hay en su interior, insatisfecha, como si supiera ya que allí no va a encontrar nada que merezca la pena. Al final, tras pasar la última hoja, la de plástico duro, cierra el libro. Luego mira a John.

—No me gusta nada.

John da una calada a su cigarrillo y expulsa el humo resoplando. Se lo imaginaba.

—Bueno, entonces tendremos que inventarnos algo, ¿una rosa?

Babi niega con la cabeza.

—¿Otra flor?

—No lo sé...

—Bueno, hija mía, o nos echas una mano o podemos estar aquí hasta mañana. Mira que a las siete vienen otros clientes.

—Pero es que no lo sé. Me gustaría hacerme algo fuera de lo común.

John empieza a pasearse por la habitación. Se detiene.

—Una vez tatué sobre el hombro de un tipo una botella de Coca-Cola. Quedó estupenda. ¿Te gustaría?

—La Coca-Cola no me gusta.

—Venga, Babi, dile algo que te guste, ¿no?

—Yo tomo solo yogur. ¡No querrás que le pida que me tatúe uno en el costado!

Al final encuentran una solución. La propone Step. John se muestra de acuerdo y a Babi le encanta.

Step la distrae contándole la verdadera historia de John, el chino de los ojos verdes. Todos lo llaman así y él se jacta de su aspecto oriental. Se hace pasar por uno de ellos rodeándose de cosas chinas. En realidad es de Centocelle. Vive con una tipa de Ostia con la cual ha tenido incluso un hijo al que ha llamado Bruce, en honor a su ídolo. Lo cierto es que se llama Mario y aprendió a hacer sus primeros tatuajes en el Gabbio. Los ojos rasgados se deben, además, a dos dioptrías de miopía corregidas con gafas de cuatro perras. Mario o, mejor dicho, John, suelta una risotada. Step paga cincuenta euros. Babi controla su tatuaje: perfecto. Poco después, de nuevo sobre la moto, deja el primer botón de sus vaqueros abiertos, abre un poco la venda y lo vuelve mirar encantada. Step lo nota.

—¿Te gusta?

—Muchísimo.

Sobre su piel delicada, todavía hinchada, un pequeño aguilucho recién nacido, idéntico al de Step, hijo de la misma mano, saborea el viento fresco del atardecer.

Llaman a la puerta. Paolo va a abrir. Delante de él, un señor de aspecto distinguido.

—Buenas noches, busco a Stefano Mancini. Soy Claudio Gervasi.

—Buenas noches, mi hermano no está.

—¿Sabe cuándo volverá?

—No, no lo sé, no ha dicho nada. A veces ni siquiera viene a cenar, vuelve directamente por la noche, tarde. —Paolo observa a aquel señor. A saber qué tendrá que ver con Step. Problema a la vista. Como de costumbre, una nueva historia de peleas—. Mire, si quiere entrar, tal vez vuelva pronto o llame por teléfono.

—Gracias.

Claudio entra en el salón. Paolo cierra la puerta y, acto seguido, no se puede contener.

—Perdone, ¿puedo ayudarle en algo?

—No, solo quería hablar con Stefano. Soy el padre de Babi.

—Ah, entiendo. —Paolo esboza una sonrisa educada. En realidad, no entiende nada. No tiene ni idea de quién pueda ser esa Babi. Una chica, esta vez no se trata de una paliza. Peor aún—. Perdone un momento. —Paolo sale del salón. Claudio, una vez a solas, curiosea un poco. Se acerca a algunos pósteres colgados de la pared, luego saca la cajetilla de cigarrillos y se enciende uno. Al menos, toda esta historia tiene una ventaja. Puedo fumar tranquilo. Qué extraño, ese es el hermano de Step, del mismo Step que vapuleó a Accado, y, sin embargo, parece una persona como es debido. Puede que entonces la situación no sea tan desesperada. Raffaella, como de costumbre, está exagerando. Tal vez ni siquiera era necesario venir. Esas son cosas de jóvenes. Se arreglan naturalmente por sí solas. Es una historia sin más complicaciones, se han enamorado. Puede que a Babi se le pase enseguida. Mira en derredor buscando un cenicero. Lo ve sobre una mesita que hay detrás del sofá. Se acerca a ella para echar la ceniza.

—Tenga cuidado. —Paolo está en la puerta con un trapo en la mano—. Lo siento. Pero está caminando justo donde ha hecho pipí el perro.

Pepito, el pequeño lulú de abundante pelo blanco, aparece en un rincón del salón. Ladra casi feliz de reivindicar su osadía.

Step y Babi se detienen en el patio que hay debajo la casa de ella. Babi mira su sitio en el garaje. Está vacío.

—Mis padres todavía no han vuelto. ¿Quieres subir un momento?

—Sí, venga. —Luego recuerda que ha dejado al perro en casa con su hermano. Saca el móvil—. Espera, antes voy a llamar a mi hermano, quiero saber si necesita algo.

Paolo va a coger el teléfono.

—¿Sí?

—Hola, Pa'. ¿Cómo va? ¿Ha pasado Pollo a recoger al perro?

—No, ese idiota que tienes por amigo todavía no ha venido. Espero diez minutos más y luego lo tiro de casa.

—Venga, no seas así. Ya sabes que no hay que maltratar a los animales. Más bien, habría que sacarlo para que hiciera pipí.

—¡Ya lo ha hecho, gracias!

—Caramba, qué previsor, eres cojonudo, hermano.

—No me has entendido. Lo ha hecho solito y, por si fuera poco, ¡sobre la alfombra turca!

Paolo, a la imagen de mánager eficientísimo, prefiere la de simple gafe con trapo en mano que seca el pipí del perro. Todo con tal de que Step se sienta culpable. En vano. Del otro lado de la línea le llega una estentórea carcajada.

—¡No me lo puedo creer!

—¡Créetelo! Ah, oye. Aquí hay un señor que te está esperando.

Paolo se vuelve hacia la pared tratando de que no se le oiga demasiado.

—Es el padre de Babi. ¿Ha pasado algo?

Step mira sorprendido a Babi.

—¿En serio?

—Sí, imagínate si bromeo contigo sobre estas cosas... Entonces, ¿qué es lo que pasa?

—Nada, luego te lo cuento. Pásamelo, venga.

Paolo tiende el auricular a Claudio.

—Señor Gervasi, tiene suerte. Mi hermano acaba de llamar.

Mientras se dirige hacia el teléfono, Claudio se pregunta si es realmente un hombre afortunado. Puede que hubiera sido mejor no encontrarlo. Trata de hablar en tono seguro y grave.

—¿Sí?

—Buenas noches, ¿cómo está?

—Bien, Stefano. Escuche, me gustaría hablar con usted.

—Está bien, ¿de qué quiere que hablemos?

—¡Es una cuestión delicada!

—¿No podemos hablar por teléfono?

—No. Preferiría verle y decírselo en persona.

—Está bien. Como quiera.

—En ese caso, ¿dónde nos podemos ver?

—No sé, dígamelo usted.

—De cualquier forma, es cuestión de pocos minutos. ¿Dónde está usted en estos momentos?

A Step le entra risa. No le parece oportuno decirle que está en su propia casa.

—Estoy en casa de un amigo. En los alrededores de Ponte Milvio.

—Nos podríamos ver delante de la iglesia de Santa Chiara, ¿sabe dónde es?

—Sí. Yo, sin embargo, lo espero en la encina que hay delante. Lo prefiero. ¿Sabe cuál es? Hay una especie de jardín.

—Sí, sí, la conozco. Entonces quedamos allí dentro de un cuarto de hora.

—Está bien, ¿me vuelve a pasar a mi hermano, por favor?

—Sí, enseguida.

Claudio entrega de nuevo a Paolo el auricular.

—Quiere que se vuelva a poner.

—Sí, Step, dime.

—Paolo, ¿me has hecho quedar bien? ¿Lo has invitado a sentarse? Por favor, ¿eh?, me interesa. Es una persona importante. Piensa que su hija se ha comido todas tus galletitas de mantequilla...

—Desde luego... —A Paolo no le da tiempo a contestarle, Step cuelga antes.

Claudio se encamina hacia la puerta.

—Disculpe, me tengo que marchar, quisiera despedirme.

—Ah, claro, le acompaño.

—Espero que tengamos ocasión de volvernos a ver con más calma.

—Por supuesto... —Se dan la mano. Paolo abre la puerta. En ese preciso momento llega Pollo.

—Hola, he venido para llevarme al perro.

—Menos mal, ya era hora.

—Bueno, yo me despido.

—Buenas noches.

Pollo mira perplejo a aquel señor que sale por la puerta.

—¿Quién era ese?

—El padre de una cierta Babi. Quería ver a Step. ¿Qué ha pasado? ¿Quién es esa Babi?

—Es la novia actual de tu hermano. ¿Dónde está el perro?

—En la cocina. Pero ¿por qué quiere hablar con Step? ¿Hay algún problema?

—¡Y yo qué sé! —Pollo sonríe al ver al perro—. Ve, Arnold, vamos. —El lulú, recién bautizado, corre a su encuentro ladrando. Entre los dos parece haber una cierta simpatía aunque también puede ser que el perro prefiera su nombre actual al de Pepito. Es posible que la Giacci no haya entendido nunca que él, en realidad, es un duro.

Paolo lo detiene.

—Eh, ¿no será que esa Babi está...? —Hace un arco con la mano, aumentando el volumen de su tripa, ya de por sí bastante echada a perder.

—¿Embarazada? ¡Qué va! Según me ha parecido entender, Step no lo conseguiría ni aun siendo el Espíritu Santo.

—Eh, Babi, me tengo que marchar. —Step la abraza.

—¿Adónde? Quédate un poco más.

—No puedo. Tengo una cita.

Babi lo aparta.

—Sí, ya sé yo con quién has quedado. Con esa tipa terrible, la morena. Pero ¿es que no lo entiende? ¿No le ha bastado la paliza que le di el otro día?

Step se echa a reír y la abraza de nuevo.

—Pero ¿qué dices? —Babi trata de oponer resistencia. Luchan por un momento. Step vence con facilidad y le da un beso. Babi mantiene cerrados los labios. Al final acepta la dulce derrota. Pero le muerde la lengua.

—¡Ay!

—Dime enseguida con quién vas a salir.

—No lo adivinarías nunca.

—No es la que he dicho antes, ¿verdad?

—No.

—¿La conozco?

—Perfectamente. Perdona, antes de nada, pregúntame si es un hombre o una mujer.

Babi resopla.

—¿Hombre o mujer?

—Se trata de un hombre.

—Eso me deja ya más tranquila.

—Voy a ver a tu padre.

—¿Mi padre?

—Ha venido a buscarme a casa. Cuando he llamado estaba allí. Hemos quedado ahora en la plaza Giochi Delfici.

—¿Y se puede saber qué es lo que quiere mi padre de ti?

—¡No lo sé! Cuando me entere te llamo y te lo digo. ¿De acuerdo?

Le da un beso irresistible. Ella lo deja hacer, todavía estupefacta y sorprendida por aquella noticia. Step arranca la moto y se aleja veloz. Babi se lo queda mirando hasta que desaparece por la esquina. Luego sube a su casa. Silenciosa, realmente preocupada. Trata de imaginarse su encuentro. ¿De qué hablarán? ¿Qué pasará? Después, pensando sobre todo en su padre, confía en que no acaben a bofetadas.

49

Cuando Claudio llega Step está ya allí, sentado sobre el borde del muro fumando un cigarrillo.

—Hola.

—Buenas noches, Stefano.

Se dan la mano. Claudio se enciende también un cigarrillo para relajarse un poco. Desgraciadamente, no consigue el resultado esperado. Ese chico es extraño. Ahí está, sonriéndole sin decir nada, sin dejar de mirarlo, vestido con esa cazadora oscura. No se parece en nada a su hermano. Entre otras cosas, es mucho más corpulento. De repente, justo cuando está a punto de sentarse a su lado en el muro, recuerda algo. Ese chico vapuleó a su amigo Accado y le rompió la nariz. Ahora sale con su hija. Ese muchacho es un tipo peligroso. Hubiera preferido mil veces hablar con el hermano.

Claudio permanece de pie. Step lo mira con curiosidad.

—Entonces, ¿de qué hablamos?

—Bueno, mire, Stefano. En mi casa ha habido últimamente problemas.

—Si supiera los que ha habido en la mía...

—Sí, lo sé, pero mire, nosotros éramos antes una familia muy tranquila. Babi y Daniela son dos buenas chicas.

—Eso es verdad. Babi es una chica realmente estupenda. Oiga, Claudio, ¿no podríamos tutearnos? A mí, normalmente, ya no me gusta hablar demasiado pero si encima tengo que romperme la cabeza con todos esos ustedes, entonces sí que me resulta ya completamente imposible.

Claudio sonríe.

—Claro. —En el fondo, ese chico no es antipático. Por lo menos todavía no le ha puesto las manos encima. Step baja del muro.

—Oye, ¿por qué no vamos a sentarnos a algún lado? Al menos hablamos más cómodos, incluso podríamos tomarnos algo.

—Está bien. ¿Adónde vamos?

—Aquí cerca hay un sitio que han abierto unos amigos míos. Será como estar en casa, no nos molestará nadie. —Step monta en la moto—. Sígueme.

Claudio sube al coche. Está satisfecho. Su misión le está resultando más fácil de lo previsto. Menos mal. Sigue a Stefano en dirección a la Farnesina. En Ponte Milvio giran a la derecha. Claudio procura no perder de vista a ese pequeño faro rojo que corre en la noche. Si le sucede una cosa por el estilo Raffaella no se lo perdonará nunca. Poco después, se detienen en un callejón que hay detrás de la plaza Clodio. Step indica a Claudio un sitio vacío donde puede meter el coche mientras él deja la moto justo delante de la entrada del Four Green Fields. En el piso de abajo hay una gran confusión. Junto a la barra hay numerosos grupos de jóvenes sentados en taburetes. A su alrededor, cuadros y escudos de cervezas de varios países. Un tipo con gafitas y el pelo despeinado se mueve frenéticamente detrás de la barra preparando cócteles de fruta y simples gin-tonics.

—Hola, Antonio.

—Ah, hola, Step, ¿qué te pongo?

—No sé, lo pensamos ahora. ¿Tú qué tomas?

Mientras van a sentarse, Claudio recuerda que no ha comido nada. Decide pedir algo ligero.

—Un Martini.

—Una cerveza clara y un Martini.

Se sientan a una de las mesas del fondo, donde hay un

poco menos de alboroto. Casi de inmediato llega a su mesa una guapísima chica de piel color ébano que se llama Francesca. Les trae lo que han pedido y se demora un poco en la mesa para charlar con Step. Este le presenta a Claudio, quien se levanta y le da la mano educadamente. Francesca se queda sorprendida.

—Es la primera vez que viene alguien así a este local.

Retiene la mano de Claudio un poco más de lo habitual. Él la mira ligeramente avergonzado.

—¿Es un cumplido?

—¡Claro! Es usted un caballero fascinante. —Francesca se ríe. Su larga melena negro azabache danza animada delante de sus preciosos dientes blancos. Después se aleja sensual, perfectamente consciente de que la están mirando. Claudio decide no decepcionarla. Step se da cuenta.

—Bonito culo, ¿eh? Es brasileña. Las brasileñas tienen un culo maravilloso. Al menos eso dicen. Yo no lo sé porque todavía no he estado en Brasil, pero si son todas como Francesca... —Step se bebe divertido de un solo trago media cerveza.

—Sí, es realmente guapa. —Claudio bebe su Martini un poco molesto porque Step le haya podido leer el pensamiento con tanta facillidad.

—Entonces, ¿qué estábamos diciendo? Ah, sí, que Babi es realmente una buena chica. Es la pura verdad.

—Eso es, sí, en resumen, Raffaella, mi mujer...

—Sí, ya la conozco. Debe de ser todo un carácter, ¿no?

—Sí, en efecto. —Claudio apura su Martini. Justo en ese momento, pasa de nuevo Francesca. Se arregla el pelo riéndose y mirando provocativa hacia su mesa.

—Le has gustado, Claudio, ¿eh? Oye, ¿nos bebemos algo más? —No le deja tiempo para responder—. Antonio, ¿me traéis otra cerveza? ¿Y tú? ¿Qué quieres?

—No, gracias, yo no tomo nada...

—¿Cómo que no tomas nada? Venga...

—Está bien, me tomo yo también una cerveza.

—Entonces, dos cervezas y unas cuantas aceitunas, papas, vaya, tráenos algo para picar.

No tarda en llegar lo que han pedido. Claudio se siente un poco decepcionado. Esta vez no es Francesca la que les sirve sino un tipo feo, un negro algo grueso con cara de bonachón. Step espera a que se aleje.

—Él también es brasileño. Pero no tiene nada que ver, ¿eh?

Se sonríen. Claudio prueba su cerveza. Está buena y fresca. Stefano es un tipo simpático. Puede que hasta más simpático que su hermano. Es más, seguro. Da un nuevo sorbo a su cerveza.

—En fin, como te iba diciendo, Stefano, mi mujer está muy preocupada por Babi. Sabes, es el último año y tiene que pasar la selectividad.

—Sí, lo sé. Me he enterado también de la historia de la profesora esa, de los problemas que ha tenido con ella.

—Ah, lo sabes...

—Sí, pero estoy seguro de que las cosas se resolverán.

—Lo espero sinceramente. —Claudio da un largo sorbo a su cerveza pensando en los cinco mil euros que le ha tocado desembolsar.

Step, en cambio, piensa en el perro de la Giacci y en los intentos de Pollo por enseñarle a traer las cosas.

—Todo se solucionará, Claudio, ya lo verás. La Giacci no molestará más a Babi. Ese problema ya no existe, te lo aseguro.

Claudio trata de sonreír. ¿Cómo le dice ahora que el verdadero problema es él?

Justo en ese momento entra un grupo de jóvenes. Dos de ellos ven a Step y se acercan a saludarlo.

—Eh, hola, Step. ¿Dónde coño te habías metido? Te hemos buscado por todas partes, todavía estamos esperando la revancha.

—He estado ocupado.

—Tienes miedo, ¿eh?

—Pero ¿qué coño dices? ¿Miedo de qué? Os dimos una buena paliza... ¿Y todavía hablas?

—Eh, calma, no te enfades. No te habíamos vuelto a ver. Ganaste ese dinero y luego desapareciste.

El chico que lo acompaña parece adquirir también un poco de valor.

—Porque luego, además, le disteis a esa última bola por pura chamba.

—Menos mal que Pollo no está. Si no me lo volvía a jugar enseguida, nada de chamba... Hicimos una serie de jugadas increíbles, una tronera tras otra.

Los dos chicos no parecen muy convencidos.

—Sí lo dices tú... —Van a la barra a pedir algo de beber. Step ve que se ponen a hablar. Luego miran hacia él y se echan a reír.

—Oye, Claudio, ¿sabes jugar al billar?

—Hace tiempo jugaba a menudo, incluso era bueno. Pero hace ya años que no he vuelto a coger un taco.

—Venga, te lo ruego, me tienes que ayudar. Yo a esos les gano con los ojos cerrados. Basta con que tú coloques bien las bolas. De meterlas en la tronera me encargo yo.

—Pero es que tú y yo tendríamos que hablar.

—Venga, ya hablaremos después. ¿Vale?

Puede que después de una partida de billar resulte mucho más fácil conversar con él pero ¿y si perdemos? Prefiere no pensarlo. Step se dirige hacia la barra, hacia los dos muchachos.

—De acuerdo. Vamos. Antonio, ábrenos la mesa. Nos volvemos a jugar ahora mismo todo ese dinero.

—¿Y con quién juegas tú, con eso? —Uno de los chicos señala a Claudio.

—Sí, ¿por qué? ¿Te parece tan poca cosa?

—Como quieras, contento tú...

—Claro que, si Pollo estuviera aquí, la historia cambiaba. Vosotros lo sabéis también. Lo que quiere decir que os regalaré ese dinero. ¿De acuerdo?

—No, si ha de ser así nosotros no jugamos. Luego dirás que hemos ganado porque no estaba Pollo.

—En cualquier caso, a vosotros dos os gano sin ayuda de nadie.

—¡Venga ya...!

—¿Queréis aumentar la apuesta? ¿Hacen doscientos euros? ¿De acuerdo? Pero una sola partida, sin revancha, tengo poco tiempo.

Los dos se miran. Luego miran al compañero de Step. Claudio, sentado al fondo de la sala, juguetea avergonzado con una cajetilla de Marlboro que hay sobre la mesa. Puede que sea precisamente eso lo que les convence.

—Está bien, de acuerdo, venga, vamos allí. —Los chicos cogen la caja con las bolas.

—Claudio, ¿sabes jugar a la americana? ¿Una partida sin revancha, doscientos euros?

—No, Stefano, gracias. Es mejor que hablemos.

—Venga, jugamos solo una. Si perdemos, pago yo.

—El problema no es ese...

—¿Qué hacéis, jugáis al billar?

Es Francesca. Se para risueña justo delante de Claudio, haciendo gala de todo su entusiasmo brasileño.

—Venga, hago de espectadora y os animo. Seré la chica pompón.

Step mira a Claudio con curiosidad.

—¿Entonces?

—Está bien, pero una sola.

—¡Yuhuuu! Los vamos a dejar secos. —Francesca lo coge divertida por el brazo y los tres se dirigen a la sala de al lado.

Las bolas están ya preparadas sobre la mesa. Uno de los dos chicos levanta el triángulo. El otro se coloca al fondo de la mesa y con un tiro preciso rompe. Bolas de todos los colores se dispersan sobre el paño deslizándose silenciosas. Algunas chocan entre ellas con ruidos secos; luego, paulatinamente, se detienen. Empiezan a jugar. Primero golpes sencillos, bien calibrados, luego siempre más fuertes, pretenciosos, difíciles. A Claudio y a Step les tocan las bolas a rayas. Step es el primero en introducir una en una tronera. Los otros meten dos bolas, una tercera por suerte. Cuando le llega el turno a Claudio, juega un bola larga. No está entrenado. El tiro resulta corto. Ni siquiera consigue acercarse a la tronera. Los dos chicos se miran divertidos. Sienten ya el dinero en sus bolsillos. Claudio se enciende un cigarrillo. Francesca le lleva un whisky. Claudio nota que, como todas las brasileñas, tiene el pecho pequeño pero duro y tieso bajo la camiseta oscura. Poco después le toca a él de nuevo. La segunda bola va mejor. Claudio la centra de lleno y con un efecto preciso, colocándola en el centro. Es el quince, esos dos han dejado que la juegue convencidos de que fallaría.

—¡Centro! —Step le da un palmadita sobre el hombro—. ¡Buen golpe!

Claudio le mira sonriendo, luego da otro trago a su whisky y se inclina sobre el billar. Se concentra. Golpea la pelota blanca, ligeramente a la izquierda, choca contra la banda y luego se desliza a lo largo de ella, dulcemente impulsada. Un golpe perfecto. Tronera. Los dos chicos se miran preocupados. Francesca aplaude.

—¡Bravo! —Claudio sonríe. Moja la tiza azul con la punta de la lengua y la pasa rápidamente sobre el taco.

—Hace tiempo, sí que era bueno.

Sigue jugando. También Step entronera algunas. Pero los otros dos tienen más suerte. Tras algunos golpes, solo les queda por meter en la tronera una bola, la roja y la uno. Es el turno de Claudio. Sobre la mesa quedan todavía algunas bolas rayadas. Claudio apaga el cigarrillo. Coge la tiza y mientras la pasa rápidamente por el taco estudia la situación. No es de las mejores. La doce está bastante cerca de la tronera del fondo pero la diez está casi a mitad de la mesa. Debería hacer una salida perfecta, pararse justo allí delante y meterla en la tronera central izquierda. Hace tiempo tal vez lo habría conseguido pero ahora... ¿Cuántos años hace que no juega? Apura su whisky. Al volver la cabeza hacia abajo, se cruza con la mirada de Francesca. Tantos, al menos, como parece tener esa magnífica muchacha. Se siente ligeramente aturdido. Le sonríe. Tiene la piel del color de la miel, el pelo oscuro, y una sonrisa tan sensual... a la vez que tierna. Le echa unos dieciocho años. Puede que menos. Dios mío, piensa, podría ser mi hija. ¿Para qué he venido hasta aquí? Para hablar con Stefano, mi amigo, Step, mi compañero. Parpadea. Siente el efecto del alcohol. Bueno, ya que me he puesto a jugar, tengo que terminar la partida. Apoya la mano sobre la mesa, pone el taco sobre ella y lo hace deslizarse entre el pulgar y el índice, probándolo. Luego centra una bola blanca. Está parada en medio de la mesa, impávida. A la espera de ser golpeada. Inspira profundamente, espira. Prueba una vez más y luego da el golpe. Preciso. Con la fuerza justa. Banda lateral y luego a continuación la doce: tronera. Perfecto. Luego la bola blanca sube de nuevo. Rápida, demasiado rápida. No, detente, detente. La ha golpeado con demasiada fuerza. La bola blanca supera a la diez y se detiene más allá de la mitad del campo, frente a Claudio, desdeñosa y cruel. Los dos adversarios se miran. Uno de los dos enarca las cejas, el otro exhala un suspiro de alivio. Por un momento temieron perder la partida. Se sonríen. Desde aquella posición el tiro es realmente imposible. Claudio da la vuelta a la mesa. Estudia todas las distancias. Debería hacer cuatro bandas. Cavila con las manos apoyadas en el borde de una de las esquinas de la mesa.

—Qué más da, prueba. —Claudio se da la vuelta. Step está detrás de él. Sabe de sobra en lo que está pensando.

—Sí, pero cuatro bandas...

—¿Y qué? Lo peor que puede pasar es que perdamos... Pero, si las haces, ¡imagínate cómo coño los vas a dejar!

Claudio y Step miran a sus adversarios. Han pedido dos cervezas más y beben ya por la victoria.

—¡Eso, qué más da, como mucho perdemos!

Claudio está ya borracho. Va hacia el otro extremo de la mesa. Pasa la tiza por el taco, se concentra y asesta el golpe. La bola blanca parece volar sobre el paño verde. Una. Claudio recuerda todas las tardes que pasó jugando al billar cuando era joven. Dos, los amigos de entonces, la cantidad de tiempo que pasaban juntos. Tres, las chicas, el dinero que siempre escaseaba, lo mucho que se divertía. Cuatro. La juventud pasada, Francesca, sus diecisiete años... y, en ese momento, la bola blanca choca de lleno con la diez. Por detrás, con fuerza, segura, precisa. Un ruido sordo. La bola vuela hacia delante entrando en la tronera central.

—¡Centro!

—¡Yuhuuu! —Claudio y Step se abrazan—. Coño, otra que va a entrar por pura chiripa. Mira adónde ha ido a parar.

La bola blanca está parada frente a la uno amarilla a pocos centímetros de la tronera del fondo. Claudio la mete con un golpe facilísimo.

—¡Hemos ganado! —Claudio abraza a Francesca y consigue incluso levantarla. Luego, abrazado a ella, se abalanza sobre uno de sus adversarios.

—Eh, quítate de en medio, coño. —El tipo da un empujón a Claudio haciéndolo ir a parar contra el billar. Francesca se incorpora de inmediato. A Claudio, ligeramente aturdido, le cuesta un poco más. El tipo lo agarra por la chaqueta y lo levanta.

—Te crees muy listo, ¿no? Hace muchos años que no juego... Tíos, no estoy entrenado. —Claudio está aterrorizado. Se queda paralizado, sin saber muy bien qué hacer.

—Hacía mucho que no jugaba, de verdad.

—¿Ah, sí?, a juzgar por el último golpe, cuesta de creer.

—Ha sido por pura suerte.

—Eh, basta, suéltalo. —El tipo hace como que no oye a Step—. He dicho que lo dejes. —Repentinamente, siente que alguien lo aparta. Claudio se ve liberado y la chaqueta vuelve de nuevo a su sitio. Recupera el aliento mientras el tipo acaba contra la pared. Step lo sujeta por el cuello con la mano—. ¿Qué pasa, no me oyes? No quiero pelea. Venga, saca los doscientos euros. Sois vosotros los que habéis insistido en jugar.

El otro se acerca con el dinero en la mano.

—Nos has engañado, sin embargo, ese tío juega mil veces mejor que Pollo.

Step coge el dinero, lo cuenta y se lo mete en el bolsillo.

—Es verdad, pero yo no tengo la culpa... no lo sabía...

Después agarra a Claudio del brazo y ambos salen victoriosos de la sala de billar. Claudio se bebe otro whisky. Esta vez para recuperarse del susto.

—Gracias, Step. Caramba, ese me quería partir la cara.

—No, era puro teatro, ¡solo está cabreadísimo! Ten, Claudio, aquí tienes tus cien euros.

—No, venga, ¡no puedo aceptarlos!

—¿Cómo que no? ¡Joder, la partida la has ganado prácticamente tú!

—Está bien, entonces bebamos por ello. Pago yo.

Algo más tarde, Step, viendo el estado en el que se encuentra Claudio, lo acompaña hasta el coche.

—¿Estás seguro de que puedes llegar hasta casa?

—Segurísimo, no te preocupes.

—Seguro, ¿eh? Mira que a mí no me cuesta nada acompañarte.

—No, en serio, estoy bien.

—De acuerdo, como quieras. Buena partida, ¿eh?

—¡Magnífica! —Claudio hace ademán de ir a cerrar la puerta.

—¡Claudio, espera! —Es Francesca—. ¿Qué haces, no te despides de mí?

—Tienes razón, pero es que, con todo este lío...

Francesca se mete en el coche y lo besa en los labios tiernamente, con ingenuidad. Luego se separa y le sonríe.

—Entonces adiós, hasta la vista. Ven a verme alguna vez. Yo estoy siempre aquí.

—Ten por seguro que vendré. —A continuación se pone en marcha. Baja la ventanilla. El aire fresco de la noche resulta agradable. Pone un CD y se enciende un cigarrillo. Luego, completamente borracho, golpea con fuerza el volante con las manos.

—¡Guauu! ¡Menuda bola, coño! Y qué tía... —Hacía mucho tiempo que no se sentía tan feliz. Pero, a medida que se acerca a casa, se va entristeciendo. ¿Qué le voy a contar ahora a Raffaella? Entra en el garaje sin haber decidido la versión definitiva. La maniobra, que apenas si consigue hacer cuando está sobrio, le resulta imposible ahora que está borracho. Baja del coche y mira el arañazo a un lado del coche y la Vespa tirada contra la pared. La levanta pidiéndose a sí mismo disculpas. Pobre Puffina, te he abollado la Vespa. Sube a casa. Raffaella lo está esperando. Sufre el peor interrogatorio de su vida, peor que los de las películas policíacas. Raffaella solo hace de policía malo, el otro, el bueno, ese que en las películas se muestra más amistoso y ofrece un vaso de agua o un cigarrillo, no existe.

—Entonces, ¿se puede saber cómo ha ido? ¡Vamos, cuéntamelo!

—Bien, mejor aún, maravillosamente bien. En el fondo, Step es una persona como es debido, un buen muchacho. No hay por qué preocuparse.

—¿Cómo que no hay por qué preocuparse? ¿Te olvidas de que le rompió la nariz a Accado?

—Puede que le provocara. ¿Qué sabemos nosotros? Y, además, Raffaella, seamos sinceros, Accado es un tío insoportable...

—Pero ¿qué estás diciendo? ¿Le has dicho al menos que deje en paz a nuestra hija, que no tiene que volver a verla, llamarla, irla a recoger al colegio?

—La verdad es que no llegamos a esa parte.

—Entonces, ¿qué le has dicho? ¿Qué has estado haciendo hasta ahora? ¡Es medianoche!

Claudio se derrumba.

—Hemos jugado al billar. Imagínate, cariño, ¡hemos ganado a dos fanfarrones! Yo he hecho las dos últimas bolas. Hasta he ganado cien euros. Genial, ¿eh?

—¿Genial? Eres solo un idiota, un incapaz. Estás borracho, hueles a humo y ni siquiera has conseguido poner en su sitio a ese delincuente.

Raffaella, enfadada, se marcha dejándolo a solas. Claudio intenta calmarla por última vez.

—¡Espera, Raffaella!
—¿Qué pasa?
—Step ha dicho que irá a la universidad.
Raffaella se encierra en su cuarto dando un portazo. Ni siquiera ha servido esta última mentira. Caramba, debe de estar realmente enfadada. Para ella un diploma universitario lo es todo. En el fondo, a mí no me ha perdonado nunca que no hubiera ido a la universidad. Luego, desanimado por aquella última consideración, inquieto por los acontecimientos de aquella noche en general, se arrastra borracho hasta el baño. Alza la tapa del váter y vomita. Más tarde, mientras se desnuda, un trozo de papel se le cae de la chaqueta. Es el número de teléfono de Francesca. La belleza del pelo negro azabache y la piel de color miel. Debe de habérmelo metido mientras me besaba en el coche. Sí, aquella escena le recuerda la película *Papillon*. Steve McQueen, en la cárcel, recibe un mensaje de Dustin Hoffman y se lo traga para deshacerse de él. Claudio memoriza el número pero, para hacerlo desaparecer, prefiere tirarlo al váter. Si hubiera intentado tragárselo, habría vomitado de nuevo. Tira de la cadena, apaga la luz, sale del baño y se mete en la cama. Flota entre las sábanas ligeramente borracho, dulcemente transportado por aquel mareo. Una noche espléndida. Un golpe magnífico. Una carambola increíble. La cerveza, el whisky, su amigo Step. Han ganado doscientos euros. ¿Y Francesca? Han bailado juntos, la ha rodeado con sus brazos y ha estrechado contra el suyo su cuerpo duro. Recuerda su pelo oscuro, la piel color miel, el dulce beso en el coche, tierno y sensual, perfumado. Se excita. Piensa de nuevo en el trozo de papel que ha encontrado en el bolsillo. Es a todas luces una invitación. Es suya. Un paseo. Mañana la llamo. Dios mío, ¿cómo era el número? Prueba a recordarlo. Pero se adormece presa de un sentimiento de desesperación. Lo ha olvidado ya.

50

—¿Y ganasteis? —Pollo apenas se lo puede creer.

—Les ganamos doscientos euros.

—Júramelo, y qué, el padre de Babi, ¿es un tío simpático?

—¡Un mito, un auténtico colega! Piensa que Francesca me ha dicho que le gusta mucho.

—¡A mí me parece bobo!

—¿Por qué? ¿Cuándo lo has visto?

—Cuando fui a tu casa a recoger el perro.

—Ah, ya. Por cierto, ¿cómo está Arnold?

—Estupendamente. Tengo que reconocer que ese perro es realmente inteligente. Estoy seguro de que no tardará en aprender a traer las cosas en la boca. El otro día estaba debajo de casa, le tiré un bastón y fue a recogerlo. Solo que luego se puso a jugar en el parque con una perrita. Ese se va con todas, pobrecito, me parece que la Giacci no lo dejaba follar nunca.

Step se detiene delante de un portón.

—Hemos llegado. Te lo ruego, no me organices ningún lío. —Pollo lo mira de través.

—¿Por qué, acaso organizo yo tantos líos?

—Continuamente.

—¿Ah, sí? Mira que si he venido es solo para hacerte un favor.

Suben al segundo piso. Babi está cuidando a Giulio, el hijo

de los Mariani, un niño de cinco años de pelo tan claro como su piel.

Babi los espera en la puerta.

—Hola. —Step la besa. Ella se queda un poco sorprendida de ver también a Pollo, quien, tras balbucear algo parecido a un «hola», se acomoda enseguida en el sofá junto al niño. Cambia de canal tratando de ver algo mejor que esos estúpidos dibujitos animados japoneses. Giulio, como no podía ser menos, protesta de inmediato. Pollo intenta convencerlo.

—No, venga, ahora empieza lo mejor. Ahora llegan las tortugas voladoras. —Giulio se lo traga enseguida. Se pone a ver él también *Il processo del lunedì*, esperando confiado. Babi se dirige a la cocina con Step.

—¿Se puede saber por qué lo has traído?

—Bah, insistió mucho. Y, además, a Pollo le encantan los niños.

—¡Pues no lo parece! Lo ha hecho llorar nada más llegar.

—Entonces, digamos que lo he hecho para poder quedarme a solas contigo. —La abraza—. Claro que soy realmente sincero, tú solo sacas lo mejor de mí. ¿Por qué no nos desnudamos?

La arrastra riéndose hasta el primer dormitorio que encuentra. Babi trata de resistir, pero al final se deja convencer por sus besos. Ambos acaban sobre una pequeña cama.

—¡Ay!

Step se lleva la mano a la espalda. Un tanque puntiagudo le ha dado de lleno entre los dos omóplatos. Babi se echa a reír. Step lo tira sobre la alfombra. Libera la cama de guerreros electrónicos y de algunos monstruos desmontables. Luego, finalmente tranquilo, cierra la puerta con el pie y se concentra en su juego preferido. Le acaricia el pelo besándola, su mano corre veloz sobre los botones de su blusa, desabrochándolos. Le levanta el sostén y la besa sobre la piel más clara, más aterciopelada, rosada. De repente, algo le pincha en el cuello.

—¡Ay! —Step se lleva rápidamente una mano al punto donde ha recibido el golpe. La ve reír en la oscuridad, armada con un extraño muñeco de orejas puntiagudas. Y aquella sonrisa tan fresca, aquel aire tan ingenuo lo conmueven aún más profundamente.

—¡Me has hecho daño!

—No podemos estar aquí, en la habitación de Giulio. Imagínate si entra.

—Pero si está con Pollo. Le he dado instrucciones precisas. Este niño terrible está prácticamente en sus manos, inmovilizado. No se puede levantar del sofá.

Step se lanza de nuevo sobre su pecho. Ella le acaricia el pelo dejando que la bese.

—Giulio es buenísimo. El único niño terrible eres tú.

Mientras Pollo da buena cuenta de un bocadillo que ha cogido de la cocina y se bebe una cerveza, Giulio se levanta del sofá.

—¿Adónde vas?

—A mi habitación.

—No, tienes que quedarte aquí.

—No, quiero ir a mi habitación.

Giulio hace ademán de marcharse, pero Pollo lo agarra por el pequeño suéter de lana rojo y lo arrastra hasta colocarlo junto a él sobre el sofá. Giulio trata de rebelarse, pero Pollo le mete el codo en la tripa, inmovilizándolo. Giulio empieza a protestar.

—¡Déjame, déjame!

—Venga, que ahora empiezan los dibujitos animados.

—Mentira. —Giulio mira de nuevo la televisión y, puede que también a causa de un primer plano de Biscardi, estalla en sollozos. Pollo lo suelta.

—Ten, ¿quieres probarla? Está buenísima, la beben solo los mayores.

Giulio parece ligeramente interesado. Se adueña con ambas manos de la lata de cerveza y le da un sorbo.

—No me gusta, está amarga.

—Entonces, mira lo que te da el tío Pollo...

Poco después, Giulio juega feliz en el suelo. Hace rebotar

los globitos rosados que le ha regalado el tío Pollo. Este lo mira sonriente. En el fondo, hace falta muy poco para contentar a un niño. Bastan dos o tres preservativos. De todos modos, esa noche no los iba a necesitar. Del dormitorio no llega ningún ruido. Ni siquiera a Step parecen hacerle falta, piensa divertido. Luego, visto que se está aburriendo, decide llamar por teléfono.

En la penumbra de aquella habitación llena de juguetes, Step le acaricia la espalda, los hombros. Desliza su mano por el brazo y a continuación lo coge y se lo acerca a la cara. Lo besa. Su boca la roza, recorre su piel. Babi tiene los ojos entornados, dulcemente prisionera de sus suspiros. Step le abre la mano con delicadeza, le besa la palma y luego la posa sobre su pecho desnudo, abandonada a sí misma. Babi se queda paralizada, repentinamente asustada. Dios mío, sé lo que quiere pero no lo podré hacer nunca. No lo he hecho jamás. No lo conseguiré. Step sigue besándola tiernamente en el cuello, detrás de las orejas, en los labios. Mientras sus manos, más seguras y tranquilas, más expertas, se apoderan de ella como en un suave oleaje, dejando en aquella playa desconocida un náufrago placer.

De repente, arrastrada por aquella corriente, por aquella brisa de pasión, ella se mueve también. Osa. Su mano se aleja lentamente del lugar donde ha sido apoyada y empieza a acariciarlo. Step la estrecha entre sus brazos alentándola, tranquilizándola. Babi se abandona. Sus dedos descienden paulatinamente por aquella piel. Siente su tripa, sus fuertes abdominales. Cada movimiento es para ella como una sima, un abismo, un paso difícil de ejecutar, casi imposible. Y, sin embargo, lo tiene que conseguir. En la oscuridad de aquella habitación, salta de repente conteniendo la respiración. Sus dedos acarician aquella primera barrera de rizos suaves. Después se deslizan por los vaqueros y van a parar sobre aquel botón, el primero para ella en todos los sentidos. En ese momento, sin saber por qué, piensa en Pallina. Ella, ya más segura, más experta. Imagina cuando se lo cuente: «¿Sabes? Entonces no pude pasar de ahí, no lo conseguí». Puede que sea esto lo que la anima, lo que le da el último impulso. Lo hace. Aquel primer botón dorado sale del ojal con un ruido ligero, de vaqueros. En el silencio de la habitación, es posible oírlo, llega hasta sus oídos nítido y claro. Lo ha logrado. Casi exhala un suspiro. A partir de entonces, todo resulta más fácil. Su mano, perdido ya el miedo, pasa al segundo, al tercero, y luego cada vez más abajo; los bordes de los vaqueros se van separando, más y más libres. Step se separa dulcemente de ella, deja caer la cabeza hacia atrás. Babi se apresura a alcanzarlo, refugiándose tímida en aquel beso, avergonzándose de aquella mínima distancia. Entonces se produce un ruido inesperado. Portazos.

—¿Qué pasa?

Y, como por arte de magia, el encanto se desvanece. Babi levanta la mano y se incorpora.

—¿Qué ha sido eso?

—¿Y yo qué sé? Vamos, ven aquí. —Step la atrae de nuevo hacia él. Otro ruido. Algo se ha roto.

—¡No, venga, ahí fuera está pasando algo! —Babi se levanta de la cama. Se coloca la falda en su sitio, se abrocha la blusa y sale a toda prisa de la habitación. Step se deja caer sobre la cama con los brazos abiertos.

—¡Vete a la mierda, Pollo! —Luego se abrocha los vaqueros y, cuando llega al salón, apenas puede creer lo que ve allí—. ¿Qué coño hacéis?

Están todos. Bunny y Hook están enzarzados en una especie de lucha sobre la alfombra. Junto a ellos hay una lámpara volcada. Schello está sentado con los pies sobre el sofá, comiendo patatas y mirando *Sex and the City*. Lucone tiene al niño sobre las piernas y le está haciendo fumar un porro.

—¡Mira, Step! Mira la cara tan descompuesta que tiene este niño. —Babi se arroja iracunda sobre Lucone, le quita el porro de las manos y lo apaga en un cenicero.

—¡Fuera! ¡Fuera de aquí inmediatamente!

Al oír aquellos gritos, Dario y otro amigo salen de la cocina con una cerveza en la mano. Llega también el Siciliano con una tipa. Tienen la cara roja. Step se imagina que deben de haber hecho aquello que Babi y él ni siquiera han probado. ¡Qué afortunados! A empujones, Babi los va sacando uno a uno de allí.

—¡Salid todos...! ¡Fuera!

Divertidos, se dejan expulsar, causando todavía más alboroto. Step la ayuda.

—Vamos, tíos, fuera. —El último que saca de allí es Pollo—. Contigo ajustaré cuentas luego.

—Pero si yo solo llamé a Lucone; la culpa es de él, que avisó a los otros.

—Cállate. —Step le da una patada en el culo y lo tira de allí. Después ayuda a Babi a poner las cosas en su sitio.

—Mira, mira lo que han hecho esos vándalos.

Le enseña una lámpara rota y el sofá manchado de cerveza. Patatas por todas partes. Babi tiene los ojos anegados en lágrimas. Step no sabe qué decir.

—Perdona. Te ayudo a limpiar.

—No, gracias, me las arreglaré sola.

—¿Estás enfadada?

—No, pero es mejor que te vayas. Sus padres no tardarán en volver.

—¿Estás segura de que no quieres que te ayude?

—Segura.

Se dan un beso apresurado. Luego ella cierra la puerta. Step baja. Mira a su alrededor. No hay nadie. Sube a la moto y arranca. Pero justo en ese momento, el grupo sale de detrás de un coche. Un coro se eleva en la noche: «¡Tres hurras por la *baby sitter*!», acompañado de aplausos. Step baja al vuelo de la moto y empieza a correr detrás de Pollo.

—¡Oye, que yo no tengo la culpa! ¡Enfádate con Lucone! ¡Es culpa suya!

—¡Maldito seas, yo te mato!

—Venga, que no estabas haciendo nada allí dentro. ¡Te estabas aburriendo!

Siguen corriendo por la calle entre las risas lejanas de los otros y la curiosidad de algún que otro inquilino insomne.

Babi recoge los trozos de lámpara, los tira a la basura, limpia el suelo y quita las manchas del sofá. Al final, cansada, mira en derredor. Bueno, podría haber sido peor. Diré que se me cayó la lámpara mientras jugaba con Giulio. El niño, por otra parte, no podrá negarlo nunca. Duerme profundamente, bajo los efectos de la marihuana.

51

A la mañana siguiente, Step se despierta y va al gimnasio. Busca a alguien. Al final lo encuentra. Se llama Giorgio. Es un muchachito de quince años que siente una admiración ilimitada por él. No es el único. También los amigos de Giorgio hablan de Step como si se tratase de Dios, de un mito, de un ídolo. Conocen todas sus historias, todo lo que se cuenta sobre él y no se dedican sino a alimentar aún más lo que ha llegado a ser ya una especie de leyenda. Ese muchachito es de confianza. El único al que puede pedir un favor sin correr el peligro de que lo putee. También porque allí donde acaba la admiración, empieza el terror.

Algo más tarde, Giorgio está en el Falconieri. Camina sigiloso por los pasillos sin que lo vean y, al final, entra en la III B, la clase de Babi. La Giacci está impartiendo la lección pero, extrañamente, no dice nada. Babi se queda sin palabras. Lee divertida la tarjeta: «Mis amigos son un desastre pero te prometo que esta noche cenaremos solos. Uno que no tiene la culpa.»

La noticia no tarda en dar la vuelta al colegio. Nadie ha hecho nunca nada parecido. A la salida, Babi baja las escaleras del Falconieri con el enorme ramo de rosas rojas entre los brazos, barriendo de este modo las últimas dudas. Todas hablan de ella. Daniela está orgullosa de su hermana. Raffaella se enfada todavía más y Claudio, naturalmente, se lleva otro rapapolvo.

Esa misma tarde, mientras Step está ordenando una serie de ilustraciones de Pazienza que acaba de comprar, llaman a la puerta. Es Pallina.

—Bueno, primero hice de celestina, ahora de cartera. La próxima vez, ¿qué me tocará hacer? —Step se ríe. Luego le coge el paquete de las manos y se despide de ella. Dentro hay un delantal a florecitas rosas y una nota: «Acepto solo si cocinas tú y, sobre todo, si lo haces con mi regalo puesto. P.D: Iré yo, pero a las ocho y media, ¡antes no porque están mis padres!»

Poco después, Step está en el despacho de su hermano.

—Paolo, esta noche necesito la casa vacía, completamente.

—Pero yo he invitado a Manuela.

—Pues a Manuela la invitas otro día... Venga, la ves todos los días. Caramba, Babi viene solo esta noche...

—¿Babi? ¿Quién es? ¿La hija de ese que vino a nuestra casa?

—Sí, ¿por qué?

—Porque parecía enfadado. ¿Hablaste al final con él?

—Claro. Fuimos a jugar al billar juntos e incluso nos emborrachamos.

—¿Os emborrachasteis?

—Sí, bueno... realmente, solo se emborrachó él.

—¿Lo hiciste beber?

—Qué va. Bebió él solo. ¡Venga! Qué más da. Bueno, entonces, quedamos así, ¿eh? Esta noche sales. ¿De acuerdo?

Luego, sin darle tiempo a responder, sale rápidamente del despacho. Tan concentrado en lo que tiene que hacer que ni siquiera advierte la sonrisa que le dedica la secretaria de Paolo.

Llama a Pollo desde su casa. Le pide que no pase por allí, que no le llame por teléfono y, sobre todo, que no le organice ninguna.

—Mira que te juegas la cabeza. Aún peor, nuestra amistad, ¡y no bromeo! —Después hace una lista de lo que tiene que comprar, va al supermercado que hay debajo de su casa y lo compra todo, hasta una caja de las galletitas inglesas de mantequilla que tanto le gustan a su hermano. En el fondo, Paolo se las merece. A fin de cuentas, es un buen muchacho. Tiene algunas obsesiones como la del coche, el trabajo y, sobre todo, Manuela. Pero se le pasarán con el tiempo. Mientras sube a casa cambia de opinión. Lo de Manuela no se le pasará nunca. Hace seis años que están juntos y no da muestras de ir a ceder. Todo un cardo y, por lo que le ha parecido entender, hasta debe de haber tenido alguna historia por su propia cuenta. Sin contar a su hermano, no alcanza a imaginarse qué otro loco podría tener una historia con Manuela. Fea, antipática y hasta pedante. Una sabelotodo. No hay nada peor. Pobre Paolo. En el fondo, es asunto suyo. Yo me tiraría a la secretaria. Y, después de haber llegado a aquella conclusión positiva, enciende la radio y va a la cocina a lavar la ensalada.

A las ocho, todo está listo. Ha oído la última nueva entrada en la lista americana de éxitos musicales, no se ha puesto el delantal de Babi pero, en compensación, lo ha apoyado sobre una silla listo para mentir en el último momento. Mira los resultados de todo aquel trabajo. *Carpaccio* de grana y ruqueta. Ensalada mixta con aguacate y una macedonia de fruta aderezada con marrasquino. Afloran los recuerdos. Cuando era pequeño comía a menudo esa macedonia. Los deja pasar tranquilo. Está feliz. Es su noche y no quiere que nada se la estropee. Revisa complacido la mesa, coloca mejor una servilleta. Es de verdad un gran cocinero, a pesar de que no sepa que los cuchillos se ponen al otro lado. Empieza a dar vueltas por la casa, nervioso. Se lava las manos. Se sienta en el sofá. Se fuma un cigarrillo, enciende la televisión. Se lava los dientes. Las ocho y cuarto. El tiempo parece no pasar nunca en ciertas ocasiones. Llegará dentro de un cuarto de hora, cenaremos juntos, charlaremos con calma. Sentados sobre el sofá sin que nadie nos moleste. Luego iremos a mi habitación y... No, Babi no querrá. Es demasiado pronto. O tal vez sí. Para algunas cosas no es nunca demasiado pronto. Pasarán un poco de tiempo juntos y, luego, quizá suceda. Trata de recordar una canción de Battisti. «*Che sensazione di leggera follia sta colorando l'anima mia, il giradischi, le luce bassi e poi... Champagne ghiacciato e l'aventura può...*».[1] Caramba. ¡Justo lo que he olvidado! ¡Champán! ¡Fundamental! Step se apresura a entrar en la cocina, abre todos los armaritos. La búsqueda resulta infructuosa. Solo encuentra una botella de Pinot gris. Lo mete en la nevera. Bueno, siempre es mejor que nada. Justo en ese momento, suena el móvil. Es Babi.

—No vengo. —El tono de su voz es frío y seco.

—¿Por qué? He preparado todo. Me he puesto hasta el delantal que me has regalado —miente Step.

—Ha llamado la señora Mariani. Le ha desaparecido una cadena de oro con brillantes. Me ha echado a mí la culpa. No me vuelvas a llamar.

Babi cuelga. Al poco rato, Step está en casa de Pollo.

—¿Quién coño puede haber sido? ¿Te das cuenta? Menudos amigos de mierda.

—¡Venga, Step, no digas eso! Cuántas veces hemos ido a casa de alguien y nos hemos llevado algo. Prácticamente en todas las fiestas.

—Sí, pero ¡en casa de la novia de uno jamás!

—No era la casa de Babi.

—No, pero la ha pagado ella. Tienes que ayudarme a hacer una lista de los que estaban allí... —Step coge un trozo de papel. Acto seguido se pone a buscar frenéticamente un bolígrafo—. Pero bueno, aquí no hay nada para escribir...

—No hace falta. Yo sé quién se ha llevado la cadena.

—¿Quién?

Entonces Pollo pronuncia un nombre, el único que Step hubiera preferido no oír. Ha sido el Siciliano.

Step conduce su moto en medio de la noche. No ha querido que Pollo lo acompañe. Se trata de un problema entre el

1. «Qué sensación de ligera locura está llenando de color mi alma, el tocadiscos, las tenues luces y después... Champán helado y la aventura puede...» *(N. de la T.)*

Siciliano y él. Nadie más. Esta vez no se trata de un tema de simples flexiones. Esta vez la historia es más complicada.

La sonrisa del Siciliano no promete nada bueno.

—Hola, Siciliano. Oye, no quiero pelea.

Step recibe un puñetazo en plena cara. Se tambalea hacia atrás. Esto sí que no se lo esperaba. Sacude la cabeza para recuperarse. El Siciliano se arroja sobre él. Step lo detiene con una patada directa. Luego, mientras recupera el aliento, piensa en la cena que ha preparado, en el delantal a flores y en lo mucho que le hubiera gustado que aquella noche fuera diferente. Una noche apacible, en casa, con su chica entre los brazos. El Siciliano se ha colocado frente a él, en posición. Le hace una señal con ambas manos para que se acerque.

—Ven, vamos, adelante.

Step mueve la cabeza y respira hondo.

—Coño, no sé qué pasa, pero mis sueños no se realizan nunca.

Justo en ese momento, el Siciliano se tira hacia delante. Esta vez, sin embargo, Step está preparado. Se hace a un lado, le da en la cara con un directo potente y preciso. Siente curvarse la nariz bajo su puño, el cartílago ya blando y debilitado crujir de nuevo. Frunce las cejas en señal de dolor. Entonces ve su cara, aquella mueca, el labio inferior que saborea su propia sangre. Lo ve sonreír y en ese momento entiende hasta qué punto va a resultar difícil.

Babi está sentada en el sofá. Mira de mala gana la televisión mientras se bebe una tisana de rosas. Llaman a la puerta.

—¿Quién es?

—Yo.

Step está delante de ella. Tiene el pelo despeinado, la camisa desgarrada y la ceja derecha todavía sangrando.

—¿Qué te ha pasado?

—Nada. Simplemente he recuperado esta... —Alza la mano

derecha. La cadena de la señora Mariani brilla en la penumbra de las escaleras—. Ahora, ¿puedes venir a cenar?

Babi, después de restituir la cadena a su propietaria y de perder inevitablemente el puesto de canguro, deja que Step la conduzca hasta su casa. Pero cuando abren la puerta les espera una terrible sorpresa. Sobre la mesa que hay en el centro del salón iluminado por una romántica vela, está Manuela. Paolo llega poco después procedente de la cocina. Trae la macedonia que ha preparado Step y, por si fuera poco, se ha puesto el delantal a flores.

—Hola, Step. Perdona, eh... pero llamé y no contestaba nadie. Entonces vinimos y esperamos un poco. Se hicieron las diez y pensamos: eso quiere decir que ya no vienen. Así que empezamos a comer, ¿verdad?

Busca la confirmación de Manuela que asiente y esboza una sonrisa. Step mira su plato. Todavía quedan restos de su ensalada de aguacate.

—Y habéis acabado, por lo que veo. Bueno, ¿cómo estaba la cena? ¿Estaba buena por lo menos?

—Buenísima. —Manuela parece sincera. Se vuelve a callar, sin embargo. Ha entendido que se trata de una de esas preguntas que no aceptan respuesta.

—Bueno, Paolo, préstame el coche, venga, iremos a tomarnos algo fuera.

Paolo apoya la macedonia sobre la mesa.

—Pero, realmente...

—¿Qué? Ni lo intentes, ¿eh? Te has comido todo, te has acabado la ensalada que hoy preparé con mis propias manos, dedicándole toda la tarde. ¿Y aún te atreves a ponerme pegas?

Paolo saca las llaves del bolsillo y las deposita en las manos del hermano con un tímido: «Ve despacio, ¿eh?».

Step hace ademán de salir.

—Por cierto, te he comprado tus galletas de mantequilla. Se quieres también un postre, están en el armarito de la cocina.

Paolo esboza una sonrisa, a pesar de que se siente ya angustiado por el Golf gris metalizado y por el estado en el que puede acabar.

Step y Babi van a comer unas crepes calientes en los alrededores de la Pirámide. Después, a pesar de verse incitados por las alegres burbujas de la cerveza, descartan la idea de volver a casa. A Babi le molesta que esté su hermano. Visto lo cual, Step, maldiciendo a Paolo y al cardo de su novia, gira a la izquierda por el Gianicolo. Aparcan en la explanada que hay junto a los jardines, entre otros coches con los cristales ya empañados de amor, rebosantes de pasiones desenfrenadas, de aquel incómodo placer consumado a toda prisa. Frente a ellos, a lo lejos, la ciudad va cayendo en un profundo sueño.

Más cerca, sentados sobre un muro, unos muchachos se pasan una calada ilegal de momentánea alegría. Step cambia la emisora de la radio. 92.70. La radio romántica. Se inclina hacia ella y empieza a besarla. Poco a poco, se coloca encima de ella. A pesar del dolor de su hombro malherido, del esternón golpeado, de los costados que han sufrido la paliza del Siciliano. Aquel fresco deseo borra todos los dolores. Los besos apasionados superan a las dificultades mecánicas. El freno de mano resulta exasperante, la rueda del respaldo tozuda. Step siente su piel suave y perfumada. Su respiración se vuelve entrecortada por la pasión. Prueba de nuevo a bajar el asiento. Nada que hacer, está bloqueado. Entonces, mientras gira hacia abajo la rueda con la mano derecha, apoya un pie contra el salpicadero y empuja con todas sus fuerzas. Se oye un crac, un ruido seco. El respaldo cae de golpe, Babi con él y él con ella, riéndose, sin pensar en nada, aún menos en Paolo, en su cara de fastidio, en su coche metalizado. Cada uno de ellos se apodera de los vaqueros del otro, como si fuera una competición, un reto sensual. Poco después, Babi se va echando atrás, inexperta y avergonzada, cierra los ojos y al final, abrazándolo, se emociona por aquella tierna victoria personal. Al darse cuenta de que Step quiere ir más allá, lo detiene.

—No, ¿qué haces?

—Nada. Probaba.

Babi lo aparta un poco enojada.

—¿Aquí, en el coche? La primera vez que lo haga tiene que ser una cosa preciosa, un sitio romántico perfumado de flores, con la luna.

—La luna la tienes. —Step abre un poco el cristal del techo del coche—. Mírala, un poco cubierta, pero ahí está. Luego, huele... —Inspira profundamente—. Aquí alrededor está lleno de flores. ¿Qué más te hace falta? El sitio es romántico, venga. Hasta estamos escuchando Tele Radio Stereo. ¡Es perfecto!

Babi se echa a reír.

—Yo me refería a otra cosa. —Mira el reloj—. Se ha hecho tardísimo. Si vuelven mis padres y no me encuentran me castigarán otra vez. Venga, deprisa.

Se suben los vaqueros e intentan arreglar el asiento de Babi. Resulta imposible. Regresan riéndose con el respaldo roto. Cada vez que acelera, Babi se cae hacia atrás. Se imaginan todo lo que dirá su hermano. Qué noche... con un final así, además, resulta tragicómica. Acompaña a Babi hasta la puerta y se despide de ella. Conduce veloz en la noche disfrutando de aquella «romántica» abstinencia y del perfume de los suspiros de ella que permanece en sus manos.

—Pero ¿dónde estabas? Hace una hora que te espero, tengo que acompañar a Manuela a casa.

Paolo está ya nervioso. Se figura cómo se pondrá si le dice lo del asiento.

—Podías haber cogido la moto. A fin de cuentas, últimamente coges todas mis cosas.

Paolo no aprecia la broma y se encierra en el salón con Manuela. Step va a su habitación, se desnuda y se mete en la cama. Apaga la luz. Está muerto. Oye voces en el salón. Intenta enterarse de lo que dicen. Son Paolo y Manuela. Están discutiendo sobre algo. La voz de su hermano resulta repetitiva y molesta.

—Dime la verdad. Quiero saber la verdad.

—Ya te la he dicho.

—He dicho que me digas la verdad.

—Pero es que te la estoy diciendo, te lo juro.

—Te lo pido por última vez. Dime la verdad, quiero saberla.

—Te juro que te lo he contado todo. —También Manuela parece bastante decidida. En la oscuridad de su habitación, Step sacude la cabeza. No sé qué es peor, si las tortas del Siciliano o las discusiones de mi hermano. A saber de qué querrá enterarse Paolo; de todos modos, Manuela no se lo dirá nunca. Algo es seguro, sin embargo. La única gran verdad es que Manuela volverá a casa tumbada en el asiento. Step se duerme divertido imaginando la escena.

52

Babi está en Fregene, en Mastino, con su clase. Celebran los cien días. Hace un rato que acabaron de comer y pasean por la playa. Algunas de sus amigas juegan al pañuelo. Ella se ha sentado en un patín a charlar con Pallina. Entonces lo ve. Se dirige hacia ella con esa sonrisa suya en los labios, con las gafas oscuras y la cazadora. A Babi le da un vuelco el corazón. Pallina lo nota enseguida.

—Eh, no te me mueras, ¿vale?

Babi le sonríe y luego corre hacia Step. Se marcha con él, sin preguntarle cómo la ha encontrado, adónde se la lleva. Se despide de sus compañeras con un «adiós» un tanto distraído. Algunas de ellas dejan de jugar y la siguen con la mirada. Envidiosas y embobadas, deseosas de estar en su lugar, abrazadas a Step, a 10 y matrícula de honor. Luego la chica que hay en el centro grita: «Número... siete...». Dos de ellas arrancan en la arena, corriendo hacia ella. Se paran una frente a otra, con los brazos extendidos, mirándose a los ojos, desafiándose risueñas, simulando pequeños movimientos, animadas por sus compañeras. El pañuelo blanco suspendido en el aire es ahora ya lo único que les preocupa.

Cuando llegan junto a la moto, Babi lo mira curiosa.

—¿Adónde vamos?

—Es una sorpresa. —Step se coloca tras ella, saca del bolsillo la bandana azul que le robó hace tiempo y le tapa los ojos.

—No hagas trampa, ¿eh?... No debes ver nada.

Ella se la coloca mejor, divertida.

—Eh, este pañuelo me resulta familiar... —Después le da un auricular de su Sony y se marchan juntos abrazados, acompañados por las notas de Tiziano Ferro.

Más tarde... Babi sigue abrazada a él con la cabeza apoyada en su espalda y los ojos tapados por la bandana. Le parece estar volando, un viento fresco acaricia su pelo y un olor de gayomba perfuma el aire. ¿Cuánto tiempo hace que se pusieron en marcha? Trata de calcular el tiempo con el CD que está escuchando. Deben de llevar viajando casi una hora. Pero, ¿adónde van?

—¿Falta mucho?

—Casi hemos llegado. No estarás mirando, ¿eh?

—No.

Babi sonríe y se apoya de nuevo sobre su espalda, estrechándolo entre sus brazos. Enamorada. Él reduce lentamente y gira a la derecha, sube por la cuesta preguntándose si ella lo habrá adivinado ya.

—Bueno, ya está. No te quites la bandana. Espérame aquí.

Babi trata de adivinar dónde se encuentra. Casi está a punto de anochecer. Oye un ruido a lo lejos, repetitivo y ahogado, pero no consigue entender de qué se trata. De repente, oye algo más fuerte, como si se hubiera roto algo.

—Aquí estoy. —Step la coge de la mano.

—¿Qué ha pasado?

—Nada. Sígueme. —Babi se deja llevar algo asustada. El viento ha cesado, el aire es más frío, casi diría que húmedo. Su pierna tropieza con algo.

—¡Ay!

—No es nada.

—¿Cómo que no es nada? ¡La pierna es mía!

Step se echa a reír.

—Y tú reniegas siempre. No te muevas de aquí. —Step la abandona por un momento. La mano de Babi se queda sola, suspendida en el aire.

—No me dejes...

—Estoy aquí a tu lado.

Acto seguido se produce un fuerte ruido continuado, mecánico, como de madera. Una persiana que se levanta. Step le quita con delicadeza la bandana. Babi abre los ojos e, inesperadamente, aparece todo ante sus ojos.

El mar resplandece ante ella en el atardecer. Un sol cálido y rojo parece sonreírle. Está en una casa. Sale a la terraza. Más abajo, a su derecha, reposa romántica la playa de su primer beso. A lo lejos sus colinas preferidas, su mar, unos escollos familiares: Port' Ercole. Una gaviota pasa cerca de ella saludándola. Babi mira a su alrededor emocionada. Ese mar plateado, las gayombas amarillas, los arbustos verde oscuro, aquella casa solitaria sobre las rocas. Su casa, la casa de sus sueños. Y ella está allí, con él, y no está soñando. Step la abraza.

—¿Eres feliz? —Ella le hace un gesto afirmativo con la cabeza. Luego abre los ojos. Húmedos y arrobados, anegados de minúsculas lágrimas transparentes, brillantes de amor, preciosos. Él la mira.

—¿Qué pasa?

—Tengo miedo.

—¿De qué?

—De no volver a ser nunca tan feliz...

Luego, embargada de amor, lo besa de nuevo, extasiada en la tibieza de aquel atardecer.

—Ven, vamos dentro.

Recorren aquella casa nueva para ellos, entran en habitaciones desconocidas, inventan la historia de cada una de ellas, imaginan a sus propietarios.

Suben todas las persianas, encuentran un gran estéreo y lo encienden.

—Aquí también se puede sintonizar Tele Radio Stereo.

Se ríen. Abren los cajones, desvelando sus secretos, divirtiéndose juntos. Separados, se llaman de vez en cuando para mostrarse incluso el más pequeño y estúpido hallazgo y todo les parece mágico, importante, increíble.

Step quita el maletín de la moto y entra de nuevo en la casa. Poco después, la llama. Babi entra en la habitación. El ventanal da sobre el mar. El sol parece hacerles guiños. Lentamente, se va hundiendo en silencio por el horizonte lejano. Aquel último gajo considerado tiñe de rosa las nubes esponjosas que hay esparcidas algo más arriba. Su reflejo casi adormecido corre a lo largo de una estela dorada. Atraviesa el mar para apagarse sobre las paredes de aquella habitación, entre su pelo, sobre las sábanas nuevas, recién puestas.

—Las he comprado yo, ¿te gustan? —Babi no contesta. Mira a su alrededor. Un pequeño ramo de rosas rojas reposa en un jarrón que hay junto a la cama. Step trata de quitar hierro a la situación con una broma—. Te juro que no las he comprado en el semáforo...

Abre el maletín.

—¡Y *voilà*!

Dentro el hielo está ya casi medio derretido pero todavía quedan algunos cubitos flotando. Step saca una botella de champán con dos copas envueltas en papel de periódico.

—Para no romperlas —explica. Luego, del bolsillo de la cazadora, saca una pequeña radio.

—No estaba seguro de que hubiera una.

La enciende, la sintoniza sobre la misma frecuencia del estéreo de la casa y la coloca sobre la mesita.

Un pequeño eco de *Certe notti* inunda la habitación.

—Casi parece hecho adrede... aunque todavía esté anocheciendo...

Step se acerca a ella, la abraza y le da un beso. Ese instante le parece tan bonito que Babi se olvida de todo, sus propósitos, sus miedos, sus escrúpulos. Poco a poco, ambos se van quitando la ropa el uno al otro. Por primera vez ella se encuentra completamente desnuda entre sus brazos, mientras una luz mágica se va extendiendo por el mar e ilumina tímidamente sus cuerpos. Una joven estrella brilla curiosa y alta en el cielo. Después, en medio de un mar de caricias, del ruido de las olas lejanas, del graznido de alguna gaviota lejana, del aroma de las flores, sucede.

Step se coloca con delicadeza sobre ella. Babi abre los ojos, amenazada por aquella ternura. Step la mira. No parece asustada. Le sonríe, le pasa una mano por el pelo tranquilizándola. En ese momento, de la pequeña radio que hay junto a ellos, extendiéndose por toda la casa, arrecia inocente *Beautiful*, pero ninguno de los dos lo advierte. No saben que aquella será a partir de entonces «su canción». Ella cierra los ojos conteniendo la respiración, repentinamente arrebatada por aquella emoción increíble, por aquel dolor amoroso, por aquel mágico hacerse suya para siempre. Alza la cara hacia el cielo, suspirando, aferrándose a sus hombros, estrechándolo entre sus brazos. Luego se abandona, delicadamente, más serena. Suya. Abre los ojos. Él está dentro de ella. Aquella dulce sonrisa ondea llena de amor sobre su cara. De cuando en cuando la besa. Pero ella ya no está allí. Aquella muchacha de los ojos azules temerosos, de la infinidad de dudas, de los mil miedos, ha desaparecido. Babi piensa en lo fascinante que le parecía cuando era niña la historia de las mariposas. Aquel capullo, aquella pequeña oruga que se tiñe de mil espléndidos colores y que, sin previo aviso, aprende a volar. Se vuelve a ver de nuevo. Fresca, delicada mariposa recién nacida, entre los brazos de Step. Le sonríe y lo abraza mirándolo a los ojos. Luego le da un beso, tierno, nuevo, apasionado. Su primer beso de mujer.

Más tarde, tumbados entre las sábanas, él le acaricia el pelo, mientras ella lo abraza con la cabeza apoyada contra su pecho.

—No soy muy buena, ¿verdad?

—Eres buenísima.

—No, me siento algo torpe. Me tienes que enseñar.

—Eres perfecta. Ven.

Step le coge la mano y ambos salen juntos de la habitación. Entre las flores de las sábanas, una diminuta flor roja, recién florecida, se distingue de las demás, más pura e inocente que sus compañeras.

De nuevo abrazados en la bañera. Saborean el champán

mientras charlan alegres, ligeramente chispeantes de amor. Muy pronto, borrachos de pasión, se aman de nuevo. Esta vez ya sin miedo, con mayor arrebato, mayor deseo. Ahora le parece más bonito, más fácil mover las alas, ahora ya no tiene miedo a volar, entiende la belleza de ser una joven mariposa. Luego se ponen unos albornoces y descienden a la cala privada. Se divierten inventando nombres que puedan corresponder con aquellas dos letras desconocidas bordadas sobre el pecho. Después de haber competido para ver quién se inventaba el más extraño, los abandonan sobre las rocas.

Babi pierde. Entra la segunda en el mar. Nadan en el agua fresca y salada, en la estela que deja la luna, balanceándose con las olas, abrazándose de vez en cuando, salpicándose, alejándose para volverse a unir después, para deleitarse con el sabor a champán marino que tienen sus labios. Más tarde, sentados sobre una roca, envueltos en los albornoces de Amarildo y Sigfrida, miran arrobados el millar de estrellas que hay sobre sus cabezas, la luna, la noche, el mar oscuro y en calma.

—Esto es precioso.

—Es tu casa, ¿no?

—¡Estás loco!

—¡Lo sé!

—Soy feliz. Jamás me he sentido tan bien, ¿y tú?

—¿Yo? —Step la abraza con fuerza—. Estoy de maravilla.

—¿Hasta el punto de llegar a tocar el cielo con un dedo?

—No, así no.

—¿Ah, no?

—Mucho más. Al menos tres metros sobre el cielo.

Al día siguiente, Babi se despierta y, mientras los últimos rastros de sal abandonan su pelo bajo la ducha, recuerda emocionada la noche anterior.

Desayuna, se despide de su madre y sube al coche con Daniela, lista para ir al colegio como todas las mañanas. Su padre se para en el semáforo que hay bajo el puente de la avenida de Francia. Babi aún está medio dormida y distraída cuando lo ve. Apenas puede creerlo. En lo alto, por encima de los demás, sobre la blanca columna del puente, un graffiti domina al resto, imborrable. Está allí, sobre el frío mármol, azul como sus ojos, tan bonito como siempre lo deseó. Su corazón se acelera. Por un momento, le parece que todos pueden oírla, que todos pueden leer aquella frase, justo como está haciendo ella en ese momento. Está allí, en lo alto, inalcanzable. Allí adonde solo llegan los enamorados: «Tú y yo... Tres metros sobre el cielo».

53

24 de diciembre.

Está despierto. En realidad, no ha dormido en absoluto. La radio está encendida. Ram Power. Uno lo vive uno lo recuerda. ¿Qué hay que recordar? Le duelen la cabeza y los ojos. Se da la vuelta en la cama.

De la cocina llegan algunos ruidos. Su hermano está desayunando. Mira el reloj. Son las nueve. A saber adónde va Paolo a esa hora, la víspera de Navidad. Hay personas que siempre tienen cosas que hacer, piensa, incluso los días festivos. Oye un portazo. Ha salido. Siente un cierto alivio. Necesita estar solo. Luego se apodera de él un extraño sufrimiento. No lo necesita. Está solo. Aquella idea lo hace sentirse aún peor. No tiene hambre, ni sueño, no siente nada. Permanece así boca abajo. Sin saber por cuánto tiempo. Paulatinamente, vuelve a ver aquella habitación en días más felices. Cuántas veces, por la mañana, al despertarse, ha encontrado los pendientes de Babi sobre su mesita; cuántas veces su reloj; cuántas veces han estado juntos en aquella cama, abrazados, enamorados, deseándose. Sonríe. Recuerda sus pies fríos, aquellos diminutos dedos helados que ella apoyaba sobre sus piernas, más calientes. Después de haber hecho el amor, cuando se quedaban allí, charlando, mirando la luna por la ventana, la lluvia o las estrellas, igualmente felices, ya hiciera frío o calor. Acariciándole el pelo sin importarle lo que sucediese fuera, a pesar de las guerras, los problemas del mundo, las calles nuevas, la gente. Después la ve encaminarse hacia el baño, admira de nuevo enamorado aquellas marcas más claras sobre su piel, la sombra del traje del que se acaba de desprender, un sostén desabrochado. La oye reír a través de aquella puerta cerrada, la ve caminar con aquel aire cómico, con el pelo suelto, correr con timidez hacia la cama, tirarse sobre él, todavía fresca de agua, de lavados temerosos, todavía perfumada de amor y de pasión. Cuántas veces, muy a su pesar, ha llegado la hora de vestirse, de acompañarla hasta su casa. Entonces, juntos, en silencio, sentados sobre aquella cama, habían empezado a ponerse la ropa, sin prisas, pasándose de vez en cuando alguna prenda que pertenecía al otro. Intercambiando sonrisas y besos, poniéndose una falda, hablando agachados, mientras se ataban los zapatos, dejando la radio encendida, por poco tiempo, antes de volver. Dónde estará en este momento. Y por qué. El corazón le da un vuelco.

Durante los días de fiesta uno ordena la habitación, uno se siente más alegre, o más triste. No se sabe muy bien qué hacer con ciertos pensamientos.

—Dani, ¿quieres esta? Si no, la tiro. —Daniela mira a su hermana. Babi está en la puerta de la habitación con la chaqueta azul en la mano.

—No, déjala, me la pondré yo.

—Pero está toda descosida.

—Haré que la arreglen.

—Como quieras. —Babi la deja sobre la cama. Daniela la mira salir de la habitación. La de veces que ella y Babi habrán reñido por aquella chaqueta. Jamás se habría imaginado que un día querría deshacerse de ella. Su hermana está muy cambiada. No parece, sin embargo, preocuparle demasiado ya que, acto seguido, se pone a envolver los últimos regalos. Babi está acabando de liberar el armario cuando entra su madre.

—Así me gusta. Has sacado un montón de cosas.

—Sí, ten, todo esto es para tirar. Ni siquiera la quiere Dani.

Raffaella coge algunos vestidos que hay apoyados sobre la mesa.

—Haré un paquete para los pobres. Deberían pasar hoy a recogerlo. ¿Salimos juntas más tarde?

—No lo sé, mamá. —Babi se sonroja ligeramente.

—Como quieras, no te preocupes.

Raffaella sonríe y sale de la habitación. Babi abre algunos cajones. Está feliz. Últimamente, ella y su madre se llevan realmente bien. Qué extraño. Hace solo seis meses se pasaban el día riñendo. Recuerda el final del proceso, cuando su madre le dio alcance corriendo a la salida del tribunal.

—¿Estás loca? ¿Por qué no has dicho lo que pasó realmente? ¿Por qué no has dicho que ese delincuente pegó a Accado sin motivo?

—Para mí, las cosas pasaron como te he dicho. Step es inocente. No tiene nada que ver. ¿Qué sabéis vosotros de lo que sucedió? ¿O de lo que sintió en ese momento? Vosotros no sabéis justificar las cosas, no sabéis perdonar. La única cosa que sabéis hacer es juzgar. Decidís sobre la vida de vuestros hijos de acuerdo con vuestros propios deseos, con vuestras propias ideas. Sin saber mínimamente lo que pensamos nosotros. Para vosotros la vida es como jugar a gin, todo lo que desconocéis es una carta incómoda que preferiríais no haber pescado nunca. No sabéis qué hacer con ella, os quema en las manos. Pero no os preguntáis por qué uno es violento, por qué uno se droga, qué más os da, no se trata de vuestro hijo, no os afecta. En cambio esta vez sí que te interesa, mamá, esta vez tu hija sale con uno que tiene problemas, que no piensa solo en tener el GTI 16 válvulas, la Daytona o en ir a Cerdeña. Es violento, es cierto, pero puede que lo sea porque no se sabe explicar muchas cosas, porque le han contado muchas mentiras, porque el suyo es el único modo de reaccionar.

—Pero ¿qué estás diciendo? Una sarta de tonterías... Y, además, ¿no has pensado en ello? ¿Qué imagen das? Eres una mentirosa. Has mentido delante de todos.

—Me importan un comino esos amigos tuyos, lo que piensan, cómo me juzgan. Siempre estáis diciendo que es gente que se ha hecho a sí misma, que ha llegado. Pero ¿adónde ha llegado? ¿Qué ha hecho? Solo dinero. No hablan con sus hijos. No les interesa en absoluto lo que hacen, lo que puedan sufrir. Nosotros os importamos un huevo.

Raffaella le da entonces una bofetada en la cara. Babi se pasa la mano por la mejilla, luego sonríe.

—Lo he dicho adrede, ¿qué crees? Ahora que me has pegado tu conciencia está tranquila. Ahora puedes volver a parlotear con tus amigas y sentarte a la mesa de juego. Tu hija está bien educada. Ha entendido lo que es justo y lo que no lo es... Ha entendido que no hay que soltar tacos y que hay que comportarse como es debido. Pero ¿no ves que eres ridícula, que haces reír? Me mandas a misa el domingo pero si escucho demasiado el evangelio entonces no va bien. Si amo demasiado a mis semejantes, si traigo a casa a uno que no se levanta cuando tú entras o que no sabe comportarse a la mesa, entonces tuerces el morro. Tendríais que inventar iglesias a vuestra medida, un evangelio solo para vosotros donde no resucitan todos, sino solo aquellos que no comen en camiseta interior, que no firman escribiendo primero el apellido, aquellos que sabéis de quién son hijos, que están siempre morenos y son atractivos, que se visten como queréis vosotros. Sois unos payasos.

Babi se va. Raffaella se la queda mirando hasta que la ve subir a la moto de Step y alejarse con él.

Cuánto tiempo ha pasado desde entonces. Cuántas cosas han cambiado. En el fondo, tiene razón ella. Tal vez lo haya entendido solo ahora. Pero hay cosas más importantes en la vida. Sigue ordenando. Solo que ni siquiera se le ocurre una, puede que porque no quiere pensar más en ellas, porque es más cómodo así. O también porque, en realidad, no son tantas. Puede que sea un remordimiento, o un sostén sobre el que se burló él.

—Qué sexy estás esta noche. —Llegan uno tras otro los recuerdos, implacables, melancólicos y tristes, remotos. La fiesta de sus dieciocho años en Ansedonia. A las diez de la noche, repentinamente, un ruido de motos. Todos los invitados se asoman a la terraza. Finalmente algo de que hablar. Acaban de llegar Step, Pollo y el resto de sus amigos. Bajan de las motos y entran en la fiesta riéndose, insolentes y seguros de sí mismos, mirando en derredor, sus amigos en busca de alguna tía buena, Step, de ella.

Babi se arroja en sus brazos, entre un dulce «felicidades, cariño» y un descarado beso en la boca.

—Venga, que están mis padres...

—¡Lo sé, por eso lo he hecho! Ven, escapémonos juntos...

Después de la torta con las velitas y el Rolex que le regalan sus padres, huyen de allí. Se deja secuestrar por sus ojos alegres, por sus divertidas ocurrencias, por su moto veloz. Se marchan de allí, bajan por la cuesta, se dirigen hacia el mar nocturno, entre las gayombas, lejos de invitados inútiles, de la mirada de desprecio de Raffaella, de la apenada de Claudio a quien le hubiera gustado poder bailar un vals con su hija como hacen todos los padres.

Pero ella ya se ha ido, está lejos. Mayor de edad, se pierde bailando entre sus besos, al ritmo que marcan unas olas espumosas y saladas, una luna romántica, su joven amor.

—Ten, es para ti. —Sobre su cuello brilla una cadena de oro con piedras turquesa del mismo color de sus ojos felices. Babi le sonríe y él, entre un beso y otro, consigue incluso convencerla—. Te juro que no la he robado.

Y la noche de la selectividad. Qué risa aquella vez, en casa hasta bien tarde para repasar. Hipótesis continuas, murmuradas clandestinamente. Todos creen saber cuál será el tema. Se llaman unos a otros seguros, cada uno de ellos convencido de tener razón.

—Es el cincuenta de la televisión, ha sido descubierto un nuevo texto de Manzoni, es sobre la Revolución francesa, seguro.

Algunos dicen que les llegó la noticia desde Australia, donde salió el día anterior, otros de un amigo que es profesor, de uno que está en la comisión, alguno incluso gracias a un médium. Cuando, el día después, el futuro se convierte en presente, se descubre que aquel profesor no es, a fin de cuentas, tan amigo, que aquel médium era un simple estafador y Australia una tierra demasiado remota como para tomarla con alguien. En cambio, cuando salieron las notas, la gran sorpresa.

Babi sacó un diez. Corrió a casa de Step completamente feliz, entusiasmada con el resultado. Él se echó a reír y le tomó el pelo.

—Ahora sí que eres toda una mujer... una mujer madura...

Y la desnudó sin dejar de reírse, bromeando, como si supiera, como si se esperara aquella nota. Hicieron el amor. Luego ella se vengó riéndose a su vez de él.

—¿Quién te lo iba a decir? Tú, un vulgar siete que tiene el honor de besar a una que ha sacado diez... ¿Te das cuenta de la suerte que tienes?

Él le sonrió.

—Sí, claro que me doy cuenta. —Y la abrazó en silencio.

Algún tiempo después, Babi fue a visitar a la Giacci. En el fondo, después de todas sus discusiones, la maestra había acabado por demostrarle una cierta simpatía. Había empezado a tratarla bien, con consideración, hasta con excesivo respeto. Aquel día, al llegar a su casa, supo por qué.

Aquel respeto no era sino miedo. Miedo a quedarse sola, a no volver a tener consigo a su único amigo y compañero. Miedo a no volver a ver a su perro. Babi se quedó sin palabras. Escuchó a la iracunda profesora, su rabia, sus palabras malévolas. La Giacci estaba frente a ella, de nuevo con su Pepito en brazos. Aquella mujer anciana parecía aún más cansada, más amarga, más desilusionada del mundo, de aquellos jóvenes.

Babi escapó de allí disculpándose, sin saber qué decir, sin saber ya muy bien quién era y a quién tenía a su lado, cuál habría sido su nota, la verdadera, aquello que se habría merecido.

Babi va hasta la ventana y mira fuera. Algunos árboles de Navidad se encienden y se apagan en las terrazas de las casas, en los salones elegantes de los edificios de enfrente. Es Navidad. Hay que ser buenos. Tal vez debería llamarlo. Cuántas veces, sin embargo, fue buena. Cuántas veces lo perdonó. Incluida la Giacci. Recuerda las mil discusiones que tuvieron, su modo tan diferente de ver las cosas, las peleas, el dulce hacer las paces confiando en que todo pudiese mejorar. Pero no fue así. Una discusión tras otra, todos los días, con sus padres que le habían declarado la guerra, llamadas a escondidas, nocturnas. Su madre que responde, Step que cuelga. Y su móvil, desgraciadamente, en casa no tenía cobertura... Y ella castigada, siempre más a menudo. Aquella vez que Raffaella organizó una cena en su casa y la obligó a asistir. Había invitado a gente de lo mejorcito, el hijo de un amigo suyo, muy rico. Un buen partido, le había dicho. Step llegó más tarde. Daniela le abrió sin pensar, sin preguntar quién era. Step abrió de par en par la puerta dándole un golpe en la cabeza.

—Perdona, Dani, no tengo nada contra ti, ya lo sabes.

Cogiendo a Babi del brazo, la arrastró fuera de allí entre los gritos inútiles de Raffaella y el intento del buen partido de detenerlo. El tipo en cuestión acabó en el suelo con un labio roto y lleno de sangre. Ella se durmió entre los brazos de Step, llorando.

—Las cosas se han puesto muy difíciles para nosotros. Me encantaría estar muy lejos contigo, sin que hubiera más problemas, sin mis padres, sin todos estos líos, en un lugar tranquilo, fuera del tiempo.

Él le sonrió.

—No te preocupes. Yo sé adónde podemos ir, nadie nos molestará. Hemos estado ya muchas veces, basta quererlo.

Babi lo miró con ojos esperanzados.

—¿Adónde?

—Tres metros sobre el cielo, donde viven los enamorados.

Pero, al día siguiente, ella volvió a su casa y a partir de ese momento empezó o, tal vez, se acabó todo.

Babi se matriculó en la universidad, empezó a asistir a las clases de economía y comercio, pasaba las tardes estudiando. Se veían menos. Una tarde, con él. Habían ido al bar de Giovanni a tomarse un refresco. Mientras estaba hablando fuera del local llegaron de repente dos tipos tremendos. Pillaron por sorpresa a Step. Se abalanzaron sobre él sin mediar palabra. Abrazándose entre ellos se pusieron a darle cabezazos, golpeándole a turnos, en un espantoso balanceo sangriento. Babi empezó a chillar. Step, al final, consiguió liberarse. Los dos tipos huyeron a bordo de una Vespa trucada perdiéndose en el tráfico. Step quedó en el suelo, atontado. Luego, ayudado por ella, se puso de nuevo en pie. Con pañuelos de papel, trataron de detener la sangre que le salía a chorros de la nariz, manchándole la Fruit.[1] Después la acompañó a casa, en silencio, sin saber muy bien qué decir. Le contó algo sobre una antigua pelea, cuando todavía no salían juntos. Ella lo creyó, aunque también es posible que solo deseara hacerlo. Raffaella se llevó un buen susto cuando la vio entrar en casa con la camiseta llena de sangre.

—¿Qué te has hecho? Babi, ¿estás herida? ¿Qué te ha pasado? Es culpa de ese delincuente, ¿verdad? ¿No entiendes que acabará mal?

Ella fue hasta su habitación, se cambió en silencio. Se quedó a solas en ella, tumbada en la cama. Consciente de que algo no iba bien. Era otra cosa la que tenía que cambiar. No iba a ser tan fácil, no como quitarse una camiseta y tirarla en el cesto de la ropa sucia. Volvió a ver a Step algunos días más tarde. Tenía un corte en la cara. Llevaba unos puntos en la ceja.

1. Se refiere a la marca de camisetas Fruit of the Loom. *(N. de la T.)*

—Pero ¿qué te has hecho?

—¿Sabes?, para no despertar a Pollo entré en casa sin encender la luz del pasillo. Me di contra una esquina. No te puedes imaginar qué daño, una cosa espantosa.

Como lo que había hecho. Se enteró de la verdad por casualidad, mientras hablaba con Pallina por teléfono. Habían ido a Talenti, al Zio d'America, con bastones y cadenas, capitaneados por Step. Una pelea impresionante, una auténtica venganza. Incluso salió en un suelto del periódico. Babi colgó el teléfono. Era inútil discutir con Step, hacía siempre lo que le venía en gana, a su modo. Era un cabezota. Se lo había repetido ya hasta cansarse, que ella odiaba la violencia, los golpes, los matones.

Ordena los estantes, saca algunos cuadernos y los arroja al suelo. Cuadernos de los años pasados, apuntes del bachillerato, libros viejos.

—¿Qué hacemos esta noche? ¿Vamos a las carreras de motos? Venga, todos van a ir.

—Imagino que lo dirás de broma, ¡ni lo sueñes! Yo no vuelvo a meter los pies en ese sitio. Igual me encuentro con esa chula medio loca y llegamos otra vez a las manos. Si quieres, yo he quedado con mis amigos después de cenar.

Step se puso una chaqueta azul. Permaneció todo el tiempo sentado en el sofá, mirando a su alrededor, tratando de encontrar algo divertido en aquellas conversaciones sin conseguirlo. Siempre había odiado a aquella gente. Se había colado en aquellas fiestas, había destrozado todo, se había divertido muchísimo robando con sus amigos en los dormitorios, tirando las cosas por las ventanas. Sus amigos. A saber dónde estarían en ese momento. En el invernadero, haciendo el caballito a ciento cuarenta, sobre la moto, mientras el público los animaba y Sica anotaba las apuestas, con las camomilas, Ciccio y el resto. Menudo coñazo de fiesta. Su mirada se cruza con la de Babi. Le sonríe. Ella está molesta, sabe de sobra lo que está pensando.

Babi consigue alcanzar el libro que está sobre los demás.

Luego lo recuerda como si estuviera pasando en ese mismo momento.

El telefonillo suena enloquecido. La dueña de casa atraviesa corriendo el salón, la puerta se abre y Pallina aparece en el umbral, pálida, tan descompuesta que acto seguido estalla en sollozos.

Fue una noche terrible. Trata de olvidarla. Recoge los libros que hay esparcidos por el suelo. Los apila y los coloca sobre la mesa. Al inclinarse de nuevo, la ve. Clara, seca, amarilla, tan descolorida como el pasado. Rota, sobre la moqueta oscura, sin vida ya desde hace mucho tiempo. La pequeña espiga que metió en su diario la primera vez que hizo novillos con Step. Aquella mañana en la que el viento anunciaba ya el verano, aquellos besos con sabor a piel perfumada por el sol. Su primer amor. Recuerda cuando estaba convencida de que jamás podría tener otro. La recoge. La espiga se deshace entre sus dedos, como los viejos pensamientos, como los sueños ligeros y las frágiles promesas.

Step mira la cafetera apoyada sobre el hornillo. Todavía no sale el café. Aumenta un poco el fuego. Junto a él todavía hay restos de ceniza, un último trozo de papel amarillento. Sus queridos dibujos, las ilustraciones de Andrea Pazienza. Eran originales. Los robó en la redacción de un nuevo periódico, *Zut*, cuando Andrea estaba todavía vivo y colaboraba con ellos. Una noche rompió el cristal de la ventana con el codo y entró por arriba. Fue fácil, solo se llevó las ilustraciones del mítico Paz y luego salió a toda prisa por la puerta, desvaneciéndose en la noche, feliz, con los dibujos de su ídolo entre las manos. Andrea murió poco tiempo después.

Junio. Una fotografía suya en un periódico. Alrededor de Andrea está toda la redacción. Debieron de hacer aquella foto pocos días después del robo. Step saca de entre los hierros del hornillo aquel trozo de papel. ¿Qué ilustración era? Debía de ser la de la cara de Zanardi. Poco importa ya. Las quemó todas aquella noche después de hablar por teléfono. Se quedó allí contemplando cómo ardían los colores, cómo se acartonaban las caras de sus héroes al ser abrazadas por la llama, cómo desaparecían en fundidos de humo las míticas frases de poetas desconocidos. Su hermano entró en ese momento.

—Pero ¿qué estás haciendo? ¿Qué pasa, has perdido la cabeza? Mira, estás quemando la campana de la cocina...

Paolo trató de apagar aquella llama demasiado alta pero él se lo impidió.

—Step, ¿te has vuelto loco? Luego me tocará a mí pagarla, ¿no? Estas gilipolleces las haces fuera.

Step perdió entonces el control. Lo tiró contra la pared, junto a la ventana. Le puso una mano alrededor del cuello, hasta casi llegar a estrangularlo. Paolo perdió las gafas. Volaron por los aires, fueron a parar al suelo, rompiéndose. Luego, Step se calmó. Lo soltó. Paolo recogió del suelo sus gafas rotas y salió en silencio, sin decir nada. Step se sintió entonces aún peor. Oyó cómo se cerraba de golpe la puerta de casa. Inmóvil, siguió contemplando cómo se quemaban sus dibujos, estropeando la campana de la cocina, sufriendo como nunca había sufrido antes. Solo como jamás lo había estado. Recuerda a Battisti. «*Prendere a pugni a un uomo solo perché è stato un pò scortese, sapendo che quel che brucia non son le offese.*»[1] Es verdad, tiene razón. Y a él le duele todavía más. Aquel hombre es su hermano. El café sale de repente, balbuceando, como si tuviera algo que decir. Step se sirve una taza y luego se lo bebe. En su boca queda un sabor caliente y amargo, el mismo gusto de los recuerdos abandonados en su corazón.

Septiembre. Los padres de Babi le compraron un billete para Londres. Se habían puesto de acuerdo con la madre de Pallina. Querían alejarlas de las malas compañías.

Bastó poco. Un plan bien pensado. Corrieron a ver a un

1. «Golpear a un hombre solo porque ha sido descortés, sabiendo que lo que duele no son las ofensas.»

amigo en la jefatura de policía. Pasaportes nuevos. A aquel chárter para Inglaterra subieron finalmente dos, solo que los nombres que figuraban en los billetes, cambiados apenas unos días antes, eran distintos. Pollo y Pallina.

Fueron quince días inolvidables para todos. Para los padres de Babi, ilusos y contentos, finalmente tranquilos. Para Pollo y Pallina, que se los pasaron dando vueltas por Londres, entrando en bares y discotecas, mandando a todos postales compradas en Roma en la Lyon Book, postales inglesas, firmadas de antemano por Babi. Y para Step y ella, lejos de todos, en aquella isla griega, Astipaleia. Un viaje épico. Con la moto hasta Brindisi, luego en ferry, abrazados bajo las estrellas, tumbados en el puente, en sacos de dormir de colores, cantando con los extranjeros canciones inglesas, mejorando así la pronunciación, aunque no fuese precisamente en el modo en el que habrían querido sus padres. Una vez llegados, los molinos blancos, las cabras, las rocas, una pequeña casa frente al mar. La pesca al amanecer, dormir por la tarde, salir por la noche, pasear por la playa. Amos de aquel lugar, del tiempo, solos, contando las estrellas, olvidando los días, mintiendo por teléfono.

Step da un sorbo a su café. Lo encuentra aún más amargo. Se echa a reír. La vez que Babi invitó a todos sus amigos a cenar. Intento de socializar. Se sentaron todos a la mesa y se comportaron bastante bien, justo como Step les había dicho que tenían que hacer. Pero no resistieron mucho. Uno tras otro se fueron levantando de las sillas, se apoderaron de los platos y, con la cerveza en la mano, fueron hasta el salón. No hay que invitar nunca los miércoles. Sobre todo si hay copa. Como no podía ser menos, la cosa acabó en modo trágico. El Roma perdió, alguno del Lazio empezó a burlarse y se produjo un conato de pelea. Step tuvo que tirarlos a todos. Divergencias, diferencias, dificultades. Trató de darle gusto. Fiesta de disfraces. Se vistieron de Tom y Jerry pero Pollo y el resto acudieron justo a la misma fiesta. ¿Una simple broma del destino? ¿O, más probablemente, un soplo de Pallina?

Todos simularon no reconocerlo. Saludaron a Babi, aquel pequeño Jerry de los ojos azules, ignorando a Tom, riéndose cada vez que pasaba por delante de ellos aquel gato enorme de abultada musculatura.

Al día siguiente, en la plaza, Pollo, Schello, Hook y alguno que otro más se acercaron a él con aire serio.

—Tenemos que decirte algo, Step. ¿Sabes?, ayer fuimos a una fiesta y vimos a Babi.

Step los mira como si con él no fuera la cosa.

—¿Y qué?

—Bueno, vaya, iba vestida de ratón y había un gato muy grande que lo intentaba con ella... Como un cerdo. Parecía uno grande, uno que se sabe defender. Si quieres que te echemos una mano para ponerlo en su sitio, solo tienes que decírnoslo. Es un problema, ¿sabes? Hay algunos gatos que tienen ciertos...

A Pollo no le dio tiempo a acabar la frase. Step se abalanzó sobre él, le sujetó la cabeza con el brazo y le restregó la nuca con su puño duro. En medio de las carcajadas de todos, las de Pollo, y también las suyas. ¡Qué amigos! Repentinamente, se siente triste. Aquella noche. ¿Por qué fue a aquella fiesta, por qué allí y no a las carreras? Babi había insistido mucho. Cuántas cosas hizo por ella. Tal vez no habría pasado. Tal vez.

El telefonillo suena enloquecido. La dueña de la casa atraviesa corriendo el salón, la puerta se abre. Pallina, con la cara blanca como la pared, pálida, temblorosa, está en el umbral. Sus ojos tristes, brillantes de lágrimas, de sufrimiento. Step se acerca a ella. Ella lo mira sin apenas poder contener el primer sollozo.

—Pollo ha muerto. —Acto seguido lo abraza buscando en él aquello que ya no podrá encontrar en ninguna parte. Su amigo, su novio, sus risotadas fuertes y sonoras. Fueron corriendo hasta el invernadero acompañados de Babi. Con el Lancia Y10 que sus padres le acababan de regalar. Los tres en aquel coche recién estrenado, con olor a nuevo, teñido ahora de sufrimiento y silencio. No tardaron en verlo. Luces resplandecientes alrededor de aquel único punto. La moto de su amigo. Uniformes odiados y coches de la policía alrededor de Pollo, que yace en el suelo, sin fuerza ya para reír, bromear, tomarle el pelo, decir tonterías. Alguien mide algo extendiendo un metro. Algún que otro muchacho contempla la escena. Pero nadie puede ver o medir todo aquello se ha ido. Step se inclina sobre él en silencio, acaricia la cara del amigo. Un gesto de amor que no se hicieron nunca en todos aquellos años de amistad, que no les estuvo permitido nunca. Luego, le susurra llorando: «Te echaré de menos». Solo Dios sabe hasta qué punto fue sincero.

Se ha acabado el café. De repente le entran ganas de que alguien le lea las noticias del *Corriere dello Sport*, de ver a aquel tipo molesto que aterrorizaba a la criada, que entraba en su casa y lo despertaba por la mañana, que pasaba por su vida bullicioso, risueño. Se pregunta cuánto tiempo hace que no se come un sándwich al salmón. Mucho, desde entonces. Pero, extrañamente, en aquel momento no le apetece. Puede que porque, si solo quisiera un sándwich, podría tenerlo.

Babi mira el regalo que ha comprado para Pallina. Está sobre la mesa, envuelto en papel rojo y atado con un lazo dorado. Le llevó tiempo elegirlo, está convencida de que le va a gustar, pagó mucho por él. Y, sin embargo, sigue allí. No la ha llamado, no ha hablado con ella. Cuántas cosas han cambiado entre ambas. Ya no es la misma, no se ven, no consiguen hablar. Puede que también sea porque después del bachiller ambas emprendieron caminos diferentes. Ella economía y comercio, Pallina el Instituto de Gráfica. Siempre le gustó dibujar. Recuerda todos los mensajes que le mandaba durante las lecciones. Caricaturas, frases burlonas, comentarios, las caras de sus amigos. A ver si adivinas quién es esta. Era tan buena que Babi acertaba casi a la primera. Miraba el dibujo, levantaba la cabeza y la encontraba de inmediato. Aquella compañera de barbilla prominente, con las orejas de soplillo, la sonrisa exagerada. Y se reían desde lejos, simples compañeras, grandes amigas. Cada pretexto era bueno para dejarse arrastrar, casi orgullosas de aquella alegría, por aquellas sonrisas no tan disimuladas.

Luego llegó aquella noche, los días que vinieron a continuación, el mes siguiente. Silencios prolongados, llantos. Pollo ya no está y ella no consigue aceptarlo. Hasta que un día la llamó la madre de Pallina. Corrió a su casa. La encontró tumbada en la cama, vomitando. Se había bebido media botella de whisky y se había tragado un frasco de valeriana. «El suicidio de los pobres», le dijo Babi cuando la vio capaz de entender algo. Pallina se echó a reír y a renglón seguido estalló en sollozos entre sus brazos. La madre las dejó a solas, no sabiendo muy bien qué hacer. Babi le acarició la cabeza.

—Venga, Pallina, no hagas eso, todos pasamos por malos momentos, todos hemos pensado al menos una vez en acabar con todo, que la vida no vale la pena. Pero puede que te estés olvidando de los cruasanes de Mondi, de la pizza de Baffetto o de los helados de Giovanni. —Pallina sonríe, se enjuga las lágrimas con la muñeca, sorbiendo por la nariz.

»Yo también, hace ya mucho tiempo, cuando dejé a ese gilipollas de Marco, creí que me iba a morir, que no lo podría superar nunca, que no existía ninguna buena razón para vivir. Pero luego se me pasó, tú me ayudaste, me sacaste de casa, conocí a Step. Bueno, ahora me gustaría acabar con él, que se comportara mejor, pero aun así ha valido la pena, ¿no?

Sueltan una carcajada. Pallina sin dejar de sollozar del todo, mientras Babi le pasa un pañuelo de papel para que se seque las lágrimas. Pero, aun así, todo empezó a cambiar a partir de aquel día, algo se enfrió entre ellas. Se llamaban siempre menos y, las veces que lo hacían, ya no tenían tantas cosas que decirse.

Tal vez porque el hecho de que un amigo nos vea demasiado débiles nos hace sentir mal. Tal vez porque siempre pensamos que nuestro dolor es único, excepcional, como todo aquello que nos afecta.

Nadie puede amar como amamos nosotros, nadie sufre como sufrimos nosotros. Ese dolor de tripa, precisamente, «lo tengo yo, y no tú». Puede que Pallina no le perdonara que hubiera ido a la fiesta con Step. Si Step hubiera ido aquella noche a las carreras no habría consentido que Pollo participara en ellas. Step lo habría salvado, no le habría permitido que se muriera. Step era su ángel de la guarda. Babi no aparta la vista del regalo. Es posible que haya también otras razones, más ocultas, más difíciles de entender. Debería llamarla. En Navidad todos son más buenos.

—¡Babi! —Es la voz de Raffaella. Decide dejar la llamada para más tarde.

—¿Sí, mamá?

—¿Puedes venir un momento...? Mira quién ha venido.

Alfredo está en la puerta.

—Hola.

Babi se sonroja ligeramente. En esto no ha cambiado. Mientras se dispone a devolverle el saludo ella también se da cuenta. Puede que en esto no cambie nunca. Alfredo trata de romper el hielo.

—Qué calor hace aquí dentro.

—Sí —dice Babi sonriendo.

La madre los deja solos.

—¿Te apetece venir a una exposición de nacimientos en la plaza del Popolo?

—Sí, espera que me pongo algo. Aquí hace calor pero fuera tiene que hacer un frío...

Se sonríen. Él le aprieta la mano. Ella lo mira con complicidad. Luego se encamina a su habitación. Qué extraño, todos aquellos años viviendo en el mismo edificio y nunca se habían visto.

—¿Sabes?, he estudiado mucho últimamente, estoy preparando la tesis y, además, he roto con mi novia.

—Yo también.

—¿Estás preparando la tesis? —le preguntó él risueño.

—No, he roto con mi novio.

La verdad es que Step, por aquel entonces, todavía no lo sabía pero ella lo había decidido ya. Una decisión difícil, causada por las peleas, las discusiones, los problemas con sus padres y, en el fondo, ¿por qué no?, también por Alfredo. Babi se pone el abrigo. Cruza el pasillo. Justo en ese momento, suena el teléfono. Babi lo mira por un instante. Una llamada, dos. Raffaella responde.

—¿Sí?

Babi permanece a su lado, la mira interrogativa, preocupada, preguntándole con la mirada si es para ella. Raffaella niega dulcemente con la cabeza, cubre el auricular con la mano.

—Es para mí... Vete. Vete...

Babi se despide de ella tranquila, palabras tenues como su abrazo.

—Vuelvo más tarde.

Raffaella la ve salir, responde al saludo educado de Alfredo con una sonrisa. La puerta se cierra.

—¿Sí? No, lo siento, Babi ha salido. No, no sé cuándo volverá.

Step cuelga el teléfono. Se pregunta si será verdad que ha salido. Si se lo habría dicho. Solo en aquel sofá, recordando, junto a un teléfono mudo, sin esperanza. Días felices ya pasados, sonrisas, días de amor y de sol. Poco a poco, se la va imaginando a su lado, entre sus brazos, en ese mismo sofá, tal y como fue.

Ilusión de un momento, violentos instantes de pasión, ahora solitaria. Después se siente aún más solo, privado incluso del orgullo. Más tarde, mientras camina entre la gente, ve los coches con parejas felices en su interior, sumergidos en el tráfico festivo, con los asientos llenos de regalos. Sonríe. Es difícil conducir cuando ella se abraza a ti, cuando quiere meter por fuerza las marchas y no es capaz, cuando tienes una mano sola para llevar el volante y, a la vez, amar.

Sigue caminando entre falsos Papá Noel y olor de castañas

cocidas, entre guardias con el silbato y gente cargada de paquetes, buscando su pelo, su perfume, la confunde con otra que camina apresuradamente y se ve obligado a frenar a su corazón decepcionado.

Calle de Vigna Stelluti, un día risueño. Step la lleva en brazos como a una niña, besándola a la vista de todos, admirados por aquella diferencia. Luego entra en el Euclide, la apoya delicadamente sobre la barra y la gente que los mira lo oye pedir: «Una cerveza y un trozo de torta de crema para mi pequeña». Salen poco después, de nuevo a la calle, ella en brazos de él, entre la gente normal, distinta. Una pareja los mira. La chica sonríe para sus adentros deseando uno así para ella, exagerado y loco. Acto seguido piensa en el débil de su novio, en la dieta que todavía no ha empezado, en el lunes que está por venir.

Los padres de Babi, al ver a su hija en brazos de Step, se acercan corriendo a ellos preocupados.

—¿Qué te ha pasado? ¿Te has caído de la moto? ¿Te has hecho daño?

—No, mamá, estoy de maravilla. —Los ven alejarse, preguntándose el porqué. Gente que busca siempre un motivo y que, ese día, vuelve a casa con las manos vacías.

Alguien tropieza con él, ni siquiera se da cuenta que es una chica atractiva. Mire donde mire, solo ve recuerdos. Las camisetas idénticas que se compraron, él una talla grande, ella una conmovedora mediana.

Verano. El concurso de las misses en el Argentario. Babi participó por broma, él se tomó demasiado a pecho un comentario sincero, por otra parte, de uno de los del público: «Eh, mira qué maravilla de culo». Se produjo de inmediato una pelea.

Sonríe. Lo tiraron de la discoteca, no pudo ver cómo ganaba. Cuántas veces hizo el amor con miss Argentario. De noche, en villa Glori, bajo la cruz a los caídos, en el banco oculto detrás de un arbusto, sobre la ciudad. La luna besaba sus suspiros. En el coche, aquella vez que la policía interrumpió sus besos furtivos y ella, muerta de vergüenza, tuvo que mostrarles la documentación. Cuando estaban ya lejos, Step se despidió de los policías con un burlón: «¡Envidiosos!».

Aquella red agujereada. Ayudarla a saltar por la noche, abrazarla junto a las jaulas, amarse temerosos sobre aquel banco, entre rugidos de bestias feroces y graznidos de pájaros invisibles. Ellos, tan libres, en aquel zoo lleno de prisioneros.

Se dice que, cuando uno muere, ve pasar ante sus ojos los momentos más significativos de su vida. De modo que Step trata de alejar todos aquellos recuerdos, aquellos pensamientos, aquel dulce sufrimiento. Pero, de golpe, lo entiende. Todo es inútil. Todo se ha acabado.

Sigue caminando todavía durante un rato. Casi sin querer, se encuentra delante de la moto. Decide ir a casa de Schello. Sus amigos están allí celebrando la Navidad.

Sus amigos. Cuando se abre la puerta experimenta una extraña sensación.

—¡Eh, hola, Step! Coño, hace una eternidad que no te veía. Feliz Navidad. Estamos jugando a la ruleta. ¿Sabes cómo se juega?

—Sí, pero prefiero mirar. ¿Tienes una cerveza?

El Siciliano le pasa una ya abierta.

Se sonríen. Es agua pasada. Da un sorbo. Luego se sienta en un escalón. La televisión está encendida. En un escenario navideño unos concursantes con escarapelas de colores participan en un estúpido juego. Un presentador aún más estúpido se demora demasiado explicando el sucesivo. Deja de interesarle. De un estéreo escondido en alguna parte llega algo de música. La cerveza está fría y no tarda en calentarlo. Sus amigos van todos bien vestidos o, al menos, lo intentan. Chaquctas azulcs un poco anchas sobre un par de vaqueros.

Esta es su elegancia. Alguno lleva hasta un traje, otro un par de pantalones de pana excesivamente ajustados. Inesperadamente, recuerda el funeral de Pollo. Estaban todos, y no solo ellos. Mejor vestidos, con un aire más serio. Ahora se ríen, bromean, se tiran unos a otros fichas y cartas de colores, eructan, engullen trozos enormes de panettone. Aquel día tenían los ojos arrasados de lágrimas. El adiós a un amigo verdadero, un adiós sincero, conmovido, desde lo más profundo del corazón. Los vuelve a ver en aquella iglesia, con los músculos torturados, embutidos en aquellas camisas demasiado estrechas, con el semblante serio, atentos al sermón del cura, saliendo en silencio. Al fondo, chicas que se han escapado del colegio y que lloran. Amigas de Pallina, compañeras de tantas veladas, de salidas nocturnas, de cervezas en el bar. Aquel día todos sufrieron de verdad. Escondidos detrás de sus Ray-Ban, Web, gafas de espejo u oscuras Persol, mirando con ojos brillantes aquel «Adiós Pollo» hecho de crisantemos rosados. Firmado «Tus amigos». Dios mío, cuánto lo echo de menos. Su mirada se vuelve a empañar por un momento. Se encuentra con una sonrisa. Es Madda. Está en un rincón abrazada a un tipo que Step ha visto a menudo en el gimnasio. Desvía la mirada.

Step bebe un poco más de cerveza. Añora infinitamente a Pollo. Aquella vez, cuando fingían ser aparcacoches y se pulieron un Ferrari con teléfono incorporado. Se pasaron toda la noche dando vueltas con él, llamando a todos, a los amigos en América, a mujeres que acababan de conocer, insultando a padres todavía medio dormidos. Cuando fueron a devolver el perro a la Giacci. Y Pollo, que no quería desprenderse de él.

—Coño, le he cogido demasiado cariño a Arnold. Es un mito, este perro. ¿Por qué se lo tengo que devolver a esa vieja bruja? Estoy seguro de que, si pudiera elegir, Arnold preferiría quedarse conmigo. Jamás se había divertido tanto, le dejo follar todos los días, duerme conmigo, come de maravilla, ¿qué más puede pedir?

—De acuerdo, pero no has conseguido que te devuelva las cosas cuando se las tiras...

—Una semana más y lo habría logrado, estoy seguro.

Step se echó a reír y luego llamó por el telefonillo a la Giacci. Le dejan el perro atado a la verja con una cuerda al cuello. Se esconden por allí cerca, detrás de un coche. Ven a la Giacci salir corriendo del portal, liberar al perro y abrazarlo. Se echa a llorar mientras lo estrecha contra su pecho.

—Caramba, vaya melodrama —comenta Pollo desde lejos. A continuación, algo increíble.

La Giacci quita al perro aquella especie de cuerda y la arroja todo lo lejos que puede. Arnold salta al suelo y se pone a correr deprisa, ladrando como un loco. Poco después, vuelve junto a la Giacci con la cuerda en la boca, moviendo el rabo, orgulloso de aquella perfecta prestación. Pollo no se puede contener más. Sale eufórico de detrás del coche.

—¡Lo sabía! ¡Coño, lo sabía! ¡Lo ha conseguido!

Pollo quiere volverse a llevar a Arnold. La Giacci chilla como una loca corriendo hacia ellos, el perro contempla a sus dos dueños sin dar muestras de dudarlo demasiado. Step obliga a montar a Pollo sobre la moto tirándole de un brazo. Y luego a correr, huyendo veloces, dando alaridos como tantas otras veces. De día, de noche sin faros, gritando con alevosía, insolentes, amos de todo, dueños de la vida. La conciencia de esto le hace aún más daño. Se sentían inmortales, y no lo eran.

—¿Cómo estás?

Step se da la vuelta. Es Madda. Su sonrisa oculta tras el borde de un vaso lleno de burbujas, su pelo tan chispeante como su mirada.

—¿Quieres? —Step le tiende su cerveza.

—Ah. —Madda se siente casi decepcionada pero trata de ocultarlo—. ¿Qué haces esta noche? ¿Dónde cenas? —Se acerca un poco más a él.

—Todavía no lo sé, no lo he decidido.

—¿Por qué no te quedas aquí? Estaremos todos juntos. Como en los viejos tiempos. ¡Venga!

Step posa su mirada sobre ella por un momento. Cuántas noches, cuánta pasión. Las carreras que corrieron juntos, su jardín, la ventana, su cuerpo cálido, fresco, las canciones de Eros. Aquella mirada provocativa, la misma que tiene ahora.

Ve un chico al fondo que lo mira con curiosidad, molesto, preguntándose si no será el caso de intervenir. Ve una muchacha aún más lejos, en algún lugar, en aquella ciudad, en un coche, en una fiesta, junto a otro. «Y, sin embargo, sigue todavía aquí, en mi corazón.» Step acaricia el pelo de Madda. Hace un gesto negativo con la cabeza, sonriéndole. Ella se encoge de hombros.

—Lástima.

Madda se reúne de nuevo con el tipo de mirada dura. Cuando se da la vuelta, Step ha desaparecido. Sobre el escalón ya solo queda la lata de cerveza vacía. El ruido del estéreo ahoga el de la puerta al cerrarse. Fuera ahora hace frío. Step se cierra bien la cazadora de piel. Se levanta el cuello de la cazadora y se abriga. Luego, distraído, enciende la moto. Cuando la apaga se encuentra frente a la casa de Babi. Se queda sentado sobre la Honda, mirando pasar a la gente, apresurada, cargada de paquetes. Una pareja joven finge interés por algo que hay en un escaparate. Sus regalos estarán ya en casa, bien envueltos. Ríen seguros de haber elegido bien y se marchan dejando el sitio a una madre con una hija, idéntica nariz pero de diferente edad. Fiore sale de la garita, da algunos pasos en dirección a la verja y saluda a Step con un gesto. Luego, sin añadir palabra, entra de nuevo en su caldeado refugio. Step se pregunta si sabrá algo. Qué tonto. Los porteros saben siempre todo. Seguro que lo habrá visto. Conocerá a la persona de cuya existencia el se enteró solo por teléfono.

—¿Sí?

—Hola.

Permanece por un momento en silencio, sin saber qué decir, dejando que su corazón corra desatado. Hacía ya más de dos meses que no latía así. Luego viene la pregunta banal:

—¿Cómo estás?

Le siguen muchas más, llenas de entusiasmo. Poco a poco, lo va perdiendo, al oír sus palabras inútiles, llenas de noticias urbanas, de novedades de interés ya caduco, al menos para él. ¿Por qué habrá llamado? Escucha aquella vana cháchara sin dejar de hacerse ni por un momento la misma pregunta. ¿Por qué habrá llamado? Se entera de golpe.

—Step... estoy saliendo con otro.

Enmudece, sintiéndose golpeado como no lo ha sido nunca, aquello hace más daño que los mil puñetazos, heridas, caídas, más que los cabezazos en la cara, los mordiscos, los tirones de pelo. Entonces, haciendo un esfuerzo, busca su voz, la encuentra allí, en el fondo de su corazón, y la obliga a salir, a controlarse.

—Espero que seas feliz.

Después, nada más, el silencio. Aquel teléfono mudo. No puede ser. Es una pesadilla. Desearía poder dar marcha atrás en el tiempo y detenerse en vilo en aquel momento, justo antes de saberlo, y ahí dejar de vivir, de ir hacia delante. En un mágico y terrible equilibrio. Solo en la cama, víctima de sus pensamientos, de hipótesis, de ideas vagas e imprecisas. Caras de personas apenas vislumbradas, de posibles amantes, aparecen y se entremezclan prestándose unas a otras narices, ojos, bocas, cuerpos. Se la imagina en brazos de otro. Su cara junto a la de aquel hombre imaginario pero que, desgraciadamente, existe. Entonces la ve sonreír. Cómo habrá sido su primer abrazo, su primer beso. La imagina en casa arreglándose nerviosa antes de salir, probándose vestidos, combinando colores, llena de entusiasmo, de novedad. Oye su corazón latir feliz al oír el telefonillo. La ve salir guapísima del portal, tan guapa como lo estuvo muchas de las veces que salió con él, aún más ahora que lo ha dejado. La ve subir en un coche que, con toda seguridad, será caro, saludar a un tipo divertida con un beso en la mejilla y alejarse charlando con él. Frescos y chispeantes, rebosantes de cosas fáciles que decirse, saboreando el perfume del otro y las fantasías comunes. Después, una cena de miradas y de atenciones, de sonrisas, educación, una cena con el escenario adecuado. Más tarde, la ve pasear por algún otro lugar de la ciudad, lejos de él, de su vida, de la infinidad de recuerdos. La ve apartarse el pelo como hacía siempre cuando salían juntos, solo que ahora lo hace para otro, la ve sonreír y, lentamente, ve también cómo sus labios se acercan. Entonces sufre como nunca antes lo había hecho. ¿Por qué, si hay un Dios, lo ha permitido? ¿Por qué no la ha detenido? ¿Por qué no le ha hecho ver en ese momento algo mío, algo espléndido, el más hermoso de los recuerdos, todo el amor que hemos compartido? Lo que fuera con tal de impedir que cobrara vida un extraño futuro, que aquel beso viera la luz. Demasiado tarde.

Step siente un estremecimiento de calor por todo el cuerpo, tiembla ligeramente. Luego baja de la moto y se pone a pasear. Le gusta algo que ve en una tienda. Entra a comprarlo. Cuando sale, tiene la sensación de que se va a morir. Un Thema pasa veloz por delante de él. Pero no lo suficiente como para impedir que sus miradas se crucen. En ese fugaz instante que los une de nuevo, se lo cuentan todo, sufren juntos por una infinidad de cosas. Babi está detrás de aquella ventanilla eléctrica. Se persiguen todavía por un momento con sus viejos recuerdos, con una nueva tristeza. Luego ella desaparece en el interior de la urbanización. ¿Por qué? ¿Adónde han ido a parar todas aquellas tardes, aquellas noches que pasaron juntos aprovechando que sus padres habían salido? Ahora ella sale con ese. ¿Quién coño es? ¿Qué tiene que ver con su vida? ¿Con nuestra vida? ¿Por qué? Se sienta sobre la moto. Con intención de esperarla. Entonces recuerda las cosas que Babi le repetía siempre.

—Yo odio a los violentos, si sigues haciendo lo que te viene en gana romperemos, te lo juro.

—Está bien, cambiaré —le respondía vagamente él.

Pero ¿y ahora? Ahora son las cosas las que han cambiado. Ya no están juntos. Ya no necesitan esconderse más. Ya no tiene que ser otro. Puede ser él mismo, cómo y cuándo quiera. Ahora está libre. Violento y solo. De nuevo. El Thema se para delante de la barra. Espera a que se levante lentamente y luego cruza la verja. Step enciende la moto y mete la primera. Baja rápidamente de la acera y sigue al coche. El tipo ahora está solo y conduce veloz. Step da gas. Tendrá que pararse en el stop. Bajo la calle Jacini hay tráfico, coches en fila. Como siempre. El Thema se detiene. Step sonríe, se acerca a él. Cuando está a punto de bajar de la moto lo entiende. ¿De qué serviría atizarle en la cara, ver su sangre, oír sus gemidos? ¿De qué serviría darle patadas, destrozarle el coche, romperle las ventanillas con la cabeza? ¿Acaso eso le devolvería los días felices pasados junto a ella, sus ojos enamorados, su entusiasmo? Solo le habría ayudado a dormir satisfecho aquella noche. Puede que ni siquiera eso... Le parece oír sus palabras.

—¿Has visto? ¡Tenía razón, eres un violento! ¡No cambiarás nunca!

Entonces, sin ni siquiera mirar al coche, acelera. Lo adelanta tranquilo, libre, sobre su moto, ágil en el tráfico de aquel día de fiesta. Solo, sin curiosidad, sin rabia.

Sigue acelerando mientras siente el viento frío sobre la cara, el aire de la noche meterse por su cazadora.

Ves, Babi, no es verdad lo que piensas. He cambiado. Y, además, ya se sabe, en Navidad todos son más buenos.

54

Step entra en casa y, mientras está cruzando el salón, se detiene de repente. De la habitación de al lado llegan unos ruidos, un canto alegre. Abre la puerta de la cocina. Paolo está allí, de pie junto a los hornillos, ajetreado con unas sartenes.

—¡Eh, menos mal, pensaba que ya no volvías! ¿Estás preparado para esta maravillosa cena?

Step se sienta en la mesa. No tiene ganas de broma pero está contento. Su hermano ha olvidado lo de la noche anterior.

—¿Cómo es que estás aquí? ¿No ibas a salir a cenar con Manuela?

—Compromiso aplazado. Prefiero estar con mi hermano. A condición de que hagamos un pacto. Aunque la cena dé asco, tú dejarás en paz a mis gafas... —Paolo saca del bolsillo de la chaqueta un par de flamantes gafas recién estrenadas—. No te digo cuánto me han costado, si no luego me dices que solo pienso en el dinero. En cualquier caso, es verdad, los comerciantes se aprovechan de que es Navidad.

Paolo pone sobre la mesa que hay junto a Step una enorme ensalada con ruqueta, parmesano y trozos de champiñón.

—¡*Et voilà*! ¡Cocina francesa!

Step nota que se ha puesto un delantal claro corriente y moliente. El de flores que le regaló Babi está colgado junto a la pila. Se pregunta si su hermano lo habrá hecho adrede.

—Bromas aparte, ¿por qué no has salido a cenar con Manuela?

—¿Qué pasa esta noche, me vas a interrogar? Es Navidad, tenemos que ser felices, hablemos de otra cosa. Es una fea historia.

—Lo siento. —Step coge un trozo de parmesano y se lo mete en la boca.

—Sí, gracias. Trata, sin embargo, de no comerte toda la ensalada, ¿eh? Oye, ¿por qué no vas al salón y pones la mesa? El mantel está ahí abajo.

Step coge el primero que pilla.

—No, coge el rojo. Está más limpio y, además, es Navidad. Por cierto, han llamado papá y mamá... querían felicitarte. ¿Por qué no los llamas?

—Lo he intentado... comunica. —Step se dirige al salón.

—¿Por qué no vuelves a intentarlo ahora?

Step decide no contestarle.

—Haz como quieras... Yo te lo he dicho. —Paolo se quema un dedo al tratar de averiguar si la pasta está lista. También él decide no insistir.

Más tarde, están sentados uno frente a otro. Un pequeño árbol de Navidad resplandece sobre un mueble cercano. La televisión está encendida pero sin volumen, unos presentadores navideños hablan por encima de la música alegre de la radio.

—Caramba, Paolo, esta pasta está buenísima. En serio.

—Le falta un poco de sal.

—No, yo creo que está bien así. —En un abrir y cerrar de ojos, los recuerdos se apoderan de él de nuevo. Babi le añadía sal a casi todo. Él le tomaba el pelo porque lo hacía en cualquier caso, con todos los platos, incluso antes de probarlos.

—Pero pruébalo antes, ¿no?, puede que esté ya saladísimo.

—No, no lo entiendes, a mí me gusta poner sal... —Dulce cabezota. No, no se entiende. No se puede entender. ¿Cómo puede haber pasado? ¿Cómo es posible que ya no esté? ¿Cómo puede estar con otro? Vuelve a ver el coche que avanza tranquilo. Los imagina juntos, abrazados.

De algo estoy seguro. No podrá quererla como la quería yo, no podrá adorarla en ese modo, no sabrá advertir hasta el menor de sus dulces movimientos, de aquellos gestos imperceptibles de su cara. Es como si solo a él le hubiera sido concedida la facultad de ver, de conocer el verdadero sabor de sus besos, el color real de sus ojos. Ningún hombre podrá ver nunca lo que yo he visto. Y él menos que ninguno. Él, real, cruel, inútil, material. Se lo representa así, incapaz de amarla, deseando solo su cuerpo, incapaz de verla verdaderamente, de entenderla, de respetarla. Él no se divertirá con esos tiernos caprichos. Él no amará incluso su mano pequeña, sus uñas comidas, sus pies ligeramente regordetes, aquel diminuto lunar escondido, aunque no tanto, a fin de cuentas. Puede que lo vea, sí, qué terrible sufrimiento, pero nunca será capaz de amarlo. No de aquel modo. La tristeza inunda sus ojos. Paolo lo mira preocupado.

—Da realmente asco, ¿verdad? Si no te gusta, déjala. El segundo plato es estupendo.

Step levanta la mirada hacia su hermano, sacude la cabeza haciendo un esfuerzo por sonreír.

—No, Pa', está buena, de verdad.

—¿Quieres hablar?

—No, es una fea historia.

—¿Peor que la mía? —Step asiente. Se sonríen. Una mirada fraterna en el verdadero sentido de la palabra, puede que por primera vez en sus vidas. Inesperadamente, el timbre de la puerta. Un sonido prolongado e insistente atraviesa el aire, llevándose consigo alegría y esperanza. Step corre hacia la puerta, la abre.

—Hola, Step.

—Ah, hola, Pallina. —Trata de ocultar su desilusión—. Ven, ¿quieres entrar?

—No, gracias, solo he pasado para felicitarte. Te he traído esto. —Le da un pequeño paquete.

—¿Lo abro ahora?

Pallina asiente. Step le da la vuelta entre las manos para encontrar el lado justo, lo desenvuelve deprisa. Un marco de madera y, dentro, el mejor regalo que podía desear. Él y Pollo sobre la moto, abrazados, con el pelo corto, las piernas levantadas, la carcajada al viento. Una dolorosa punzada.

—Es precioso, Pallina, gracias.

—Dios mío, Step, si supieras cuánto lo echo de menos.

—Yo también. —Solo entonces se da cuenta de cómo va vestida Pallina. Cuántas veces la ha visto con aquella cazadora vaquera detrás de su moto, cuántas palmadas le ha dado, con amistad, con fuerza, con alegría.

—Step, ¿te puedo pedir algo?

—Lo que quieras.

—Abrázame. —Step se acerca a ella temeroso, extiende los brazos y la acoge entre ellos. Piensa en su amigo, en cuánto lo quería ella—. Apriétame fuerte, más fuerte. Como hacía él. ¿Sabes?, siempre me decía: «Así no te escaparás. Te quedarás siempre conmigo». —Pallina apoya la cabeza sobre su hombro—. Y, en cambio, es él el que se ha ido. —Se pone a llorar—. Me recuerdas mucho a él, Step. Él te adoraba. Decía que solo tú le entendías, que erais iguales, vosotros dos.

Step mira a lo lejos. La puerta se desdibuja ligeramente. La abraza cada vez más fuerte.

—Eso no es verdad, Pallina, él era mucho mejor que yo.

—Sí, es verdad. —Sonríe sorbiendo por la nariz. Pallina se separa de Step—. Bueno, me voy a casa.

—¿Quieres que te acompañe?

—No, gracias. Dema me está esperando abajo.

—Salúdalo de mi parte.

—Feliz Navidad, Step.

—Feliz Navidad.

La mira entrar en el ascensor. Pallina le vuelve a sonreír antes de cerrar la puerta y de apretar el botón B. Mientras baja, saca de la cazadora su cajetilla de Camel light. Se enciende el último cigarrillo, el que está al revés. Pero se lo fuma con tristeza, sin esperanza. Consciente de que su único, verdadero deseo, es irrealizable.

Step va a su habitación y, tras poner la foto sobre su mesita, vuelve al salón. Junto a su plato hay un paquete.

—¿Y esto qué es?

—Tu regalo. —Paolo le sonríe—. ¿No sabes que en Navidad se dan regalos?

Step empieza a abrir el paquete. Paolo lo observa divertido.

—Al ver que ayer quemabas todos tus dibujos se me ocurrió que ahora ya no tendrás nada para leer.

Step lo desenvuelve del todo. Le entra risa.

—Mi nombre es Tex.

El cómic que más odia.

—Si no te gusta, lo puedes cambiar.

—¿Bromeas, Paolo? Gracias. No lo tengo. Espera un momento, yo también tengo algo para ti.

Poco después vuelve de su habitación con un estuche. Lo compró aquella tarde mientras esperaba bajo la casa de Babi. Antes de verla. Prefiere no pensar en ello.

—Ten.

Paolo coge el regalo y lo abre. Un par de Ray-Ban negras Predator aparecen en sus manos.

—Son como las mías. Son durísimas y no se rompen nunca. Aunque alguien te las tire al suelo. —Le sonríe—. Ah, por cierto, no las puedes cambiar.

Paolo se las pone.

—¿Cómo estoy?

—¡Muy bien! Coño, pareces un duro. Casi das miedo.

De repente, se asoma a su mente, lúcida, perfecta, divertida.

—Oye, Pa', tengo una idea, solo que no me puedes decir que no como de costumbre. ¡Hoy es Navidad, no me lo puedes negar!

El viento frío les despeina.

—¿Podrías ir más despacio, Step?

—Pero si voy a ochenta.

—En ciudad no habría que superar los cincuenta.

—Cállate ya, sé que te gusta. —Step acelera. Paolo lo abraza con fuerza. La moto corre veloz por las calles de la ciudad, atraviesa los cruces, pasa los semáforos en naranja, silenciosa, ágil. Los dos hermanos van sobre ella, abrazados. La corbata de Paolo se libera de la cazadora y agita alegre en la noche sus rombos severos. Algo más arriba, sus gafas oscuras. Paolo mira aterrorizado a la calle, listo para advertir cualquier peligro. Delante de él, Step conduce tranquilo. El viento acaricia sus Ray-Ban. Algunas personas aparcan apresuradas en segunda fila delante de una iglesia. Van a misa. Religiosidad navideña, oraciones cargadas con el sabor a panettone. Por un momento siente ganas de entrar, de pedir algo, de rezar.

Pero enseguida se pregunta cuánto le puede importar a Dios uno como él, uno así. Nada. Dios es feliz. Él tiene las estrellas. Mira a lo alto, al cielo. Nítidas, a milllares, aparecen inmóviles y brillantes. En ese momento, aquel azul le parece más remoto que nunca, inalcanzable. Entonces acelera, mientras el viento le golpea en la cara, mientras sus ojos empiezan a dejar caer paulatinamente unas lágrimas de las que no solo es culpable el frío. Siente que Paolo se abraza aún más estrechamente a él.

—Venga, Step, no corras. ¡Tengo miedo!

Yo también tengo miedo, Paolo. Tengo miedo de los días que están por venir, de no poder resistirlo, de lo que ya no tengo, de lo que el viento cancelará. Da un poco más de gas. Reduce con suavidad. Por un momento, le parece oír la risa de Pollo. Aquellas risotadas fuertes y alegres. Su cara, su voz amiga.

—Coño, Step, nos divertimos, ¿eh? —Y cervezas, y noches fuera, siempre juntos, siempre alegres y con ganas de vivir, de pelear, con un cigarrillo a medias y tantos sueños. Acelera de nuevo. Paolo grita, mientras la moto se levanta. Step sigue así, acelerando sobre una sola rueda, haciendo el caballito como en los buenos tiempos, sonriendo a aquel ramo de flores apoyado en el arcén.

Lejos, más lejos, en el sofá de una casa elegante, dos cuerpos desnudos se acarician.

—Eres preciosa. —Ella sonríe avergonzada, sintiéndose todavía un poco extraña—. Pero ¿qué es esto?

Un ligero embarazo.

—Nada, un tatuaje.

—Es un águila, ¿verdad?

—Sí. —A continuación, una amarga mentira—. Me lo hice con una amiga mía.

En ese momento, no hay ningún gallo que cante, pero una oleada de tristeza invade igualmente su corazón. Y un cruel destino radiofónico se ceba con ella, casi como si quisiera hacérsela pagar. *Beautiful*. Su canción. Babi se echa a llorar.

—¿Por qué lloras?

—No lo sé.

No encuentra ninguna respuesta. Puede que porque no las haya.

En otros lugares, la gente juega gritando y armando alboroto. Fichas de colores van cayendo sobre paños verdes. Abuelas cansadas son conducidas hasta casa. Una muchacha morena se duerme, romántica, abrazada al almohadón. Sueña con conocer a aquel chico que ha visto pasar.

Dulcemente, la rueda toca de nuevo el suelo, igual que se ha levantado, sin problemas.

Paolo vuelve a respirar. Step aminora la marcha. Sonríe.

Es verano. Los dos son todavía unos niños. Sus padres están allí, felices bajo la sombrilla. Charlan sobre dos tumbonas azules, las que tienen el nombre del establecimiento arriba.

Step sale del agua corriendo hacia ellos, con el pelo mojado y unas gotas saladas deslizándose por sus labios.

—¡Tengo hambre, mamá!

—Primero cámbiate el bañador y luego te daré un trozo de pizza.

Entonces su madre lo envuelve en una gruesa toalla. La sujeta sobre sus hombros, sonriendo. Él se quita obediente el bañador. Luego, avergonzado de estar desnudo, se pone enseguida el seco. Trata de no mancharlo con la arena mojada y más oscura que le cubre los tobillos. No lo consigue. Sonríe de todos modos. Su madre lo besa. Tiene unos labios suaves y cálidos, huele a sol y a crema. Step se aleja corriendo feliz, con su trozo de pizza blanca en la mano. Esponjosa, aún caliente, con el borde crujiente, justo como le gusta a él.

Paulatinamente, la moto entra en la curva. Es hora de volver a casa. Es hora de volver a empezar, lentamente, sin dar demasiadas sacudidas al motor. Sin darle demasiadas vueltas. Con una única pregunta. ¿Volveré a estar alguna vez allí arriba, en ese lugar tan difícil de alcanzar? Allí, donde todo resulta más hermoso. Desgraciadamente, en ese mismo instante, sabe ya la respuesta.

atrás del ojo y se quedó [illegible] ella [illegible] y
unas gotas saladas, deslizándose por sus labios.

—Tengo hambre, mamá.

—Primero cambiaré el pañal y luego te daré un trozo de pizza.

Entonces su madre le envuelve en una [illegible] la sienta sobre sus hombros [illegible] el [illegible] secunda el [illegible] con la arena [illegible] que [illegible] entre los [illegible] de todos [illegible] salir [illegible] su [illegible] con el [illegible] puesto como [illegible]

Paulatinamente [illegible] en la cueva [illegible] devolver a casa [illegible] volver a empezar [illegible] demasiado [illegible] Sin darle demasiadas vueltas. Con [illegible] volveré a esta alguna vez a la [illegible] dónde [illegible] [illegible] respuesta.